Manuel
de recherche
en sciences sociales

Consultez nos catalogues sur le Web

www.dunod.com

PSYCHO SUP

Manuel de recherche en sciences sociales

Raymond Quivy
Luc Van Campenhoudt

3ᵉ édition
entièrement revue et augmentée

DUNOD

Illustration de couverture
Franco Novati

© Dunod, Paris, 1995, 2006
ISBN 2 10 050039 2
ISSN 0080 7648

TABLE DES MATIÈRES

Troisième étape

LA PROBLÉMATIQUE

Cinquième étape

L'OBSERVATION

RÉCAPITULATION DES OPÉRATIONS

AVANT-PROPOS
À LA TROISIÈME ÉDITION

Ce dont ont le plus besoin ceux et celles qui se forment à la recherche en sciences sociales ou qui s'engagent dans leurs premières expériences de recherche, c'est d'un fil conducteur méthodologique qui les aide à progresser d'une étape à l'autre et à réaliser chacune d'elles aussi correctement que possible. Telle est, depuis sa parution en 1988, la philosophie du *Manuel de recherche en sciences sociales*. Dans cette troisième édition, cette philosophie se trouve confirmée et même accentuée.

Confirmée car la structure générale de l'ouvrage, avec ses sept étapes, reste inchangée. En évitant tout simplisme, l'écriture reste aussi claire que possible. Les améliorations ne perturbent pas la cohérence générale de la démarche à laquelle les utilisateurs fidèles, enseignants, étudiants et jeunes chercheurs, sont habitués.

Accentuée car les modifications ont essentiellement porté sur l'étape qui, pour beaucoup, présentait le plus de difficultés pratiques : la problématique. Il est en effet apparu qu'une partie de nos lecteurs, qui suivent un cursus autre que celui de sciences sociales, n'avait pas reçu, dans ces disciplines, une formation théorique suffisante pour mener à bien cette étape tandis que d'autres, qui l'avaient bien reçue, n'en éprouvaient pas moins des difficultés à transposer leurs acquis théoriques dans la recherche concrète. L'étape 5 portant sur la problématique a donc été entièrement repensée, avec davantage d'exemples plus diversifiés, un ensemble de repères théoriques et conceptuels présentés dans un souci d'utilisation pratique et des indications plus précises sur le sens de cette étape, pour sa mise en œuvre concrète. L'ajout en fin d'ouvrage d'une seconde application illustrant les différentes étapes de la démarche renforce également la finalité pratique du *Manuel*.

Dans l'optique de procurer des outils de recherche efficaces sans sacrifier l'esprit critique et la réflexion épistémologique, la section sur la rupture dans l'introduction « Objectifs et démarche » a été enrichie d'une courte discussion qui résume le débat actuel à son sujet. De plus, dans la présentation des objectifs de l'étape 5 sur l'observation, nous avons voulu insister sur le sens du travail empirique dans la recherche sociale. Dans un contexte intellectuel relativiste qui tend parfois à dévaloriser le travail « de terrain » au bénéfice d'un certain essayisme, il nous a semblé important de réaffirmer le caractère empirique des sciences sociales. D'une manière ou d'une autre, les spéculations théoriques doivent être confrontées à l'expérience du terrain et à la manière dont les acteurs vivent les situations sociales où ils sont impliqués. Que les faits sociaux ne soient pas bruts mais bien construits par l'analyse ne change rien à la nécessité de cette confrontation. D'où l'importance que son sens soit bien compris.

Aujourd'hui, les méthodes de recherche souples, qui font droit à la subjectivité du chercheur, voire à sa spontanéité ont la cote. Il n'en reste pas moins qu'il faut « de la méthode » et que le chercheur débutant risque de faire n'importe quoi n'importe comment – et surtout de se perdre en cours de route – si le formateur ne prend pas la responsabilité de lui procurer une ligne de conduite et des repères structurants. Le *Manuel* veut assumer cette responsabilité sans pour autant tomber dans un scientisme ou un positivisme obtus. Si des dizaines de milliers de lecteurs l'ont adopté aussi bien en Amérique latine et en Afrique qu'au Québec et en Europe, c'est parce qu'il aide à organiser leur propre recherche, tel une référence qui permet de s'y retrouver et de progresser, sans pour autant s'imposer comme un catéchisme ni se réduire à un mode d'emploi rigide.

Au cours des bientôt vingt années d'existence du *Manuel*, nous avons bénéficié des critiques et suggestions de collègues proches ou lointains. Il est impossible de les citer tous. Outre les collègues déjà cités dans l'avant-propos à la deuxième édition, nous avons particulièrement apprécié nos discussions critiques régulières ou occasionnelles à propos du *Manuel* et sur la méthodologie avec Jean-Guy Bergeron (Montréal), Montserrat Tresara Pijoan (Barcelone), André Niamba (Ouagadougou), Daniel Bodson, Edmond Legros et Jacques Marquet (Louvain-la-Neuve), Yves Cartuyvels, Jean-Pierre Delchambre, Abraham Franssen et Christine Schaut (Bruxelles). Mais ce sont les nombreuses réactions qui nous sont régulièrement adressées depuis différents endroits du monde entier par des étudiants ou jeunes chercheurs, connus ou inconnus, utilisateurs du *Manuel* qui nous touchent et nous encouragent le plus.

AVANT-PROPOS À LA DEUXIÈME ÉDITION

Dans cette deuxième édition, on a veillé à ne pas altérer la conception didactique de l'ouvrage. Le *Manuel de recherche en sciences sociales* reste résolument pratique. De multiples corrections et modifications locales ont été apportées dans toutes les parties du livre. Quelques parties ont été transformées de fond en comble. Les principaux changements sont les suivants :

- *Étape 1 – La question de départ.* Suppression de certains passages pouvant conduire à des malentendus et nouvelle rédaction des commentaires de certaines questions (liens entre la recherche en sciences sociales et l'éthique, entre la description et la compréhension des phénomènes sociaux…).

- *Étape 3 – La problématique.* Chapitre presqu'entièrement recomposé en prenant en compte les apports d'ouvrages récents sur les modes d'explication des phénomènes sociaux.

- *Étape 4 – La construction du modèle d'analyse.* Refonte des dimensions du concept d'acteur social à partir de recherches récentes.

- *Étape 6 – L'analyse des informations.* Ajouts sur la typologie, la *field research*, la complémentarité entre méthodes différentes, et un scénario de recherche non linéaire.

- Mise à jour des différentes bibliographies et intégration des bibliographies spécialisées dans les présentations des méthodes de recueil des informations et d'analyse des informations.

Ces changements doivent beaucoup à plusieurs personnes que nous voudrions assurer de notre reconnaissance : Monique Tavernier, pour son aide compétente et efficace dans la préparation de cette deuxième édition ; Michel Hubert, Jean-Marie Lacrosse, Christian Maroy et Jean Nizet, pour

leurs critiques et suggestions professionnelles et amicales ; Casimiro
Marques Balsa, ses collègues de l'Universidade Nova de Lisbonne et, tout
particulièrement, Rui Santos, pour leur examen détaillé de l'ouvrage et pour
l'accueil qui en a été fait au Portugal ; les très nombreux enseignants,
étudiants et chercheurs de France, de Suisse, du Québec, du Sénégal, de
Belgique et d'ailleurs, qui nous ont fait part de leurs réactions et de leurs
encouragements.

OBJECTIFS
ET DÉMARCHE

1. LES OBJECTIFS

1.1. Objectifs généraux

La recherche en sciences sociales suit une démarche analogue à celle du chercheur de pétrole. Ce n'est pas en forant n'importe où que celui-ci trouvera ce qu'il cherche. Au contraire, le succès d'un programme de recherche pétrolière dépend de la démarche suivie. Étude des terrains d'abord, forage ensuite. Cette démarche nécessite le concours de nombreuses compétences différentes. Des géologues détermineront les zones géographiques où la probabilité de trouver du pétrole est la plus grande ; des ingénieurs concevront des techniques de forage appropriées que des techniciens mettront en œuvre.

On ne peut attendre du responsable de projet qu'il maîtrise dans le détail toutes les techniques requises. Son rôle spécifique sera de concevoir l'ensemble du projet et de coordonner les opérations avec un maximum de cohérence et d'efficacité. C'est à lui qu'incombera la responsabilité de mener à bien le dispositif global d'investigation.

Le processus est comparable en matière de recherche sociale. Il importe avant tout que le chercheur soit capable de concevoir et de mettre en œuvre un dispositif d'élucidation du réel, c'est-à-dire, dans son sens le plus large, une méthode de travail. Celle-ci ne se présentera jamais comme une simple addition de techniques qu'il s'agirait d'appliquer telles quelles mais bien comme une démarche globale de l'esprit qui demande à être réinventée pour chaque travail.

Lorsqu'au cours d'un travail de recherche sociale, son auteur rencontre des problèmes majeurs qui compromettent la poursuite du projet, ce n'est pratiquement jamais pour des raisons d'ordre strictement technique. De nombreuses techniques peuvent s'apprendre assez rapidement et, en tout état de cause, il est toujours possible de solliciter la collaboration ou au moins les conseils d'un spécialiste. Lorsqu'un chercheur professionnel ou débutant éprouve de grandes difficultés dans son travail, c'est presque toujours pour des raisons d'ordre méthodologique dans le sens où nous avons compris ce terme jusqu'ici. Les propos que l'on entend alors sont invariablement identiques : « Je ne sais plus où j'en suis », « J'ai l'impression que je ne sais même plus ce que je cherche », « Je n'ai aucune idée de la manière dont je dois m'y prendre pour continuer », « J'ai beaucoup de données... mais je ne vois pas du tout ce que je vais en faire » ou même, d'emblée, « Je ne sais vraiment pas par où commencer ».

Pourtant, et paradoxalement, de nombreux ouvrages à prétention méthodologique ne se préoccupent guère de... méthode, dans son sens le plus large. Loin de contribuer à former leurs lecteurs à une démarche globale de recherche, ils se présentent souvent comme des exposés de techniques particulières, isolés de la réflexion théorique et de la démarche d'ensemble qui pourraient seules justifier leur choix et leur donner un sens. Ces ouvrages ont bien entendu leur utilité pour le chercheur mais seulement en aval de la construction méthodologique, lorsque celle-ci aura d'abord été valablement engagée.

Cet ouvrage a été conçu pour aider tous ceux qui, dans le cadre de leurs études, de leurs responsabilités professionnelles ou sociales, souhaitent se former à la recherche sociale ou, plus précisément, entreprendre avec succès un travail de fin d'études ou une thèse, des travaux, des analyses ou des recherches dont l'objectif est de comprendre plus profondément et d'interpréter plus justement les phénomènes de la vie collective auxquels ils sont confrontés ou qui, pour une raison ou une autre, les interpellent.

Pour les motifs exposés ci-dessus, il nous a semblé que cet ouvrage ne pouvait remplir cette fonction que s'il était entièrement conçu comme un support de formation méthodologique au sens large, c'est-à-dire comme une formation à la conception et à la mise en œuvre d'un dispositif d'élucidation du réel. Cela signifie que nous aborderons dans un ordre logique des thèmes tels que la formulation d'un projet de recherche, le travail exploratoire, la construction d'un plan d'investigation ou les critères de choix des techniques de recueil, de traitement et d'analyse des données. Ainsi, chacun pourra, le moment venu et en toute connaissance de cause, faire judicieusement appel à l'une ou l'autre des nombreuses méthodes et techniques de recherche au sens strict afin d'élaborer lui-même, à partir d'elles, des procédures de travail correctement adaptées à son propre projet.

1.2. Conception didactique

Sur le plan didactique, cet ouvrage est directement utilisable. Cela signifie que le lecteur qui le souhaite pourra, dès les toutes premières pages, appliquer à son propre travail les recommandations qui lui seront proposées. Il se présente donc comme un manuel dont les différentes parties peuvent être expérimentées, soit par des apprentis chercheurs isolés, soit en groupe ou en salle de cours, avec l'encadrement critique d'un enseignant formé aux sciences sociales. Il est toutefois recommandé de le lire une première fois entièrement avant d'effectuer les travaux d'application, de sorte que la cohérence d'ensemble de la démarche soit bien saisie et que les suggestions soient appliquées de manière souple, critique et inventive.

Une telle ambition peut sembler une gageure : comment peut-on proposer un manuel méthodologique dans un domaine de recherche où, chacun le sait, les dispositifs d'investigation varient considérablement d'une recherche à l'autre ? N'y a-t-il pas là un risque énorme d'imposer une image simpliste et très arbitraire de la recherche sociale ? Pour plusieurs raisons, nous pensons que ce risque ne peut résulter ici que d'une lecture extrêmement superficielle ou partiale de ce livre.

Si le contenu de cet ouvrage est directement applicable, il ne se présente pas pour autant comme une simple collection de recettes mais bien comme un canevas général et très ouvert dans le cadre duquel (et hors duquel !) les démarches concrètes les plus variées peuvent être mises en œuvre. S'il contient effectivement de nombreuses suggestions pratiques et des exercices d'application, ni les unes ni les autres n'entraîneront le lecteur sur une voie méthodologique précise et irrévocable. Ce livre est tout entier rédigé pour aider le lecteur à concevoir par lui-même une démarche de travail, non pour lui en imposer une à titre de canon universel. Il n'est donc pas un « mode d'emploi » qui impliquerait une application mécanique de ses différentes étapes. Il propose des repères aussi polyvalents que possible pour que chacun puisse élaborer lucidement ses propres dispositifs méthodologiques, en fonction de ses propres objectifs.

Dans ce but – et c'est une deuxième précaution – les pages de cet ouvrage invitent constamment au recul critique, de sorte que le lecteur soit régulièrement amené à réfléchir avec lucidité au sens de son travail au fur et à mesure de sa progression. Les réflexions que nous proposons au lecteur se fondent sur notre propre expérience de chercheurs, de formateurs d'adultes et d'enseignants. Elles sont donc forcément subjectives et inachevées. Nous espérons cependant harmoniser ainsi les exigences d'une formation pratique qui réclame des repères méthodologiques précis et celles d'une réflexion critique qui discute la portée et les limites de ces repères. On présuppose que le lecteur a suivi ou suit parallèlement une formation théorique et a une possibilité de discussions et d'évaluations critiques avec un chercheur ou un enseignant formé aux sciences sociales. On verra d'ailleurs, en cours de route, où et comment les ressources théoriques interviennent dans l'élaboration du dispositif méthodologique. On fournira un ensemble de repères pour s'y retrouver et en faire bon usage.

Une recherche sociale n'est donc pas une succession de méthodes et techniques stéréotypées qu'il suffirait d'appliquer telles quelles et dans un ordre
immuable. Le choix, l'élaboration et l'ordonnance des procédures de travail
varient avec chaque recherche particulière. Dès lors – et c'est une troisième
précaution – l'ouvrage est bâti sur de nombreux exemples réels. Certains
d'entre eux seront mis plusieurs fois à contribution, de manière à faire bien
apparaître la cohérence globale d'une recherche. Ils ne constituent pas des
idéaux à atteindre mais bien des repères à partir desquels chacun pourra
prendre distance et se situer.

Enfin – dernière précaution – ce livre se présente explicitement et sans
ambiguïté comme un manuel de formation. Il est construit en fonction d'une
idée de progression dans l'apprentissage. Par conséquent, chacun comprend-
dra d'emblée que la signification et l'intérêt de ses différentes étapes ne
peuvent être correctement estimés si ces dernières sont extraites de leur
contexte global. Certaines sont plus techniques, d'autres plus critiques.
Quelques idées, peu approfondies au début de l'ouvrage, sont reprises et
développées plus loin dans un autre contexte. Certains passages comportent
des recommandations appuyées ; d'autres ne présentent que de simples
suggestions ou un éventail de possibilités. Aucun d'eux ne donne à lui seul
une image du dispositif global mais chacun y occupe une place nécessaire.

1.3. « Recherche » en « sciences » sociales ?

Dans le domaine de la formation méthodologique qui nous occupe ici, on –
et nous sommes forcés de nous classer nous-mêmes dans ce « on » – utilise
souvent les mots de « recherche » ou de « science » avec une certaine légèreté et dans les sens les plus élastiques. On parlera par exemple de
« recherche scientifique » pour qualifier les sondages d'opinion, les études
de marché ou les diagnostics les plus banals, uniquement parce qu'ils ont été
effectués par un service ou un centre de recherche universitaire. On laissera
entendre aux étudiants du premier niveau de l'enseignement supérieur, voire
des dernières années de l'enseignement secondaire, que leurs cours de
méthodes et techniques de la recherche sociale les rendront à même d'adopter une « démarche scientifique » et de produire dès lors une « connaissance
scientifique », alors qu'il est très difficile, même pour un chercheur professionnel et expérimenté, de produire une connaissance véritablement nouvelle
qui fasse progresser sa propre discipline.

Qu'apprend-on en fait, dans le meilleur des cas, au terme de ce que l'on
qualifie communément de travail de « recherche en sciences sociales » ? À
mieux comprendre les significations d'un événement ou d'une conduite, à
faire intelligemment le point d'une situation, à saisir plus finement les logiques de fonctionnement d'une organisation, à réfléchir avec justesse aux
implications d'une décision politique, ou encore à comprendre plus nette-

ment comment telles personnes perçoivent un problème et à mettre en lumière quelques-uns des fondements de leurs représentations.

Tout cela mérite qu'on s'y attarde et que l'on s'y forme ; c'est à cette formation que ce livre est principalement consacré. Mais il s'agit rarement de recherches qui contribuent à faire progresser les cadres conceptuels des sciences sociales, leurs modèles d'analyse ou leurs dispositifs méthodologiques. Il s'agit d'études, d'analyses ou d'examens, plus ou moins bien menés selon la formation et l'imagination du « chercheur » ainsi que des précautions dont il s'entoure pour mener ses investigations à terme. Ce travail peut être précieux et contribuer grandement à la lucidité des acteurs sociaux sur les pratiques dont ils sont les auteurs ou sur les événements et les phénomènes dont ils sont les témoins, mais il ne faut pas lui accorder un statut qui ne lui est pas approprié.

Si cet ouvrage peut épauler certains lecteurs engagés dans des recherches d'une relative envergure, il vise surtout à aider ceux qui ont des ambitions plus modestes mais qui sont au moins déterminés à étudier les phénomènes sociaux avec un souci d'honnêteté intellectuelle, de compréhension et de rigueur.

En sciences sociales, il faut se garder de deux travers opposés : un scientisme naïf consistant à croire que nous pouvons établir des vérités définitives et que nous pouvons adopter une rigueur *analogue* à celle des physiciens ou des biologistes ; ou, à l'inverse, un scepticisme qui nierait la possibilité même d'une connaissance scientifique. Nous savons à la fois plus et moins que ce qu'on laisse parfois entendre. Nos connaissances se construisent à l'appui de cadres théoriques et méthodologiques explicites, lentement élaborés, qui constituent un champ au moins partiellement structuré, et ces connaissances sont étayées par une observation des faits concrets.

Ce sont ces qualités d'authenticité, de curiosité et de rigueur que nous voudrions mettre en évidence dans cet ouvrage. Si nous utilisons encore les termes de « recherche », de « chercheur » et de « sciences sociales » pour parler aussi bien des travaux les plus modestes que des plus ambitieux, c'est par facilité, car nous n'en voyons pas d'autres qui conviendraient mieux ; mais c'est aussi avec la conscience qu'ils sont souvent excessifs.

2. LA DÉMARCHE

2.1. Problèmes de méthode
(Le chaos originel… ou trois manières de mal commencer)

Au départ d'une recherche ou d'un travail, le scénario est pratiquement toujours identique. On sait vaguement que l'on veut étudier tel ou tel problème, par exemple le développement de sa propre région, le fonctionnement d'une entreprise, l'introduction des nouvelles technologies à l'école, l'immigration ou les activités d'une association que l'on fréquente, mais on ne voit pas très bien comment aborder la question. On souhaite que ce travail soit utile et débouche sur des propositions concrètes mais on a le sentiment de s'y perdre avant même de l'avoir réellement entamé. Voilà à peu près comment s'engagent la plupart des travaux d'étudiants, mais parfois aussi de chercheurs, dans les domaines qui relèvent de ce qu'on a coutume d'appeler les « sciences sociales ».

Ce chaos originel ne doit pas inquiéter ; bien au contraire. Il est la marque d'un esprit qui ne s'alimente pas de simplismes et de certitudes toutes faites. Le problème est d'en sortir sans trop tarder, et à son avantage.

Pour y parvenir, voyons tout d'abord ce qu'il ne faut surtout pas faire… mais que l'on fait hélas souvent : la fuite en avant. Elle peut prendre diverses formes parmi lesquelles nous n'aborderons ici que les plus courantes : la gloutonnerie livresque ou statistique, l'impasse aux hypothèses et l'emphase obscurcissante. Si nous nous attardons ici sur ce qu'il ne faut pas faire, c'est pour avoir vu trop d'étudiants et de chercheurs débutants se fourvoyer d'entrée de jeu dans les plus mauvaises voies. En consacrant quelques minutes à lire ces premières pages, vous vous épargnerez peut-être plusieurs semaines, voire plusieurs mois de travail harassant et, pour une large part, inutile.

a.   *La gloutonnerie livresque ou statistique*

Comme son nom l'indique, la gloutonnerie livresque ou statistique consiste à se « bourrer le crâne » d'une grande quantité de livres, d'articles ou de données chiffrées en espérant y trouver, au détour d'un paragraphe ou d'une courbe, la lumière qui permettra de préciser enfin correctement et de manière satisfaisante l'objectif et le thème du travail que l'on souhaite effectuer. Cette attitude conduit immanquablement au découragement, car l'abondance d'informations mal intégrées finit par embrouiller les idées.

Il faudra alors revenir en arrière, réapprendre à réfléchir plutôt qu'à engloutir, à lire en profondeur peu de textes soigneusement choisis et à interpréter judicieusement quelques données statistiques particulièrement parlantes. La fuite en avant n'est pas seulement inutile, elle est nuisible. Beaucoup d'étudiants abandonnent leurs projets de travail de fin d'études ou de thèse pour les avoir ainsi entamés.

Il est beaucoup plus réjouissant de voir les choses autrement et de considérer que, bien comprise, la loi du moindre effort est une règle essentielle du travail de recherche. Elle consiste à veiller toujours à emprunter le chemin le plus court et le plus simple pour le meilleur résultat. Ce qui implique notamment que l'on ne s'engage jamais dans un travail important sans réfléchir auparavant à ce que l'on cherche à savoir et à la manière de s'y prendre.

Que ceux qui se sentent visés par ces propos ne désespèrent pas. Il leur faudra simplement se décongestionner le cerveau et démêler l'écheveau de chiffres ou de mots qui l'étouffe et l'empêche de fonctionner de manière ordonnée et créative. Qu'ils arrêtent d'amasser sans méthode des informations mal assimilées et qu'ils se préoccupent d'abord de leur démarche même.

b. L'impasse aux hypothèses

Voici une autre forme courante de fuite en avant. Les joueurs de bridge savent bien ce qu'est une impasse. Au lieu de jouer son as en premier et d'assurer ainsi le pli, le troisième joueur tente de faire le point avec sa dame en espérant que le quatrième ne détienne pas le roi. Si le coup réussit, le joueur gagne le pli et conserve son as. Un tel pari n'est pas justifié en matière de recherche où il faut absolument assurer chaque point et réaliser soigneusement les premières étapes avant de songer aux suivantes.

L'impasse aux hypothèses consiste précisément à se précipiter sur la collecte des données avant d'avoir formulé des hypothèses de recherche – nous reviendrons plus loin sur cette notion – et à se préoccuper du choix et de la mise en œuvre des techniques de recherche avant même de bien savoir ce que l'on cherche exactement et donc à quoi elles vont servir.

Il n'est pas rare d'entendre un étudiant déclarer qu'il compte faire une enquête par questionnaire auprès d'une population donnée alors qu'il n'a pas d'hypothèse de travail et, à vrai dire, ne sait même pas ce qu'il cherche. On ne peut choisir une technique d'investigation que si l'on a une idée de la nature des données à recueillir. Cela implique que l'on commence par bien définir son projet.

Cette forme de fuite en avant est courante et encouragée par la croyance que l'usage de techniques de recherche consacrées détermine la valeur intellectuelle et le caractère scientifique d'un travail. Mais à quoi bon mettre correctement en œuvre des techniques éprouvées si elles servent un projet flou et mal défini ? D'autres pensent qu'il suffit d'accumuler un maximum d'informations sur un sujet et de les soumettre à diverses techniques d'analyse statistique pour découvrir la réponse aux questions qu'ils se posent. Ils s'enfoncent ainsi dans un piège dont les suites peuvent les couvrir de ridicule. Par exemple, dans un travail de fin d'études, un étudiant tentait de découvrir les arguments les plus souvent employés, par un conseil de classe, pour évaluer la capacité des élèves. Il avait enregistré toutes les discussions des enseignants lors du conseil de classe de fin d'année et, après avoir introduit le tout dans un fichier d'ordinateur, l'avait soumis à un programme d'analyse hautement sophistiqué. Les résultats furent inattendus.

Selon l'ordinateur les termes les plus utilisés pour juger les élèves étaient des mots comme : « et »… « de »… « euh »… « capable »… « mais »…, etc.!

c.   *L'emphase obscurcissante*

Ce troisième défaut est fréquent chez les chercheurs débutants qui sont impressionnés et intimidés par leur récente fréquentation des universités et de ce qu'ils pensent être la Science. Pour s'assurer une crédibilité, ils croient utile de s'exprimer de manière pompeuse et inintelligible et, le plus souvent, ils ne peuvent s'empêcher de raisonner de la même manière.

Deux caractéristiques dominent leurs projets de recherche ou de travail : l'ambition démesurée et la confusion la plus complète. Tantôt c'est la restructuration industrielle de leur région qui en semble l'enjeu ; tantôt l'avenir de l'enseignement ; tantôt ce n'est rien de moins que le destin du tiers-monde qui paraît se jouer dans leurs puissants cerveaux.

Ces déclarations d'intention s'expriment dans un jargon aussi creux qu'emphatique qui cache mal l'absence de projet de recherche clair et inté-ressant. La première tâche de celui qui encadre ce genre de travail sera d'aider son auteur à remettre les pieds sur terre et à faire preuve de plus de simplicité et de clarté. Pour vaincre ses réticences éventuelles, il faut lui demander systématiquement de définir tous les mots qu'il emploie et d'expliquer toutes les phrases qu'il formule, de sorte qu'il se rende vite compte qu'il ne comprend rien lui-même à son propre charabia.

Si vous pensez que ces propos sont pour vous, cette seule prise de cons-cience vous mettra sur la bonne voie, car une caractéristique essentielle d'une bonne recherche est l'authenticité. En ce domaine qui nous occupe, plus que dans n'importe quel autre, il n'est de bon travail qui ne soit une quête sincère de la vérité. Non pas la vérité absolue, établie une fois pour toutes par les dogmes, mais celle qui se remet toujours en question et s'approfondit sans cesse par le désir de comprendre plus justement le réel dans lequel nous vivons et que nous contribuons à produire.

Si vous pensez au contraire que tout ceci ne vous concerne pas, rendez-vous néanmoins ce petit service qui consiste à expliquer clairement les mots et les phrases que vous auriez éventuellement déjà rédigés dans le cadre d'un travail qui débute. Pouvez-vous honnêtement affirmer que vous vous comprenez bien vous-même et que vos textes sont dépourvus d'expressions empruntées et de déclarations creuses et présomptueuses ? Si oui, si l'authenticité et le sens de la mesure vous habitent, alors, et alors seulement, il se pourrait que votre travail serve un jour à quelque chose.

Après avoir examiné diverses manières de très mal commencer, voyons maintenant comment il est possible de procéder valablement à un travail de recherche et de lui assurer un bon départ. À l'aide de schémas, nous évoque-

rons d'abord les principes majeurs de la démarche scientifique et présenterons les étapes de leur mise en œuvre.

2.2. Les étapes de la démarche

Une démarche est une manière de progresser vers un but. Chaque recherche
est une expérience singulière. Chacune est un processus de découverte qui se
déroule dans un contexte particulier au cours duquel le chercheur est
confronté à des contraintes, doit s'adapter avec souplesse à des situations
imprévues au départ, est amené à faire des choix qui pèseront sur la suite de
son travail. Mais, pour autant, il ne s'agit pas de procéder n'importe
comment, selon sa seule intuition ou les seules opportunités du moment. Dès
lors que l'on prétend s'engager dans une recherche en sciences sociales, il
faut « de la méthode ». Cela signifie essentiellement deux choses : d'une
part, il s'agit de respecter certains principes généraux du travail scientifique ;
d'autre part, il s'agit de distinguer et mettre en œuvre de manière cohérente
les différentes étapes de la démarche. En mettant l'accent sur la démarche
plutôt que sur les méthodes particulières, notre propos a une portée générale
et peut s'appliquer à toute forme de travail scientifique en sciences sociales.
Quels sont donc les principes et les étapes d'une recherche en sciences
sociales ?

Dans son livre *La Formation de l'esprit scientifique* (Paris, Librairie philosophique J. Vrin, 1965), G. Bachelard a résumé la démarche scientifique en
quelques mots : « Le fait scientifique est conquis, construit et constaté ». La
même idée structure l'ensemble de l'ouvrage *Le Métier de sociologue* de
P. Bourdieu, J.-C. Chamboredon et J.-C. Passeron (Paris, Mouton, Bordas,
1968). Les auteurs y décrivent la démarche comme un processus en trois
actes dont l'ordre doit être, selon eux, respecté. C'est ce qu'ils appellent la
hiérarchie des actes épistémologiques. Ces trois actes sont la rupture, la
construction et la constatation (ou expérimentation).

L'objet de ce manuel est de présenter ces principes de la démarche scientifique en sciences sociales sous la forme de sept étapes à parcourir. Dans
chacune d'elles sont décrites les opérations à entreprendre pour atteindre la
suivante et progresser d'un acte à l'autre. Autrement dit, ce manuel se
présente comme une pièce de théâtre classique, en trois actes et sept
tableaux.

Le schéma de la page 16 montre les correspondances entre les étapes et
les actes de la démarche. Pour des raisons didactiques, les actes et les étapes
sont présentés comme des opérations séparées et dans un ordre séquentiel.
En réalité, une recherche concrète n'est pas aussi mécanique, les différents
actes et les différentes étapes interagissent de manière constante. C'est pourquoi des boucles de rétroaction sont introduites dans le schéma afin de

symboliser les interactions qui existent réellement entre les différentes phases de la recherche.

LES ÉTAPES DE LA DÉMARCHE

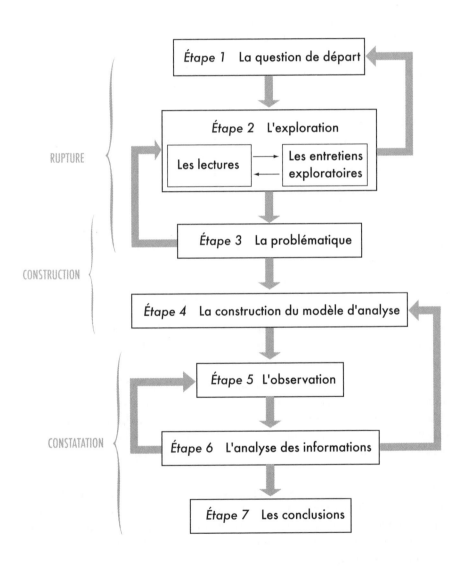

a.   Les trois actes de la démarche

Pour comprendre l'articulation des étapes d'une recherche aux trois actes de la démarche scientifique, il nous faut tout d'abord dire quelques mots des principes que ces trois actes renferment et de la logique qui les unit.

■ La rupture

Si nous choisissons de traiter un sujet donné, c'est forcément parce qu'il nous intéresse. Nous en avons presque toujours une connaissance préalable et souvent une expérience concrète. Peut-être même sommes-nous désireux de réaliser notre recherche pour mettre au jour un problème social ou pour défendre une cause qui nous tient à cœur. Un futur travailleur social qui a fait un stage dans une école dite « difficile » peut souhaiter étudier la violence scolaire à laquelle il a été confronté et contribuer ainsi à la recherche de modes d'intervention sociale adéquats. Un étudiant en sociologie militant dans une association de prévention du VIH (virus du sida) peut vouloir étudier les processus de discrimination auxquels sont exposées certaines catégories de personnes contaminées. Un étudiant ou une étudiante dont un des parents est professionnel de la justice peut vouloir mettre à profit sa proximité avec l'univers judiciaire pour réaliser son travail de fin d'études. Une future politologue engagée dans un parti politique dominé par les hommes s'intéressera aux conditions de participation des femmes à la vie des partis. Les exemples sont infinis.

Cette implication personnelle dans le sujet envisagé peut aller du simple intérêt à l'engagement militant. Même lorsqu'un jeune chercheur ou une jeune chercheuse est engagé(e) pour travailler sur un sujet auquel il ou elle se sentait précédemment indifférent(e), il est extrêmement peu probable qu'il ou elle n'ait pas déjà quelques « petites idées » sur le sujet et que son intérêt pour la question ne se développe vite. La particularité des sciences sociales est d'ailleurs qu'elles étudient des phénomènes (comme la famille, l'école, le travail, les relations interculturelles, les inégalités sociales, le pouvoir, etc.) dont chacun a déjà, le plus souvent, une expérience préalable, sinon directe, au moins indirecte.

Cet intérêt, cette connaissance et cette expérience ne sont pas *a priori* une mauvaise chose, au contraire. On ne part pas de rien, on a quelques idées intéressantes, on connaît parfois déjà des choses très pointues sur le sujet, on connaît des personnes qui peuvent nous informer et nous aider à nouer des contacts utiles, on a peut-être même déjà lu des textes intéressants sur le sujet et, surtout, on est animé par une plus ou moins forte motivation. Mais en même temps, cet intérêt, cette connaissance et cette expérience recèlent quelques dangers et peuvent présenter des inconvénients.

Certains de ces dangers sont inhérents à l'implication personnelle et au système de valeurs du chercheur lui-même. Tous les groupes humains, y compris ceux dont les étudiants et les chercheurs en sciences sociales font partie (classes sociales, proches et amis, collègues de même formation supérieure, etc.), partagent un certain nombre d'idées sur eux-mêmes et sur les autres. Ces idées sont fonctionnelles pour ces « groupes d'appartenance ». Elles sont souvent simplistes et classent les gens dans des catégories qui ne vont pas de soi mais à partir desquelles on aura tendance à expliquer les comportements des uns et des autres. Par exemple, on expliquera trop vite un comportement collectif de croyants par la nature de leur religion sans rechercher les causes socio-économiques et politiques qui expliquent l'usage social qui est fait aujourd'hui de la religion. Ou encore, on partira du préjugé que tel comportement est « anormal » parce qu'il n'est pas « rationnel » au regard des finalités et des valeurs que nous trouvons raisonnables et « normales ».

Lorsque nous abordons l'étude d'un sujet quelconque, notre esprit n'est pas vierge ; il est chargé d'un amoncellement d'images, de croyances, d'aspirations, de schémas d'explication plus ou moins inconscients, de souvenirs d'expériences agréables ou douloureuses, à la fois culturelles et personnelles, qui préformatent notre approche de ce sujet. Ce préformatage est déjà présent dans le fait que c'est ce sujet-là et pas un autre qui a été choisi ; il est susceptible de marquer la recherche dans toutes ses étapes. Il faut donc être vigilant. Légion sont les mémoires et thèses de fin d'études où l'auteur ne parvient pas à prendre suffisamment de recul avec sa propre expérience et ses propres catégories de pensée a priori.

C'est pour insister énergiquement sur cette nécessité de prendre du recul avec les idées préconçues autant qu'avec les catégories de pensées du sens commun, c'est-à-dire qui sont généralement admises dans une collectivité donnée (par exemple une société nationale, une communauté confessionnelle ou une catégorie professionnelle) que certains auteurs parlent carrément de *rupture épistémologique*, soit de rupture dans l'acte de connaissance. Pour eux, notamment G. Bachelard, il doit y avoir rupture radicale entre le sens commun et ses préjugés d'une part et la connaissance scientifique d'autre part.

Pour d'autres, comme Giddens ou Habermas, parler de rupture épistémologique présente le double inconvénient de disqualifier injustement le sens commun ou les savoirs ordinaires et d'instaurer une séparation trop stricte entre la « non-science » (ici du social) et la « science » (du social). Pour I. Stengers (*L'Invention des sciences modernes*, Paris, Flammarion, 1995), il serait plus judicieux de parler de « démarcation » que de rupture. Aujourd'hui, nombreux sont les scientifiques en sciences sociales qui considèrent qu'il y a davantage continuité que rupture entre le sens commun et la connaissance produite par les scientifiques dans ces disciplines. Ce qu'on appelle le « sens commun » est d'ailleurs régulièrement le fait de personnes et de groupes très bien informés sur certaines questions et souvent très instruites. Plusieurs ouvrages plus ou moins récents, auxquels les lecteurs peuvent se référer, discutent de cette question (voir notamment A.P. Pires, « De quelques enjeux épistémologiques d'une méthodologie générale pour les sciences sociales », dans Poupart *et al.*, *La recherche qualitative*, Montréal, Paris, Casablanca, Gaëtan Morin Éditeur, 1997). Plus encore, certains dont nous sommes, estiment que la connaissance scientifique, notamment sociologique, a tout intérêt à prendre au sérieux les connaissances et les compétences intellectuelles des acteurs et à les mobiliser dans le processus même de recherche, à condition de mettre en œuvre des méthodes adéquates et rigoureuses (voir en particulier L. Van Campenhoudt, J.-M. Chaumont et A. Franssen, *La Méthode d'analyse en groupe*, Paris, Dunod, 2005).

Même si l'on se place dans l'optique d'une continuité entre le sens commun et les connaissances scientifiques, il n'en reste pas moins que, pour constituer des connaissances valides du point de vue des sciences sociales, ces connaissances doivent être produites selon certaines règles et certaines procédures rigoureuses auxquelles le sens commun n'est pas tenu (problématique argumentée, définition précise des concepts, mise à l'épreuve d'hypothèses, constitution d'échantillon, observations systématiques, etc.). C'est ce caractère méthodologique construit – voir ci-dessous – qui confère à la connaissance scientifique, dans les sciences sociales comme dans les autres disciplines, sa validité propre, à laquelle le sens commun ne saurait prétendre. C'est pourquoi certains parleront plutôt de *rupture méthodologique*.

Les termes du débat étant posés, à ce stade-ci toutefois, s'agissant généralement pour le lecteur d'un premier contact avec la méthodologie de la recherche, nous avons conservé le terme assez carré de *rupture*, sans le qualifier, pour bien marquer l'importance de ce recul réflexif, la nécessité de prendre conscience du poids énorme que peuvent avoir nos idées préconçues sur la qualité de nos recherches et l'exigence d'une construction méthodologique rigoureuse de la démarche de connaissance. Il s'agit ici d'un choix essentiellement pédagogique.

■ *La construction*

La rupture ou, moins radicalement dit, la démarcation, ne se réalise pas seulement dans le recul réflexif. Elle se concrétise positivement dans le deuxième acte de la recherche en sciences sociales, celui de la construction. Celle-ci consiste à reconsidérer le phénomène étudié à partir de catégories de pensée qui relèvent des sciences sociales, à se référer à un cadre conceptuel organisé susceptible d'exprimer la logique que le chercheur suppose être à la base du phénomène. Il s'agit de « reconstruire » les phénomènes sous un autre angle qui est défini par des concepts théoriques relevant des sciences sociales. C'est grâce à ce cadre théorique, que le chercheur peut construire des propositions explicatives du phénomène étudié et qu'il peut prévoir le plan de recherche à installer, les opérations à mettre en œuvre et le type de conséquences auxquelles il faut logiquement s'attendre au terme de l'observation. Sans cette construction théorique, il n'y aurait pas d'expérimentation valable. Il ne peut y avoir, en sciences sociales, de constatation fructueuse sans construction d'un cadre théorique de référence. On ne soumet pas n'importe quelle proposition à l'épreuve des faits. Les propositions explicatives doivent être le produit d'un travail rationnel fondé sur la logique et sur un système conceptuel valablement constitué (*cf.* J.-M. Berthelot, *L'Intelligence du social*, Paris, PUF, 1990, p. 39).

L'articulation entre la théorie et l'observation peut prendre des modalités variables. Dans une démarche déductive, une construction théorique élaborée précède toute observation. Le particulier est déduit du général. Dans une démarche inductive, les concepts et hypothèses continuent d'être élaborés en cours d'observation, dans un processus de généralisation progressive. Le général est induit par le particulier. Mais même alors, on ne se lance pas n'importe comment dans l'observation, on élabore au départ un schéma conceptuel minimum sans quoi on partirait dans le vide, sans même savoir ce qu'il y a lieu d'observer. On reviendra plus loin sur la distinction entre démarche déductive et démarche inductive et on verra plus loin en quoi consistent ces concepts et ces hypothèses, et comment les élaborer.

■ *La constatation*

Une proposition n'a droit au statut scientifique que dans la mesure où elle est susceptible d'être vérifiée par des informations sur la réalité concrète. Cette mise à l'épreuve des faits est appelée constatation ou expérimentation. Elle correspond au troisième acte de la démarche.

b.   Les sept étapes de la démarche

Les trois actes de la démarche scientifique ne sont pas indépendants les uns des autres. Ils se constituent au contraire mutuellement. Ainsi par exemple, la rupture ne se réalise pas uniquement en début de recherche ; elle s'achève dans et par la construction. En revanche, celle-ci ne peut se passer des étapes initiales principalement consacrées à la rupture. Tandis que la constatation puise sa valeur dans la qualité de la construction.

Dans le déroulement concret d'une recherche, les trois actes de la démarche scientifique sont réalisés au cours d'une succession d'opérations qui sont regroupées ici en sept étapes. Pour des raisons didactiques, le schéma ci-avant distingue de manière précise les étapes les unes des autres. Cependant, des boucles de rétroaction nous rappellent que ces différentes étapes sont, en réalité, en interaction permanente. Nous ne manquerons d'ailleurs pas de le montrer à chaque occasion, car c'est sur l'enchaînement des opérations et la logique qui les relie que ce manuel mettra l'accent.

Pour servir d'outil de formation, un manuel tel que celui-ci se doit de présenter les principes et les étapes de la démarche de manière aussi claire et ordonnée que possible. Il doit aider le chercheur débutant à progresser dans sa recherche en sachant où il va et pourquoi il procède comme il le fait. Outil didactique, un manuel procure un fil conducteur, des repères et des normes de travail. On l'a dit : il faut de la méthode, et pas n'importe quelle méthode. Sans quoi le travail s'égare dans la confusion et perd toute rigueur. La rigueur consiste très précisément en une adéquation entre ce que le chercheur avance comme enseignements de ses travaux et ce qui l'autorise à les avancer : des concepts précis, une méthode non arbitraire, des observations faites « dans les règles de l'art » et, surtout la cohérence générale de la démarche de recherche mise en œuvre.

Mais rigueur n'est pas synonyme de rigidité. Bien au contraire. La démarche présentée ici ne doit pas être mise en œuvre de manière mécanique (comme une succession de normes précises où la finalité serait perdue de vue) ni ritualiste (comme la répétition stéréotypée de gestes sacrés). Une recherche est toujours un processus de découverte, une aventure intellectuelle qui se réalise dans un contexte concret et, pour une large part, imprévisible. Elle réserve toujours son lot de bonnes et de mauvaises surprises. Pour en retirer les enseignements les plus riches possibles, le chercheur devra faire preuve de souplesse et d'une capacité d'adaptation. Il devra régulièrement revenir en arrière, reformuler une hypothèse trop sommaire ou inadéquate, redéfinir un concept avec plus de justesse, tantôt simplifier tantôt complexifier son cadre théorique, retourner sur le terrain et procéder à un supplément d'observations pour récolter des informations manquantes non envisagées dans son plan de travail, voire même se poser de nouvelles questions qu'il ne pouvait pas se poser avant que l'observation elle-même les impose à lui. Une application rigoriste de la démarche exposée dans ce manuel peut être une réaction de peur et le signe d'un manque de confiance en soi. Ces sentiments sont parfaitement normaux et compréhensibles dans la tête du débutant en recherche sociale. Mais, après avoir bien étudié tous les mouvements de bras et de jambes, l'apprenti nageur doit bien, tôt ou tard, lâcher le bord de la piscine, du moins s'il veut apprendre à nager.

Première étape

LA QUESTION
DE DÉPART

LES ÉTAPES DE LA DÉMARCHE

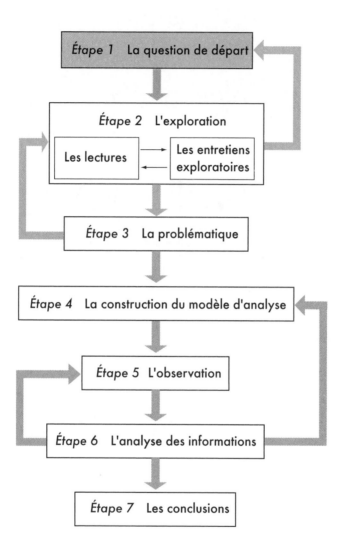

OBJECTIFS

Le premier problème qui se pose au chercheur est tout simplement celui de savoir comment bien commencer son travail. Il n'est pas facile en effet de parvenir à traduire ce qui se présente couramment comme un centre d'intérêt ou une préoccupation relativement vague en un projet de recherche opérationnel. La crainte de mal engager le travail peut amener certains à tourner en rond pendant fort longtemps, à rechercher une illusoire sécurité dans une des formes de fuite en avant abordées précédemment ou encore à renoncer purement et simplement à l'entreprise. Au cours de cette étape, nous montrerons qu'il existe une autre solution à ce problème du démarrage du travail.

La difficulté d'entamer valablement un travail provient souvent d'un souci de trop bien faire et de formuler d'emblée un projet de recherche d'une manière parfaitement satisfaisante. C'est une erreur. Une recherche est par définition quelque chose qui se cherche. Elle est un cheminement vers une meilleure connaissance et elle doit être acceptée comme tel, avec tout ce que cela implique d'hésitations, d'errements et d'incertitudes. Beaucoup vivent cette réalité comme une angoisse paralysante ; d'autres au contraire la reconnaissent comme un phénomène normal et, pour tout dire, stimulant.

Dès lors, le chercheur doit s'obliger à choisir rapidement un premier fil conducteur aussi clair que possible de sorte que son travail puisse débuter sans retard et se structurer avec cohérence. Peu importe si ce point de départ semble banal et si la réflexion du chercheur ne lui paraît pas encore tout à fait mûre ; peu importe si, comme c'est probable, il change de perspective en cours de route. Ce point de départ n'est que provisoire, comme un camp de base que dressent des alpinistes pour préparer l'escalade d'un sommet et qu'ils abandonneront pour d'autres camps plus avancés jusqu'au début de l'assaut final. Reste à savoir comment doit se présenter ce premier fil conducteur et à quels critères il doit répondre pour remplir au mieux la fonction attendue de lui. Tel est l'objet de cette première étape.

1. UNE BONNE MANIÈRE DE S'Y PRENDRE

Pour plusieurs raisons qui apparaîtront progressivement, nous suggérons d'adopter une formule qui, à l'expérience, est apparue d'une très grande efficacité. Elle consiste à s'efforcer d'énoncer son projet de recherche sous la forme d'une question de départ par laquelle le chercheur tente d'exprimer le plus exactement possible ce qu'il cherche à savoir, à élucider, à mieux comprendre. Pour remplir correctement sa fonction, cet exercice demande bien entendu à être effectué selon certaines règles qui seront précisées et abondamment illustrées plus loin.

Sans doute de nombreux lecteurs éprouveront-ils d'emblée des réticences à l'égard d'une telle proposition mais nous souhaitons que chacun réserve son jugement jusqu'au moment où il aura bien saisi la nature et la portée exacte de l'exercice.

Tout d'abord, il n'est pas inutile de signaler que les auteurs les plus réputés n'hésitent pas à énoncer leurs projets de recherche sous la forme de questions simples et claires, même si ces questions sont en réalité sous-tendues par une réflexion théorique très consistante. En voici trois exemples bien connus des sociologues :

- *« L'inégalité des chances devant l'enseignement a-t-elle tendance à décroître dans les sociétés industrielles ? »*
  Telle est la question posée par Raymond Boudon au départ d'une recherche dont les résultats ont été publiés sous le titre *L'Inégalité des chances : la mobilité sociale dans les sociétés industrielles* (Paris, Armand Colin, 1973). À cette première question centrale, Raymond Boudon en ajoute une autre qui porte sur « l'incidence des inégalités devant l'enseignement sur la mobilité sociale ». Mais la première question citée constitue bien l'interrogation de départ de son travail et ce qui lui servira de premier axe central.

- *« La lutte étudiante (en France) n'est-elle qu'une agitation où se manifeste la crise de l'Université ou porte-t-elle en elle un mouvement social capable de lutter au nom d'objectifs généraux contre une domination sociale ? »*
  Telle est la question de départ posée par Alain Touraine dans la première recherche où il met en œuvre sa méthode d'intervention sociologique et dont les comptes rendus et les analyses ont été publiés sous le titre *Lutte étudiante* (avec F. Dubet, Z. Hegedus et M. Wieviorka, Paris, Seuil, 1978).

- *« Qu'est-ce qui prédispose certains à fréquenter les musées ? Contrairement à la grande majorité de ceux qui ne les fréquentent pas ? »*
  Telle est, reconstituée à partir des termes mêmes des auteurs, la question de départ de la recherche effectuée par Pierre Bourdieu et Alain Darbel

sur le public des musées d'art européens et dont les résultats ont été publiés sous le titre *L'Amour de l'art* (Paris, Éditions de Minuit, 1969).

Si les ténors de la recherche sociale s'imposent l'effort de préciser leur projet de manière aussi consciencieuse, il faut admettre que le chercheur débutant ou moyen, amateur ou professionnel, occasionnel ou régulier, ne peut se permettre l'économie de cet exercice, même si ses prétentions théoriques sont infiniment plus modestes et son champ d'investigation plus restreint.

2. LES CRITÈRES D'UNE BONNE QUESTION DE DÉPART

Traduire un projet de recherche sous la forme d'une question de départ n'est utile que si cette question est correctement formulée. Cela n'est pas forcément facile car une bonne question de départ doit remplir plusieurs conditions. Plutôt que de présenter d'emblée ces conditions de manière abstraite, il est préférable de partir d'exemples concrets. Nous procéderons donc à l'examen critique d'une série de questions de départ insatisfaisantes mais de formes courantes. Cet examen nous permettra de réfléchir aux critères d'une bonne question et à leur signification profonde. Chaque énoncé de question sera suivi d'un commentaire critique, mais il serait préférable de discuter ces questions par vous-mêmes, si possible en groupe, avant de lire plus ou moins passivement nos propres commentaires.

Si les exemples de questions présentés vous semblent très clairs, voire trop clairs, et si les recommandations proposées vous paraissent évidentes et élémentaires, ne vous dispensez pas pour autant de prendre cette première étape au sérieux. Ce qui peut être facile lorsqu'un critère est présenté isolément le sera beaucoup moins lorsqu'il s'agira de respecter l'ensemble de ces critères pour une seule question de départ : la vôtre. Ajoutons que ces exemples ne sont pas de pures inventions de notre part. Nous les avons tous entendus, parfois sous des formes très légèrement différentes, dans la bouche d'étudiants. Si, sur des centaines de questions insatisfaisantes à partir desquelles nous avons travaillé avec eux, nous n'en avons finalement retenu ici que sept, c'est parce qu'elles sont très représentatives des défauts courants et parce que, ensemble, elles couvrent bien les objectifs poursuivis.

Progressivement, nous verrons combien ce travail, loin d'être strictement technique et formel, oblige le chercheur à une clarification souvent bien utile de ses propres intentions et perspectives spontanées. En ce sens, la question de départ constitue normalement un premier moyen de mise en œuvre d'une des dimensions essentielles de la démarche scientifique : la rupture avec les préjugés et les prénotions. Nous y reviendrons au terme de l'exercice.

L'ensemble des qualités attendues peut se résumer en quelques mots : une bonne question de départ doit pouvoir être traitée. Cela signifie qu'il faut pouvoir travailler efficacement à partir d'elle et qu'il doit donc être possible, en particulier, d'y apporter des éléments de réponse. Ces qualités demandent à être détaillées. À cet effet, procédons à l'examen critique de sept exemples de questions.

2.1. Les qualités de clarté

Les qualités de clarté concernent essentiellement la précision et la concision de la formulation de la question de départ.

Question 1

Quel est l'impact des changements dans l'aménagement de l'espace urbain sur la vie des habitants ?

■ *Commentaire*

Cette question est beaucoup trop vague. À quels types de changements pense-t-on ? Qu'entend-on par « la vie des habitants » ? S'agit-il de leur vie professionnelle, familiale, sociale, culturelle ? Fait-on allusion à leurs facilités de déplacement ? À leurs dispositions psychologiques ? On pourrait aisément allonger la liste des interprétations possibles de cette question trop floue qui informe très peu sur les intentions précises de son auteur, pour autant d'ailleurs qu'elles le soient.

Il conviendra donc de formuler une question précise dont le sens ne prête pas à confusion. Il sera souvent indispensable de définir clairement les termes de la question de départ mais il faut d'abord s'efforcer d'être aussi limpide que possible dans la formulation de la question elle-même.

Il existe un moyen fort simple pour s'assurer qu'une question est bien précise. Il consiste à la formuler devant un petit groupe de personnes en se gardant bien de la commenter ou d'en exposer le sens. Chaque personne du groupe est ensuite invitée à expliquer la manière dont elle a compris la question. La question est précise si les interprétations convergent et correspondent à l'intention de son auteur.

En procédant à ce petit test à propos de plusieurs questions différentes, vous observerez très vite qu'une question peut être précise et comprise de la même manière par chacun sans être pour autant limitée à un problème insignifiant ou très marginal. Considérons la question suivante : « Quelles sont les causes de la diminution des emplois dans l'industrie wallonne au cours des années quatre-vingt ? » Cette question est précise en ce sens que chacun la comprendra de la même manière, mais elle couvre néanmoins un champ d'analyse très vaste (ce qui, comme nous le verrons plus loin, posera d'autres problèmes).

Une question précise n'est donc pas le contraire d'une question large ou très ouverte mais bien d'une question vague ou floue. Elle n'enferme pas d'emblée le travail dans une perspective restrictive et dépourvue de possibilités de généralisation. Elle permet simplement de savoir où l'on va et de le communiquer aux autres.

Bref, pour pouvoir être traitée, une bonne question de départ sera précise.

Question 2

Dans quelle mesure le souci de maintenir l'emploi dans le secteur de la construction explique-t-il la décision d'entreprendre de grands projets de travaux publics destinés non seulement à soutenir ce secteur mais aussi à diminuer les risques de conflits sociaux ?

■ *Commentaire*

Cette question est embrouillée et relativement longue. Elle comporte des suppositions et se dédouble sur la fin, de sorte qu'il est difficile de percevoir exactement ce que l'on cherche à comprendre en priorité. Il est préférable de formuler la question de départ d'une manière univoque et concise afin qu'elle puisse être comprise sans difficulté et aider son auteur à percevoir clairement l'objectif qu'il poursuit.

2.2. Les qualités de faisabilité

Les qualités de faisabilité portent essentiellement sur le caractère réaliste ou non du travail que la question laisse entrevoir.

Question 3

Les chefs d'entreprise des différents pays de l'Union européenne se font-ils une idée identique de la concurrence économique des États-Unis et du Japon ?

■ *Commentaire*

Si vous pouvez consacrer au moins deux années complètes à cette recherche, si vous disposez d'un budget de plusieurs centaines de milliers d'euros et de collaborateurs compétents, efficaces et polyglottes, vous avez sans doute une chance de mener ce genre de projet à bien et d'aboutir à des résultats suffisamment détaillés pour être de quelque utilité. Sinon, il est préférable de restreindre vos ambitions.

Lorsqu'il formule une question de départ, un chercheur doit s'assurer que ses connaissances, mais aussi ses ressources en temps, en argent et en moyens logistiques lui permettront d'y apporter des éléments de réponse valables. Ce qui est concevable pour un centre de recherche bien équipé et pour des chercheurs aguerris ne l'est pas forcément pour celui qui ne dispose pas de ressources comparables.

Les chercheurs débutants, mais aussi parfois professionnels, sous-estiment presque toujours les contraintes matérielles et, en particulier, de temps qu'impliquent leurs projets de recherche. Accomplir les démarches préalables à une enquête ou à des interviews, constituer un échantillon, décider les personnes clés à apporter leur concours, organiser des réunions, trouver les documents utiles, etc., peut dévorer d'emblée une grande part du temps et des moyens consacrés à la recherche. Le résultat est alors qu'une bonne partie des informations recueillies est sous-exploitée et que la recherche se termine en un sprint angoissant au cours duquel on s'expose aux erreurs et aux négligences.

Bref, pour pouvoir être traitée, une question de départ doit être réaliste, c'est-à-dire en rapport avec les ressources personnelles, matérielles et techniques dont on peut d'emblée penser qu'elles seront nécessaires et sur lesquelles on peut raisonnablement compter.

2.3. Les qualités de pertinence

Les qualités de pertinence concernent le registre (descriptif, explicatif, normatif, prédictif…) dont relève la question de départ.

Procédons ici aussi par l'examen critique d'exemples de questions comparables à celles que l'on retrouve souvent au départ de travaux d'étudiants.

Question 4

La manière dont la fiscalité est organisée dans notre pays est-elle socialement juste ?

■ *Commentaire*

Cette question n'a pas pour but d'analyser le fonctionnement du système fiscal ou l'impact de la manière dont il est conçu et mis en œuvre mais bien de le juger sur le plan moral, ce qui constitue une tout autre démarche qui ne relève pas directement des sciences sociales. La confusion entre l'analyse et le jugement de valeur est assez courante et n'est pas toujours facile à déceler.

D'une manière générale, on peut dire qu'une question est moralisatrice lorsque la réponse qu'on y apporte n'a de sens que par rapport au système de valeurs de celui qui la formule. Ainsi, la réponse sera radicalement différente selon que le répondant considère que la justice consiste à faire payer par chacun une quote-part égale à celle des autres, quels que soient ses revenus (comme c'est le cas pour les impôts indirects), une quote-part proportionnelle à ses revenus, ou une quote-part proportionnellement plus importante au fur et à mesure de l'accroissement de ses revenus (c'est l'imposition progressive qui est en application pour les impôts directs). Cette dernière formule, considérée comme juste par certains car elle contribue à atténuer les inégalités économiques, sera jugée injuste par d'autres qui estimeront que, de cette manière, le fisc leur extorque bien plus qu'aux autres le fruit de leur travail, de leur habileté ou des risques qu'ils ont pris.

Les liens entre la recherche en sciences sociales et le jugement moral sont évidemment plus étroits et plus complexes que ne le laisse supposer ce simple exemple mais on ne peut ici qu'attirer brièvement l'attention sur cette difficulté.

Qu'un projet de recherche réponde à un souci de caractère éthique et politique (comme contribuer à résoudre des problèmes sociaux, à instaurer plus de justice et moins d'inégalités, à lutter contre la marginalité ou contre la violence, à accroître la motivation du personnel d'une entreprise, à aider à concevoir un plan de rénovation urbaine…) n'est pas en soi un problème. Loin de devoir être évité, ce souci de pertinence pratique dans une visée éthique doit être encouragé sous peine de produire des recherches dépourvues de sens et qui ne constitueraient que des « exercices de style » plus ou moins brillants. Cela n'empêche pas la recherche d'être conduite avec rigueur, du moins à condition que le chercheur sache clarifier les options sous-jacentes et contrôler leurs implications possibles. Ce problème n'est d'ailleurs pas propre aux sciences sociales qui ont habituellement le mérite de le poser et de l'affronter plus explicitement que d'autres disciplines.

De plus, une recherche menée avec rigueur et dont la problématique est construite avec inventivité (voir *Étape 4*) met au jour les enjeux éthiques et normatifs des phénomènes étudiés, de manière analogue aux travaux des biologistes qui peuvent révéler des enjeux écologiques. Par là, la recherche sociale remplit son véritable rôle et la connaissance qu'elle produit peut s'inscrire dans le processus plus englobant d'une véritable pensée.

Enfin, comme Marx (*L'Idéologie allemande*), Durkheim (*Les Formes élémentaires de la vie religieuse*) ou Weber (*L'Éthique protestante et l'esprit du capitalisme*) notamment l'ont bien montré, les systèmes de valeurs et de normes font partie des objets privilégiés des sciences sociales car la vie collective est incompréhensible en dehors d'eux.

Bref, si le chercheur doit s'efforcer de penser les liens entre la connaissance, l'éthique et le politique, il doit aussi éviter les confusions entre les registres et, au cœur de son travail de recherche, aborder le réel en termes d'analyse et non de jugement moral. C'est d'ailleurs une condition de sa crédibilité et donc, au bout du compte, de l'impact éthique et politique de ses travaux.

Cela n'est pas forcément simple car, dans la vie courante comme dans certains cours dispensés dans l'enseignement secondaire, ces registres sont régulièrement confondus. On y considère parfois de bon ton de terminer les travaux ou les dissertations par une petite touche moralisatrice destinée tant à l'édification éthique des lecteurs qu'à les convaincre que l'on a du cœur. Ici aussi, la rupture avec les préjugés et le recul à l'égard de ses propres valeurs sont de rigueur.

Bref, une bonne question de départ n'aura pas de connotation morale. Elle cherchera non à juger mais bien à expliquer et à comprendre (on reviendra plus loin sur ces termes).

Question 5

Les patrons exploitent-ils les travailleurs ?

■ *Commentaire*

Cette question est en fait une « fausse question » ou, en d'autres termes, une affirmation déguisée en question. Il est évident que, dans l'esprit de celui qui l'a posée, la réponse est « oui » (ou « non »), a priori. Il sera d'ailleurs toujours possible d'y répondre par l'affirmative comme il est également possible de « prouver » qu'inversement, les travailleurs exploitent les patrons. Il suffit pour cela de sélectionner soigneusement les critères et les données adéquats, et de les présenter de la manière qui convient.

Elles sont nombreuses, les mauvaises questions de départ de ce type. Celle qui suit en est un exemple supplémentaire, bien que moins net : « La fraude fiscale est-elle une des causes du déficit budgétaire de l'État ? » Ici aussi, on imagine facilement que l'auteur a, au départ, une idée assez précise de la réponse qu'il entend bien donner à tout prix à cette question.

L'examen d'une question de départ doit donc inclure une réflexion sur les motivations et sur les intentions de l'auteur, même si elles ne peuvent être détectées dans l'énoncé de la question, comme c'est le cas dans notre exemple. Il conviendra notamment de se demander si son objectif est de connaissance ou, au contraire, de démonstration. L'effort pour éviter les formulations tendancieuses de la question de départ et les discussions qu'on peut avoir à ce sujet peuvent efficacement contribuer à prendre du recul à l'égard des idées préconçues.

Une bonne question de départ sera donc une « vraie question » ou encore une question « ouverte », ce qui signifie que plusieurs réponses différentes doivent pouvoir être envisagées a priori et que l'on n'est pas habité de la certitude d'une réponse toute faite.

Question 6

Quels changements affecteront l'organisation de l'enseignement d'ici une vingtaine d'années ?

■ *Commentaire*

L'auteur d'une telle question a en fait pour projet de procéder à un ensemble de prévisions sur l'évolution d'un secteur de la vie sociale. Ce faisant, il se nourrit des plus naïves illusions sur la portée d'un travail de recherche sociale. Un astronome peut prévoir longtemps à l'avance le passage d'une comète à proximité du système solaire parce que sa trajectoire répond à des lois stables auxquelles elle n'a pas la capacité de se soustraire par elle-même. Il n'en va pas de même en ce qui concerne les activités humaines dont les orientations ne peuvent jamais être prévues de manière certaine.

Sans doute pouvons-nous affirmer sans grand risque de nous tromper que les nouvelles technologies occuperont une place croissante dans l'organisation des écoles et le contenu des programmes, mais nous sommes incapables d'émettre des prévisions sûres qui vont au-delà de pareilles banalités.

Certains savants, particulièrement clairvoyants et informés, parviennent à anticiper les événements et à présager le sens probable de transformations prochaines mieux que ne le ferait le commun des mortels. Mais ces pressentiments portent très rarement sur des événements précis et ne sont jamais conçus que comme des éventualités. Ils se fondent sur leur connaissance approfondie de la société telle qu'elle fonctionne aujourd'hui et non sur des pronostics farfelus qui ne se vérifient jamais que par l'effet du hasard.

Cela signifie-t-il que la recherche en sciences sociales n'ait rien à dire qui intéresse l'avenir ? Certainement pas, mais ce qu'elle a à dire relève d'un autre registre que celui de la prévision. En effet, une recherche bien menée permet de saisir les contraintes et les logiques qui déterminent une situation ou un problème, elle permet de discerner la marge de manœuvre des « acteurs sociaux » et elle met au jour les enjeux de leurs décisions et de leurs rapports sociaux. En cela, elle interpelle directement l'avenir et acquiert une dimension prospective, mais il ne s'agit pas de prévision au sens strict du terme.

Cette dimension prospective s'enracine dans l'examen rigoureux de ce qui existe et fonctionne ici et maintenant, et en particulier des tendances perceptibles lorsqu'on met le présent en regard du passé. En dehors de cette perspective, des prévisions faites à la légère risquent fort de n'avoir que très peu d'intérêt et de consistance. Elles laissent leurs auteurs désarmés face à des interlocuteurs qui, pour leur part, ne rêvent pas mais connaissent leurs dossiers.

Bref, une bonne question de départ abordera l'étude de ce qui existe ou a existé et non celle de ce qui n'existe pas encore. Elle n'étudiera pas le changement sans s'appuyer sur l'examen du fonctionnement. Elle ne vise pas à prévoir l'avenir mais à saisir un champ de contraintes et de possibilités ainsi que les enjeux que ce champ définit.

Question 7

Les jeunes sont-ils plus fortement touchés par le chômage que les adultes ?

■ Commentaire

Au premier abord, on peut craindre qu'une telle question n'attende qu'une réponse purement descriptive qui aurait pour seul objectif de mieux connaître les données d'une situation. Si l'intention de celui qui se la pose se limite en effet à rassembler et à étaler des données – officielles ou produites par lui-même, cela n'importe guère ici –, sans chercher à mieux comprendre, à partir d'elles, le phénomène du chômage et les logiques de sa distribution dans les différentes catégories de la population, on reconnaîtra que c'est « un peu court ».

En revanche, de nombreuses questions qui se présentent, au premier regard, comme descriptives n'impliquent pas moins une visée de compréhension des phénomènes sociaux étudiés. Décrire les relations de pouvoir dans une organisation, ou des situations socialement problématiques en montrant en quoi elles sont précisément « problématiques », ou l'évolution des conditions de vie d'une partie de la population, ou les modes d'occupation d'un espace public et les activités qui s'y déroulent... implique une réflexion sur ce qu'il est essentiel de mettre en évidence, une sélection des informations à récolter, un classement de ces informations en vue de dégager des lignes de force et des enseignements pertinents.

En dépit des apparences, il s'agit donc d'autre chose que d'une « simple description », soit, pour le moins, d'une « description construite » qui trouve parfaitement sa place dans la recherche sociale et qui nécessite la conception et la mise en œuvre d'un véritable dispositif conceptuel et méthodologique. Une « description » ainsi conçue peut constituer une excellente recherche en sciences sociales et une bonne manière de s'y engager. Beaucoup de recherches connues se présentent d'ailleurs, d'une certaine manière, comme des descriptions construites à partir de critères qui rompent avec les catégories de pensée généralement admises et qui conduisent par là à reconsidérer les phénomènes étudiés sous un regard neuf. *La Distinction, critique sociale du jugement* de Pierre Bourdieu (Paris, Éditions de Minuit, 1979) en est un bon exemple : la description des pratiques et dispositions culturelles est menée à partir du point de vue de l'habitus et d'un système d'écarts entre les différentes classes sociales.

Mais on est alors au plus loin d'une simple intention de rassemblement non critique de données et d'informations existantes ou que l'on produit soi-même. Il est souhaitable que cette intention de dépasser ce stade transparaisse dans la question de départ.

Bref, une bonne question de départ visera à mieux expliquer et mieux comprendre les phénomènes étudiés et pas seulement à les décrire.

Du point de vue du fond, ces bonnes questions de départ sont donc celles par lesquelles le chercheur tente de mettre en évidence les processus sociaux, économiques, politiques ou culturels qui permettent de mieux comprendre les phénomènes et les événements observables et de les interpréter plus justement. Ces questions appellent des réponses en termes de stratégies, de modes de fonctionnement, de rapports et de conflits sociaux, de relations de pouvoir, d'invention, de diffusion ou d'intégration culturelle, pour ne citer que quelques exemples classiques de points de vues parmi beaucoup d'autres qui relèvent de l'analyse en sciences sociales et sur lesquels nous aurons l'occasion de revenir.

Nous pourrions encore discuter de nombreux autres cas de figure et mettre d'autres défauts et qualités en évidence mais ce qui a été dit jusqu'ici suffit largement pour faire clairement percevoir les trois niveaux d'exigence qu'une bonne question de départ doit respecter : *primo* des exigences de clarté, *secundo* des exigences de faisabilité et *tertio* des exigences de pertinence, de manière à servir de premier fil conducteur à un travail qui relève de la recherche en sciences sociales.

RÉSUMÉ DE LA 1re ÉTAPE

La question de départ

La meilleure manière d'entamer un travail de recherche en sciences sociales consiste à s'efforcer d'énoncer le projet sous la forme d'une question de départ. Par cette question, le chercheur tente d'exprimer le plus exactement possible ce qu'il cherche à savoir, à élucider, à mieux comprendre. La question de départ servira de premier fil conducteur à la recherche.

Pour remplir correctement sa fonction, la question de départ doit présenter des qualités de clarté, de faisabilité et de pertinence :

• Les qualités de clarté :
– précise,
– concise et univoque.

• Les qualités de faisabilité :
– réaliste.

• Les qualités de pertinence :
– vraie question,
– aborder l'étude de ce qui existe, fonder l'étude du changement sur celle du fonctionnement,
– avoir une intention de compréhension des phénomènes étudiés.

TRAVAIL D'APPLICATION N° 1

Formulation d'une question de départ

Si vous entamez un travail de recherche sociale, seul ou en groupe, ou si vous envisagez de l'engager sous peu, vous pouvez considérer cet exercice comme la première étape de ce travail. Dans le cas où votre étude serait déjà engagée, cet exercice peut néanmoins vous aider à mieux centrer vos préoccupations.

Pour celui qui entame une recherche, bâcler cette étape serait très imprudent. Consacrez-y une heure, une journée ou une semaine de travail. Réalisez cet exercice seul ou en groupe, avec l'aide critique de collègues, d'amis, d'enseignants ou de formateurs. Retravaillez votre question de départ jusqu'à obtenir une formulation satisfaisante et correcte. Effectuez cet exercice avec tout le soin qu'il mérite. Expédier rapidement cette étape du travail serait votre première et plus coûteuse erreur car aucun travail ne peut aboutir si l'on est incapable de décider clairement au départ ce que l'on souhaite mieux connaître, fût-ce provisoirement.

Le résultat de ce précieux exercice n'occupera que deux à trois lignes sur une feuille de papier mais il constituera le véritable point de départ de votre travail.

Pour mener ce travail à bien, vous pouvez procéder comme suit :

– formulez un projet de question de départ ;

– testez cette question de départ auprès de votre entourage, de manière à vous assurer qu'elle est claire et précise, et donc comprise de la même manière par tout le monde ;

– vérifiez si elle possède également les autres qualités rappelées ci-dessus ;

– reformulez-la le cas échéant et recommencez l'ensemble de la démarche.

3. ET SI VOUS AVEZ ENCORE DES RÉTICENCES...

Peut-être avez-vous encore des réticences. Nous connaissons les plus courantes.

• *« Mon projet n'est pas suffisamment au point pour procéder à cet exercice. »*

Dans ce cas, il vous conviendra parfaitement car il a précisément pour but de vous aider – et de vous obliger – à le préciser.

• *« La problématique n'en est qu'à ses balbutiements. Je ne pourrais formuler qu'une question assez banale. »*

Aucune importance car cette question n'est pas définitive. D'autre part, que voulez-vous « problématiser » si vous êtes incapable de formuler clairement votre objectif de départ. Cet exercice vous aidera au contraire à mieux organiser vos réflexions qui s'éparpillent pour l'instant dans trop de directions différentes.

- « *Une formulation aussi laconique de mon projet de travail ne peut constituer qu'une grossière réduction de mes interrogations et de mes réflexions théoriques.* »

Sans doute, mais vos réflexions ne seront pas perdues pour autant. Elles resurgiront plus tard et seront exploitées plus vite que vous ne le pensez. Ce qu'il vous faut maintenant, c'est une première clef qui permette de canaliser votre travail et de ne pas disperser vos précieuses réflexions.

- « *Il n'y a pas qu'une seule chose qui m'intéresse. Je souhaite aborder plusieurs facettes de mon objet d'étude.* »

Si telle est votre intention, elle est respectable mais vous en êtes déjà à penser « problématique ». Vous avez éludé la question de départ.

L'exercice qui consiste à essayer de préciser ce qui pourrait constituer la question centrale de votre travail vous fera le plus grand bien. Car toute recherche cohérente en possède une qui lui assure son unité.

Si nous insistons sur la question de départ, c'est parce qu'on l'élude trop souvent, soit parce que celle-ci paraît évidente (implicitement !) au chercheur, soit parce qu'il pense que c'est en avançant qu'il y verra plus clair. C'est une erreur. En faisant office de premier fil conducteur, la question de départ doit l'aider à progresser dans ses lectures et ses entretiens exploratoires. Plus ce « guide » sera précis, mieux le chercheur progressera. En outre, c'est en « façonnant » sa question de départ que le chercheur entame le processus de rupture. Enfin, il existe une dernière raison décisive pour effectuer soigneusement cet exercice : les hypothèses de travail, qui constituent les axes centraux d'une recherche, se présentent comme des propositions de réponse à la question de départ.

Deuxième étape

L'EXPLORATION

LES ÉTAPES DE LA DÉMARCHE

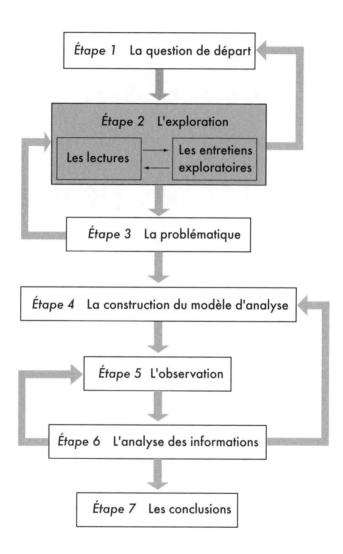

OBJECTIFS

Au cours du chapitre précédent, nous avons appris à formuler un projet de recherche sous la forme d'une question de départ appropriée. Jusqu'à nouvel ordre, cette question de départ constitue le fil conducteur du travail. À présent, le problème est de savoir comment nous y prendre pour atteindre une certaine qualité d'information ; comment explorer le terrain pour concevoir une problématique de recherche. C'est l'objet de ce chapitre.

L'exploration comprend les opérations de lecture, les entretiens exploratoires et quelques méthodes d'exploration complémentaires. Les opérations de lecture visent essentiellement à assurer la qualité du questionnement, tandis que les entretiens et méthodes complémentaires aident notamment le chercheur à avoir un contact avec la réalité vécue par les acteurs sociaux.

Nous étudierons ici des méthodes de travail précises et directement applicables par chacun, quel que soit le type d'entreprise dans lequel il s'engage. Ces méthodes sont conçues pour aider le chercheur à adopter une approche pénétrante de son objet d'étude et donc à trouver des idées et des pistes de réflexion éclairantes.

1. LA LECTURE

Ce qui est vrai pour la sociologie devrait l'être pour tout travail intellectuel : dépasser les interprétations établies qui contribuent à reproduire l'ordre des choses afin de faire apparaître de nouvelles significations des phénomènes étudiés qui soient plus éclairantes et plus pénétrantes que les précédentes. C'est sur ce point que nous voudrions tout d'abord insister ici.

Cette capacité de dépassement ne tombe pas du ciel. Elle dépend pour une part de la formation théorique du chercheur et, plus largement, de ce qu'on pourrait appeler sa culture intellectuelle, qu'elle soit à dominante sociologique, économique, politique, historique ou autre. Une longue fréquentation de la pensée sociologique ancienne et actuelle, par exemple, contribue considérablement à élargir le champ des idées et à dépasser les interprétations éculées. Elle prédispose à se poser de bonnes questions, à mettre le doigt sur ce qui n'est pas évident et à produire des idées inconcevables pour un chercheur qui se contente des maigres connaissances théoriques qu'il a acquises dans le passé.

Beaucoup de penseurs sont de piètres chercheurs mais il n'existe pas, en sciences sociales, un seul chercheur qui ne soit aussi, d'une certaine manière, un penseur. Ceux qui croyaient pouvoir apprendre à faire de la recherche sociale en se contentant d'étudier des techniques de recherche devront donc déchanter : il leur faudra aussi explorer les théories, lire et relire des recherches exemplaires (une liste sera proposée plus loin), et acquérir l'habitude de réfléchir avant de se précipiter dans la collecte de données, fût-ce avec les techniques d'analyse les plus sophistiquées.

Lorsqu'un chercheur entame un travail, il est peu probable que le sujet traité n'ait jamais été abordé par quelqu'un d'autre auparavant, au moins en partie ou indirectement. On a souvent l'impression qu'il n'y a « rien sur le sujet » mais cette opinion résulte généralement d'une mauvaise information. Tout travail de recherche s'inscrit dans un *continuum* et peut être situé dans ou par rapport à des courants de pensée qui le précèdent et l'influencent. Il est donc normal qu'un chercheur prenne connaissance des travaux antérieurs qui portent sur des objets comparables et qu'il soit explicite sur ce qui rapproche et sur ce qui distingue son propre travail de ces courants de pensée. Il est important d'insister d'emblée sur l'exigence de situer clairement son travail par rapport à des cadres conceptuels reconnus. Cette exigence porte un nom qui exprime bien ce qu'il est censé exprimer : la validité externe.

Même si votre souci n'est pas de faire de la recherche scientifique au sens strict, mais bien de fournir une étude honnête sur une question particulière, il reste indispensable de prendre connaissance d'un minimum de travaux de référence sur le même thème ou, plus largement, sur des problématiques qui y sont liées. Il serait à la fois absurde et présomptueux de croire que nous pouvons nous passer purement et simplement de ces apports, comme si nous étions en mesure de tout réinventer par nous-mêmes.

Dans la plupart des cas cependant, l'étudiant qui entame un mémoire de fin d'études, le travailleur qui souhaite réaliser un travail de dimension modeste ou le chercheur auquel une analyse rapide est demandée, ne disposent pas du temps nécessaire pour aborder la lecture de dizaines d'ouvrages différents. De plus, nous l'avons vu, la boulimie livresque est une très mauvaise manière d'entamer une recherche. Comment s'y prendre dans ces conditions ?

Concrètement, il s'agira de sélectionner très soigneusement un petit nombre de lectures et de s'organiser pour en retirer le bénéfice maximum. Cela nécessite une méthode de travail correctement élaborée. C'est donc une méthode d'organisation, de réalisation et de traitement des lectures que nous étudierons d'abord. Elle convient pour tout type de travail, quel que soit son niveau. Elle a déjà été expérimentée avec fruit en de multiples occasions par des dizaines d'étudiants qui lui ont fait confiance. Elle s'inscrit dans notre politique générale du moindre effort qui vise à obtenir les meilleurs résultats au moindre coût en moyens de toutes sortes, à commencer par notre précieux temps.

1.1. Le choix et l'organisation des lectures

a.   Les critères de choix

Le choix des lectures doit être réalisé avec beaucoup de soin. Quels que soient le type et l'ampleur du travail, un chercheur ne dispose jamais que d'un temps de lecture limité. Certains ne peuvent y consacrer que quelques dizaines d'heures, d'autres plusieurs centaines mais, pour les uns comme pour les autres, ce temps sera toujours d'une certaine manière trop court en regard de leurs ambitions respectives. Rien n'est dès lors plus désespérant que de constater, après plusieurs semaines de lecture, que l'on n'est guère beaucoup plus avancé qu'au départ. L'objectif est donc de faire le point sur les connaissances intéressant la question de départ en exploitant au maximum chaque minute de lecture.

Comment procéder ? Quels critères retenir ? Nous ne pouvons bien entendu proposer ici que des principes et critères généraux que chacun devra adapter avec souplesse et à-propos.

■ *Premier principe :* partir de la question de départ. Le meilleur moyen de ne pas s'égarer dans le choix des lectures consiste en effet à avoir une bonne question de départ. Tout travail doit avoir un fil conducteur et, jusqu'à nouvel ordre, c'est la question de départ qui remplit cette fonction. Sans doute serez-vous amené à la modifier au terme de votre travail exploratoire et tenterez-vous de la formuler d'une manière plus judicieuse mais, pour l'instant, c'est d'elle qu'il faut partir.

■ *Deuxième principe :* éviter de surcharger le programme en sélectionnant les lectures. Il n'est pas nécessaire – ni d'ailleurs, le plus souvent, possible – de tout lire sur un sujet car, dans une certaine mesure, les ouvrages et articles de référence se répètent mutuellement et un lecteur assidu se rend vite compte de ces répétitions. Dans un premier temps, on évitera donc autant que possible de lire d'emblée des « briques » énormes et indigestes avant d'être certain de ne pouvoir s'en dispenser. On s'orientera davantage vers les ouvrages qui présentent des repères théoriques et une réflexion de synthèse dans le domaine de recherche concerné ou vers des articles de quelques dizaines de pages. Il est, en effet, préférable de lire de manière approfondie et critique quelques textes bien choisis que de lire superficiellement des milliers de pages.

■ *Troisième principe :* rechercher dans la mesure du possible des documents dont les auteurs ne se contentent pas de présenter des données, mais qui comportent des éléments d'analyse et d'interprétation. Il s'agit de textes qui portent à réfléchir et qui ne se présentent pas simplement comme de fades descriptions prétendument objectives du phénomène étudié.

Nous aborderons très bientôt l'examen d'un texte de Émile Durkheim extrait du *Suicide*. Nous verrons que ce texte comporte des données et même, en l'occurrence, des données statistiques. Cependant ces données ne sont pas présentées telles quelles. L'analyse de Durkheim leur donne sens et permet au lecteur de mieux en apprécier la signification.

Même si l'on étudie un problème qui, *a priori*, exigera l'utilisation de nombreuses données statistiques, tel que les causes de l'augmentation du chômage ou l'évolution démographique d'une région, il est encore préférable de rechercher des textes d'analyse plutôt que des listes de chiffres qui ne veulent jamais dire grand-chose en eux-mêmes. Les textes qui incitent à la réflexion contiennent le plus souvent suffisamment de données, chiffrées ou non, pour permettre de se rendre compte de l'ampleur, de la distribution ou de l'évolution du phénomène sur lequel ils portent. De plus, ils permettent de « lire » intelligemment ces données et stimulent la réflexion critique et l'imagination du chercheur. Au stade actuel du travail, cela suffit largement. Si de nombreuses données sont utiles, il sera toujours temps de les récolter plus tard, quand le chercheur aura délimité des pistes plus précises.

■ *Quatrième principe :* veiller à recueillir des textes qui présentent des approches diversifiées du phénomène étudié. Non seulement il ne sert à rien de lire dix fois la même chose mais, en outre, le souci d'aborder l'objet d'étude sous un angle éclairant implique que l'on puisse confronter des perspectives différentes. Ce souci doit inclure, du moins pour les recherches d'un certain niveau, la prise en compte de textes plus théoriques qui, sans porter forcément de manière directe sur le phénomène étudié, présentent des problématiques et des modèles d'analyse susceptibles d'inspirer des hypothèses particulièrement intéressantes. (Nous reviendrons plus loin sur la problématique, le modèle d'analyse et sur les hypothèses.)

■ *Cinquième principe :* se ménager à intervalles réguliers des plages de temps consacrées à la réflexion personnelle et aux échanges de vues avec des collègues ou avec des personnes d'expérience. Un esprit encombré n'est jamais créatif.

Les suggestions qui précèdent concernent principalement les premières phases du travail de lecture. Au fur et à mesure de son avancement, des critères plus précis et spécifiques s'imposeront progressivement d'eux-mêmes à condition, précisément, que la lecture soit entrecoupée de périodes de réflexion et, si possible, de débats et de discussions.

Une manière de s'organiser consiste à lire par salves successives de deux ou trois textes (ouvrages ou articles) à la fois. Après chaque salve, on cessera de lire pendant un temps pour réfléchir, prendre des notes et discuter avec des connaissances que l'on pense capables d'aider à progresser. Ce n'est qu'après cette pause dans les lectures que l'on décidera du contenu exact de la salve suivante, quitte à corriger les orientations générales que l'on s'était fixées au départ.

Décider d'emblée du contenu précis d'un programme de lecture important est généralement une erreur : l'ampleur du travail décourage vite ; la rigidité du programme se prête mal à sa fonction exploratoire et les éventuelles erreurs d'orientation au départ seront plus difficiles à corriger. D'autre part, ce dispositif par salves successives convient aussi bien pour les travaux modestes que pour les recherches de grande envergure : les uns mettront un terme au travail de lecture préparatoire après deux ou trois salves, les autres après une dizaine ou davantage.

Bref, respectez les critères de choix suivants :

– liens avec la question de départ ;
– dimension raisonnable du programme de lecture ;
– éléments d'analyse et d'interprétation ;
– approches diversifiées.

Lisez par « salves » successives, entrecoupées de plages de temps consacrées à la réflexion personnelle et aux échanges de vues.

b.   *Où trouver ces textes ?*

Avant de se ruer dans les bibliothèques, il est nécessaire de savoir ce que l'on cherche. Les bibliothèques de sciences sociales dignes de ce nom possèdent des milliers d'ouvrages. Il est vain d'espérer y découvrir, au hasard d'une promenade à travers les rayons ou d'un coup d'œil dans les fichiers, le livre idéal qui répond exactement aux attentes. Ici aussi, il faut une méthode de travail dont la première étape consiste à préciser clairement le genre de textes recherchés. En ce domaine comme dans d'autres, la précipitation peut se payer très cher. Pour avoir voulu gagner quelques heures de réflexion, il n'est pas rare que certains perdent par la suite plusieurs journées, voire plusieurs semaines de travail.

Nous n'aborderons pas ici le travail de recherche bibliographique proprement dit car cela nous mènerait trop loin et nous ne ferions que répéter ce que chacun peut déjà lire dans plusieurs ouvrages spécialisés dans ce domaine. Voici néanmoins quelques idées qui peuvent aider à trouver facilement les textes qui conviennent, sans y consacrer trop de temps.

• Demandez conseil à des spécialistes qui connaissent bien votre domaine de recherche : chercheurs, enseignants, responsables d'organisations, etc. Avant de vous adresser à eux, préparez avec précision votre demande d'information de sorte qu'ils vous comprennent immédiatement et puissent recommander ce qui, selon eux, vous convient le mieux. Comparez les suggestions des uns et des autres et faites enfin votre choix en fonction des critères que vous aurez définis.

• Ne négligez pas les articles de revues, les dossiers de synthèse et les interviews de spécialistes publiés dans la presse pour un large public instruit, les publications d'organismes spécialisés et bien d'autres documents qui, sans constituer des rapports scientifiques au sens strict, n'en comportent pas moins des éléments de réflexion et d'information qui peuvent vous être précieux.

• Les revues spécialisées dans votre champ de recherche sont particulièrement intéressantes pour deux raisons. D'abord parce que leur contenu apporte soit les connaissances les plus récentes en la matière, soit un regard critique sur les connaissances antérieurement acquises. Dans l'un et l'autre cas, les articles font souvent le point sur la question qu'ils traitent et citent alors des publications qui sont à prendre en considération. La seconde raison est que les revues publient des commentaires bibliographiques sur les ouvrages les plus récents grâce auxquels vous pourrez faire un choix de lecture judicieux. De plus en plus nombreuses, ces revues sont directement accessibles sur Internet.

• Les bibliothèques scientifiques comportent des répertoires spécialisés comme la *Bibliographie internationale des sciences sociales* (Londres et New York, Routledge) et le *Bulletin signalétique* du Centre de documentation du CNRS (Paris). Dans ces répertoires, une grande quantité de publications scientifiques (ouvrages et/ou articles) sont reprises selon un index thématique et souvent résumées en quelques lignes. Depuis quelques années, les bibliographies se trouvent sur Internet.

• Les ouvrages comportent toujours une bibliographie finale reprenant les textes auxquels les auteurs se réfèrent. Comme on n'y trouve forcément que les références antérieures à l'ouvrage lui-même, cette source n'a d'intérêt que si l'ouvrage est récent.

En consultant ces différentes sources, on couvre rapidement un champ de publication assez vaste et on peut considérer qu'on a fait le tour du problème à partir du moment où l'on tombe systématiquement sur des références que l'on connaît déjà.

• Ne soyez pas trop vite effrayé par l'épaisseur de certains livres. Il n'est pas toujours indispensable de les lire entièrement. Beaucoup sont d'ailleurs des ouvrages collectifs reprenant des contributions de plusieurs auteurs différents sur un même thème. D'autres ne sont que des agrégats de textes relativement différents que l'auteur a rassemblés pour en faire un ouvrage auquel il s'efforce de donner un semblant d'unité. Consultez les tables des matières et les sommaires lorsqu'ils existent. À défaut, lisez les premières et dernières lignes de chaque chapitre pour voir de quoi ces ouvrages traitent. Une fois encore, si vous avez un doute, rien ne vous empêche de demander conseil.

• Sachez enfin que les bibliothèques se modernisent et offrent de plus en plus à leurs utilisateurs des techniques de recherche bibliographiques performantes : classement par mots-clés (que, dans les meilleurs cas, on peut prendre deux à deux et donc croiser), mais aussi dépouillement systématique des principales revues, listes informatisées de bibliographies spécialisées, catalogues sur CD-Rom, etc. Là encore, il est souvent rentable de consacrer quelques heures à s'informer correctement du mode d'utilisation d'une bibliothèque et des services qu'elle propose avant de rechercher les ouvrages. Beaucoup, qui ont voulu brûler cette étape, errent des heures durant sans trouver ce qu'ils cherchent dans des bibliothèques parfaitement équipées pour satisfaire rapidement les utilisateurs informés.

La règle est toujours la même : avant de se lancer dans un travail, on gagne beaucoup à se demander ce qu'on en attend exactement et quelle est la meilleure manière de procéder.

TRAVAIL D'APPLICATION N° 2
Choix des premières lectures

Le moment est venu, si votre lecture de cet ouvrage s'accompagne de la réalisation d'un travail, d'appliquer les suggestions proposées ici. L'exercice consiste à choisir les deux ou trois textes qui constitueront votre première salve de lecture. Pour y parvenir, procédez comme suit :

– partez de votre question de départ ;

– rappelez-vous les critères de choix des lectures qui ont été énoncés plus haut ;

– identifiez en conséquence les thèmes de lecture qui vous semblent les plus en rapport avec la question de départ ;

– consultez l'une ou l'autre personne informée ;

– procédez à la recherche de documents en vous aidant des techniques de recherche bibliographique disponibles dans les bibliothèques et sur Internet.

1.2. Comment lire ?

L'objectif principal de la lecture est d'en retirer des idées pour son propre travail. Cela implique que le lecteur soit capable de faire apparaître ces idées, de les comprendre en profondeur et de les articuler entre elles de manière cohérente. Avec l'expérience cela ne pose généralement pas trop de problèmes. Mais cet exercice peut présenter des difficultés majeures pour ceux dont la formation théorique est faible et qui ne sont pas habitués au vocabulaire (certains diront au jargon) des sciences sociales. C'est à eux que sont destinées les pages qui suivent.

Lire un texte est une chose, le comprendre et en retenir l'essentiel en est une autre. Savoir contracter un texte n'est pas un don du ciel mais une aptitude qui ne s'acquiert que par l'exercice. Pour être pleinement rentable, cet apprentissage demande à être soutenu par une méthode de lecture. C'est hélas rarement le cas. Les néophytes sont généralement abandonnés à eux-mêmes et lisent souvent n'importe comment, c'est-à-dire à perte. Le résultat est invariablement le découragement doublé d'un sentiment d'incapacité.

Pour progresser dans l'apprentissage de la lecture et pour en retirer le meilleur profit, nous proposons ici d'adopter une méthode de lecture très stricte et précise au départ, mais que chacun pourra assouplir par la suite au fur et à mesure de sa formation et en fonction de ses exigences propres. Cette méthode comporte deux étapes indissociables : la mise en œuvre d'une grille de lecture (pour lire en profondeur et de manière ordonnée) et la rédaction d'un résumé (pour mettre en évidence les idées principales qui méritent d'être retenues).

a.   La grille de lecture

Pour prendre conscience de son mode d'utilisation, nous vous proposons de l'appliquer d'emblée à un texte de Durkheim sur le suicide et de comparer votre travail à celui que nous avons nous-mêmes réalisé. Les consignes d'utilisation de cette grille de lecture sont présentées dans le travail d'application ci-dessous.

TRAVAIL D'APPLICATION N° 3

Lecture d'un texte à l'aide d'une grille de lecture

Divisez une feuille de papier en deux colonnes : deux tiers à gauche, un tiers à droite. Intitulez la colonne de gauche « Idées-contenu » et la colonne de droite « Repères pour la structure du texte ».

☞

☞

Lisez le texte de Durkheim section par section. Une section est un paragraphe ou un ensemble de phrases constituant un tout cohérent. Après chaque section, écrivez dans la colonne de gauche de votre feuille l'idée principale du texte original. Donnez-lui le numéro d'ordre de la section lue. Continuez ainsi, de section en section sans vous préoccuper de la colonne de droite.

Ce travail terminé, vous disposez dans la colonne de gauche les principales idées du texte original. Relisez-les de manière à en saisir les articulations et à discerner la structure globale de la pensée de l'auteur : ses idées maîtresses, les étapes du raisonnement et la complémentarité entre les parties. Ce sont ces articulations qui doivent apparaître dans la colonne de droite : « Repères pour la structure du texte », en regard des idées résumées dans celle de gauche.

Arrivé au terme de l'exercice, comparez votre travail avec la grille de lecture qui suit le texte de Durkheim.

L'important n'est pas que vous ayez écrit les mêmes phrases que nous mais bien d'avoir saisi les idées principales et leur structuration. En multipliant les exercices de ce genre, vous améliorerez considérablement votre aptitude à la lecture... même si votre premier essai n'est pas très concluant.

Texte de Durkheim (extraits[1])

① Si l'on jette un coup d'œil sur la carte des suicides européens, on reconnaît à première vue que dans les pays purement catholiques, comme l'Espagne, le Portugal, l'Italie, le suicide est très peu développé, tandis qu'il est à son maximum dans les pays protestants, en Prusse, en Saxe, en Danemark […]

② Néanmoins, cette première comparaison est encore trop sommaire. Malgré d'incontestables similitudes, les milieux sociaux dans lesquels vivent les habitants de ces différents pays ne sont pas identiquement les mêmes. La civilisation de l'Espagne et celle du Portugal sont bien au-dessous de celle de l'Allemagne ; il peut donc se faire que cette infériorité soit la raison de celle que nous venons de constater dans le développement du suicide. Si l'on veut échapper à cette cause d'erreur et déterminer avec plus de précision l'influence du catholicisme et celle du protestantisme sur la tendance au suicide, il faut comparer les deux religions au sein d'une même société.

③ De tous les grands États de l'Allemagne, c'est la Bavière qui compte, et de beaucoup, le moins de suicides. Il n'y en a guère, annuellement que 90 par million d'habitants depuis 1874, tandis que la Prusse en a 133 (1871-1875), le duché de Bade 156, le Wurtemberg 162, la Saxe 300. Or, c'est aussi là que les catholiques sont le plus nombreux ; il y en a 713,2 sur 1 000 habitants. Si, d'autre part, on compare les différentes provinces de ce royaume, on trouve que les suicides y sont en raison directe du nombre des protestants, en raison

_____

1. E. Durkheim, *Le Suicide* (1930), Paris, PUF, 1983, coll. « Quadrige », p. 149-159.

inverse de celui des catholiques. Ce ne sont pas seulement les rapports des moyennes qui confirment la loi ; mais tous les nombres de la première colonne sont supérieurs à ceux de la seconde et ceux de la seconde à ceux de la troisième sans qu'il n'y ait aucune irrégularité.

Il en est de même en Prusse [...]

Provinces à minorité catholique : moins de 50 %	Suicides par million d'habitants	Provinces à majorité catholique : 50 à 90 %	Suicides par million d'habitants	Provinces où il y a plus de 90 % de catholiques	Suicides par million d'habitants
Palatinat du Rhin	187	Basse-Franconie	157	Haut-Palatina	64
Franconie centrale	207	Souabe	118	Haute-Bavière	114
Haute-Franconie	204			Basse-Bavière	49
Moyenne	192	Moyenne	135	Moyenne	75

Provinces bavaroises (1867-1875)

④ Contre une pareille unanimité de faits concordants, il est vain d'invoquer, comme le fait Mayr, le cas unique de la Norvège et de la Suède qui, quoique protestantes, n'ont qu'un chiffre moyen de suicides. D'abord, ainsi que nous en faisions la remarque au début de ce chapitre, ces comparaisons internationales ne sont pas démonstratives, à moins qu'elles ne portent sur un assez grand nombre de pays, et même dans ce cas, elles ne sont pas concluantes. Il y a d'assez grandes différences entre les populations de la presqu'île scandinave et celles de l'Europe centrale, pour qu'on puisse comprendre que le protestantisme ne produise pas exactement les mêmes effets sur les unes et sur les autres. Mais de plus, si, pris en lui-même, le taux des suicides n'est pas très considérable dans ces deux pays, il apparaît relativement élevé si l'on tient compte du rang modeste qu'ils occupent parmi les peuples civilisés d'Europe. Il n'y a pas de raison de croire qu'ils soient parvenus à un niveau intellectuel supérieur à celui de l'Italie, loin s'en faut, et pourtant on s'y tue de deux à trois fois plus (90 à 100 suicides par million d'habitants au lieu de 40). Le protestantisme ne serait-il pas la cause de cette aggravation relative ? Ainsi, non seulement le fait n'infirme pas la loi qui vient d'être établie sur un si grand nombre d'observations, mais il tend plutôt à la confirmer.

⑤ Pour ce qui est des juifs, leur aptitude au suicide est toujours moindre que celle des protestants : très généralement, elle est aussi inférieure, quoique dans une moindre proportion, à celle des catholiques. Cependant, il arrive que ce dernier rapport est renversé ; c'est surtout dans les temps récents que ces cas d'inversion se rencontrent [...]. Si l'on songe que, partout, les juifs sont en nombre infime et que, dans la plupart des sociétés où ont été faites les observations précédentes, les catholiques sont en minorité, on sera tenté de voir dans ce fait la cause qui explique la rareté relative des morts volontaires dans ces deux cultes. On conçoit, en effet, que les confessions les moins nombreuses, ayant à lutter contre l'hostilité des populations ambiantes, soient obligées, pour se maintenir, d'exercer sur elles-mêmes un contrôle sévère et de s'astreindre à une discipline particulièrement rigoureuse. Pour justifier la tolérance, toujours précaire, qui leur est accordée, elles sont tenues à plus de moralité. En dehors de ces considérations, certains faits semblent réellement impliquer que ce facteur spécial n'est pas sans quelque influence […].

⑥ Mais, en tout cas, cette explication ne saurait suffire à rendre compte de la situation respective des protestants et des catholiques. Car si, en Autriche et en Bavière, où le catholicisme a la majorité, l'influence préservatrice qu'il exerce est moindre, elle est encore très considérable. Ce n'est donc pas seulement à son état de minorité qu'il la doit. Plus généralement, quelle que soit la part proportionnelle de ces deux cultes dans l'ensemble de la population, partout où l'on a pu les comparer au point de vue du suicide, on a constaté que les protestants se tuent beaucoup plus que les catholiques. Il y a même des pays comme le Haut-Palatinat, la Haute-Bavière, où la population est presque tout entière catholique (92 et 96 %) et où, cependant, il y a 300 et 423 suicides protestants pour 100 catholiques. Le rapport même s'élève jusqu'à 528 % dans la Basse-Bavière où la religion réformée ne compte pas tout à fait un fidèle sur 100 habitants. Donc, quand même la prudence obligatoire des minorités serait pour quelque chose dans l'écart si considérable que présentent ces deux religions, la plus grande part en est certainement due à d'autres causes.

⑦ C'est dans la nature de ces deux systèmes religieux que nous les trouverons. Cependant, ils prohibent tous les deux le suicide avec la même netteté ; non seulement ils le frappent de peines morales d'une extrême sévérité, mais l'un et l'autre enseignent également qu'au-delà du tombeau commence une vie nouvelle où les hommes seront punis de leurs mauvaises actions, et le protestantisme met le suicide au nombre de ces dernières, tout aussi bien que le catholicisme. Enfin, dans l'un et l'autre cultes, ces prohibitions ont un caractère divin : elles ne sont pas présentées comme la conclusion logique d'un raisonnement bien fait, mais leur autorité est celle de Dieu lui-même. Si donc le protestantisme favorise le développement du suicide, ce n'est pas qu'il le traite autrement que ne fait le catholicisme. Mais alors, si, sur ce point particulier, les deux religions ont les mêmes préceptes, leur inégale action sur le suicide doit avoir pour cause quelqu'un des caractères plus généraux par lesquels elles se différencient.

⑧ Or, la seule différence essentielle qu'il y ait entre le catholicisme et le protestantisme, c'est que le second admet le libre examen dans une bien plus large proportion que le premier. Sans doute, le catholicisme, par cela seul qu'il est une religion idéaliste, fait déjà à la pensée et à la réflexion une bien plus grande place que le polythéisme gréco-latin ou que le monothéisme juif. Il ne se contente plus de manœuvres machinales, mais c'est sur les consciences qu'il aspire à régner. C'est donc à elles qu'il s'adresse et, alors même qu'il demande à la raison une aveugle soumission, c'est en lui parlant le langage de la raison. Il n'en est pas moins vrai que le catholique reçoit sa foi toute faite, sans examen. Il ne peut même pas la soumettre à un contrôle historique, puisque les textes originaux sur lesquels on l'appuie lui sont interdits. Tout un système hiérarchique d'autorités est organisé, et avec un art merveilleux, pour rendre la tradition invariable. Tout ce qui est variation est en horreur à la pensée catholique. Le protestant est davantage l'auteur de sa croyance. La Bible est mise entre ses mains et nulle interprétation ne lui en est imposée. La structure même du culte réformé rend sensible cet état d'individualisme religieux. Nulle part, sauf en Angleterre, le clergé protestant n'est hiérarchisé ; le prêtre ne relève que de lui-même et de sa conscience, comme le fidèle. C'est un guide plus instruit que le commun des croyants, mais sans autorité spéciale pour fixer le dogme. Mais ce qui atteste le mieux que cette liberté d'examen, proclamée par les fondateurs de la réforme, n'est pas restée à l'état d'affirmation platonique, c'est cette multiplicité croissante de sectes de toute sorte qui contraste si énergiquement avec l'unité indivisible de l'Église catholique [...].

⑨ Ainsi, s'il est vrai de dire que le libre examen, une fois qu'il est proclamé, multiplie les schismes, il faut ajouter qu'il les suppose et qu'il en dérive, car il n'est réclamé et institué comme un principe que pour permettre à des schismes latents ou à demi-déclarés de se développer plus librement. Par conséquent, si le protestantisme fait à la pensée individuelle une plus grande part que le catholicisme, c'est qu'il compte moins de croyances et de pratiques communes. Or, une société religieuse n'existe pas sans un credo collectif et elle est d'autant plus une et d'autant plus forte que ce credo est plus étendu. Car elle n'unit pas les hommes par l'échange et la réciprocité des services, lien temporel qui comporte et suppose même des différences, mais qu'elle est impuissante à nouer. Elle ne les socialise qu'en les attachant tous à un même corps de doctrines et elle les socialise d'autant mieux que ce corps de doctrines est plus vaste et plus solidement constitué. Plus il y a de manières d'agir et de penser, marquées d'un caractère religieux, soustraites, par conséquent, au libre examen, plus aussi l'idée de Dieu est présente à tous les détails de l'existence et fait converger vers un seul et même but les volontés individuelles. Inversement, plus un groupe confessionnel abandonne au jugement des particuliers, plus il est absent de leur vie, moins il a de cohésion et de vitalité. Nous arrivons donc à cette conclusion, que la supériorité du protestantisme au point de vue du suicide vient de ce qu'il est une Église moins fortement intégrée que l'Église catholique.

b.   Le résumé

Faire le résumé d'un texte consiste à mettre en évidence ses idées principales et leurs articulations de manière à faire apparaître l'unité de la pensée de l'auteur. C'est le but premier des lectures exploratoires et c'est donc l'aboutissement normal du travail de lecture.

On entend dire parfois que certains ont « l'esprit de synthèse », comme s'il s'agissait d'une qualité innée. C'est évidemment absurde. L'aptitude à rédiger de bons résumés est elle aussi affaire de formation et de travail, et, une fois encore, cet apprentissage peut être grandement facilité et accéléré par un encadrement et des conseils adéquats. La qualité d'un résumé est directement liée à la qualité de la lecture qui l'a précédée. Bien plus, la méthode de réalisation d'un résumé devrait constituer la suite logique de la méthode de lecture. C'est en tout cas de cette manière que nous procéderons ici.

Idées contenu — GRILLE DE LECTURE	Repères pour la structure du texte
1. Le suicide est peu développé dans les pays catholiques et à son maximum dans les pays protestants.	Projet : préciser l'influence des religions sur le suicide.
2. Cependant, le contexte socio-économique de ces pays est différent ; pour éviter toute erreur et préciser au mieux l'influence de ces religions, il faut comparer celles-ci au sein d'une même société.	Établissement des faits à l'aide de données statistiques : le protestantisme est la religion où l'on se suicide le plus.
3. Que l'on compare entre eux les différents États d'un même pays (Allemagne) ou les différentes provinces d'un même État (Bavière), on observe que les suicides sont en raison directe du nombre de protestants et en raison inverse de celui des catholiques	
4. La Norvège et la Suède semblent faire exception. Mais il y a trop de différences entre ces pays scandinaves et les pays d'Europe centrale pour que le protestantisme y produise les mêmes effets. Si l'on compare ces deux pays à ceux qui ont le même niveau de civilisation, par exemple l'Italie, on observe que l'on s'y tue deux fois plus. Ces deux « exceptions » tendent donc à confirmer la règle.	Fausse exception qui confirme la règle.
5. Chez les juifs, les suicides se situent au même niveau que chez les catholiques, parfois en dessous. Les juifs sont minoritaires. Dans les pays protestants, les catholiques le sont aussi. Le fait d'être minoritaire n'est donc pas sans influence.	Première explication possible : le caractère minoritaire de la religion.
6. Le fait d'être minoritaire n'explique qu'une partie de la différence d'influence des religions sur le suicide. En effet, lorsque les protestants sont minoritaires, ils se suicident plus que les catholiques majoritaires.	= explication insuffisante.
7. C'est dans la nature des systèmes religieux qu'il faut chercher l'explication, et non dans les principes concernant le suicide car ils sont identiques.	Deuxième explication : la nature des systèmes religieux.
8. La seule différence, c'est le libre examen. Tandis que le catholicisme dicte le dogme et exige une foi aveugle, le protestantisme admet que l'individu soit l'artisan de sa croyance. Cela favorise l'individualisme religieux et la multiplication des sectes.	Différence importante : le libre examen...
9. Issu de l'ébranlement des anciennes croyances et faisant plus de place à la pensée individuelle, le protestantisme compte en outre moins de croyances et de pratiques communes pour souder ses membres. C'est ce défaut d'intégration qui fait la différence et explique le niveau plus élevé de suicides chez les protestants.	... qui conduit à une plus faible intégration : ce qui favorise le suicide.

Revenons donc à notre grille de lecture et relisons le contenu de la colonne de gauche qui porte sur les idées du texte. Mis bout à bout, ces neuf petits textes forment un résumé fidèle du texte de Durkheim. Mais, dans ce résumé, les idées centrales du texte ne sont pas distinguées des autres. Quelle que soit son importance relative, chacune bénéficie en quelque sorte du même statut que ses voisines. En outre, les articulations que Durkheim établit entre elles n'apparaissent pas clairement. Bref, il manque une structuration des idées qui seule permet de reconstituer l'unité de la pensée de l'auteur et la cohérence de son raisonnement. Le véritable travail de résumé consiste précisément à restituer cette unité en mettant l'accent sur les idées les plus importantes et en montrant les liens principaux que l'auteur établit entre elles.

Pour y parvenir, il faut considérer également le contenu de la colonne de droite dans laquelle nous avons explicitement noté des informations relatives à l'importance et à l'articulation des idées, comme par exemple : « Projet :…», « Établissement des faits », « Première explication possible », etc. À partir de ces indications, nous sommes en mesure de distinguer immédiatement les sections du texte où se trouvent les idées centrales de celles qui comportent les idées secondaires, les données illustratives ou les développements de l'argumentation. En outre, ces idées peuvent être facilement retrouvées et agencées grâce au contenu de la colonne de gauche où elles sont reprises sous une forme condensée.

Chacun peut faire ce travail par lui-même sans trop de difficulté car la grille de lecture en donne les moyens et oblige en même temps à s'imprégner véritablement du texte étudié. Il restera enfin à rédiger le résumé de manière assez claire pour que quelqu'un qui n'aurait pas lu le texte de Durkheim puisse s'en faire une bonne idée globale à la seule lecture du résultat de votre travail. Même si vous n'avez aucunement l'intention de le communiquer, cet effort de clarté est important. Il constitue à la fois un exercice et un test de compréhension car, si vous ne parvenez pas à rendre votre texte compréhensible pour les autres, il y a de fortes chances qu'il ne le soit pas encore parfaitement pour vous.

Voici un exemple de résumé de ce texte, rédigé dans le prolongement de l'exercice de lecture :

> Durkheim analyse l'influence des religions sur le suicide. Grâce à l'examen de données statistiques qui portent principalement sur les taux de suicide de différentes populations européennes de religions protestante et catholique, il aboutit à la conclusion que le penchant pour le suicide est d'autant plus fort que la cohésion de la religion est faible.
>
> En effet, une religion fortement intégrée comme le catholicisme, dont les fidèles partagent de nombreuses pratiques et croyances communes, les protège davantage du suicide qu'une religion faiblement intégrée comme le protestantisme, qui accorde une place importante au libre examen.

Une telle synthèse littéraire peut être avantageusement complétée par un schéma qui, en l'occurrence, représente les relations causales que Durkheim établit entre les différents phénomènes considérés :

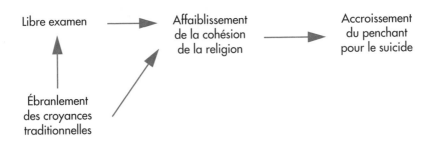

Au terme de cet exemple de travail de lecture et de résumé, on se rend sans doute mieux compte du bénéfice que l'on peut en attendre. Celui qui va jusqu'au bout de ce travail améliore bien sûr ses propres aptitudes à la lecture, à la compréhension des textes et à la réalisation de résumés, ce qui est utile pour tout le travail intellectuel quel qu'il soit. Mais bien plus, par son travail actif, il inscrit profondément les idées du texte dans son esprit. Grâce au résumé, il pourra comparer beaucoup plus aisément deux textes différents et mettre en évidence leurs convergences et leurs divergences. Ce qui lui semblait une tâche insurmontable devient une prestation certes sérieuse, voire difficile, mais enfin accessible.

Bien entendu le modèle de grille de lecture qui a été présenté ici est particulièrement précis et rigoureux. Il demande que l'on y consacre du temps et donc que les textes ne soient ni trop longs, ni trop nombreux. Dès lors, dans de nombreux cas, d'autres grilles de lecture plus souples et plus adaptées à chaque projet particulier doivent pouvoir être imaginées. Cependant, il faut se méfier des fausses économies de temps. Lire mal deux mille pages ne sert strictement à rien ; bien lire un bon texte de dix pages peut aider à faire véritablement démarrer une recherche ou un travail. Ici plus qu'ailleurs il faut se presser lentement et ne pas se laisser abuser par les interminables bibliographies que l'on trouve à la fin de certains ouvrages.

Sans doute une longue habitude du travail intellectuel incite-t-elle à se dispenser d'utiliser une grille de lecture explicite, encore que les lecteurs expérimentés lisent rarement au hasard. Lorsque leurs lectures s'inscrivent dans le cadre d'une recherche, ils ont toujours une idée claire de leurs objectifs et lisent en fait avec méthode, même si cela n'apparaît pas formellement. Par contre, nous sommes convaincus que de très nombreux lecteurs moins formés ont tout intérêt à modifier leurs habitudes et à lire mieux des textes choisis plus soigneusement.

La méthode présentée ci-dessus pour des extraits convient-elle pour des ouvrages entiers ? Oui, avec de légères adaptations. D'une part, les sections de lecture peuvent être beaucoup plus longues lorsque le texte est « dilué » et comporte de nombreuses données et de multiples exemples. D'autre part, il est rarement nécessaire de procéder à une lecture systématique de tous les chapitres du livre. Compte tenu de vos objectifs précis, il est hautement probable que seules quelques parties devront être approfondies et qu'une simple lecture attentive suffira pour le reste.

TRAVAIL D'APPLICATION N° 4

Résumés de textes

Il est temps maintenant de réaliser l'exercice complet de résumé sur les deux ou trois textes que vous aurez retenus pour constituer la première salve de votre programme de lecture. C'est un travail de longue haleine qui vous demandera quelques heures ou quelques jours selon que vous aurez choisi des articles ou des livres entiers. Au cours de votre travail de résumé, n'oubliez pas votre question de départ et soyez particulièrement précis sur les idées qui sont directement en rapport avec elle. Vous ne lisez pas les auteurs gratuitement mais pour progresser dans votre propre travail. Gardez donc vos propres objectifs à l'esprit.

Effectuez ce double ou ce triple exercice avec beaucoup de soin. Peut-être déciderez-vous par la suite d'abandonner la méthode. Mais faites-vous la faveur de l'essayer sérieusement à partir de deux ou trois textes différents au moins. Après seulement, vous déciderez de vous en passer, de l'adapter de manière personnelle à vos propres projets ou de l'appliquer dorénavant systématiquement. Dans ce dernier cas et si vous ne vous laissez pas décourager par la première difficulté, vous ferez des pas de géant. Plus tôt que vous le pensez, vous utiliserez cette grille sans qu'elle vous pèse et pratiquement sans vous en rendre compte. De plus, vous aurez acquis ce fameux « esprit de synthèse » qui n'a jamais autant manqué qu'en cette période où chacun est bombardé d'une multitude de messages fragmentaires.

Lorsque cet exercice sera terminé, effectuez l'exercice suivant qui le complète et le conclut.

TRAVAIL D'APPLICATION N° 5

Comparaison de textes

Après avoir effectué les résumés des deux ou trois textes retenus, il est nécessaire de les comparer attentivement afin d'en retirer les éléments de réflexion et les pistes de travail les plus intéressants.

Pour mener ce travail à bien, vous pouvez procéder en deux temps : d'abord comparer les différents textes, ensuite dégager des pistes pour la poursuite de la recherche.

☞

☞
1. Comparaison des textes

Il s'agit de confronter les textes selon deux critères principaux divisés chacun en trois sous-critères.

• *1er critère : les points de vue adoptés*

Comme nous l'avons vu, les phénomènes sociaux peuvent faire l'objet de divers points de vue. Par exemple, le problème du chômage peut faire l'objet d'une approche plutôt historique, plutôt macroéconomique ou plutôt sociologique. De même, dans le cadre d'une même discipline, plusieurs approches différentes peuvent encore être envisagées. Le sociologue peut étudier la place du chômeur dans la société ou les rapports de force dans le monde du travail autour de l'enjeu de l'emploi notamment. Quels sont donc les points de vue adoptés par les auteurs retenus et comment se situent-ils les uns par rapport aux autres ?

Sous-critères :

Pour confronter les points de vue avec ordre et clarté, mettez en évidence :
– les convergences entre eux ;
– les divergences entre eux ;
– leurs complémentarités.

Ce travail d'élucidation des points de vue sera approfondi au cours de l'étape 3 sur la problématique.

• *2e critère : les contenus*

Qu'ils adoptent des points de vue comparables ou non, des auteurs peuvent défendre des thèses conciliables ou inconciliables. Bien plus, ils se critiquent parfois ouvertement entre eux.

Sous-critères :

Pour confronter les contenus avec ordre et clarté, soulignez :
– les accords manifestes entre eux (s'ils existent) ;
– les désaccords manifestes entre eux (s'ils existent) ;
– les complémentarités.

2. Mise en évidence de pistes pour la poursuite de la recherche

Il s'agit ici de répondre aux deux questions suivantes :
– quelles sont les lectures les plus en rapport avec la question de départ ?
– quelles pistes ces lectures suggèrent-elles ?

L'objectif est ici de choisir le plus judicieusement possible les textes de la deuxième salve de lectures. Vous pourrez ainsi décider par exemple de rechercher de nouveaux textes qui approfondissent un point de vue qui vous intéresse, traitent en profondeur un problème sur lequel un désaccord est apparu, ou abordent votre objet de recherche sous un angle tout à fait différent qui a manqué dans la première salve.

Au terme de ces exercices, il est bon d'interrompre provisoirement la lecture de textes et de se donner le temps de la réflexion et de quelques échanges de vues. Cette pause peut être l'occasion de revoir votre question de départ et de la reformuler éventuellement d'une manière plus judicieuse au regard des enseignements du travail de lecture.

2. LES ENTRETIENS EXPLORATOIRES

Lectures et entretiens exploratoires doivent aider à constituer la problémati-que de recherche. Les lectures aident à faire le point sur les connaissances concernant le problème de départ ; les entretiens contribuent à découvrir les aspects à prendre en considération et élargissent ou rectifient le champ d'investigation des lectures. Les uns et les autres sont complémentaires et s'enrichissent mutuellement. Les lectures donnent un cadre aux entretiens exploratoires et ceux-ci nous éclairent sur la pertinence de ce cadre. L'entre-tien exploratoire vise à économiser des dépenses inutiles d'énergie et de temps en matière de lecture, de construction d'hypothèses et d'observation. Il s'agit en quelque sorte d'un premier « tour de piste » avant d'engager des moyens plus importants.

Les entretiens exploratoires ont donc pour fonction principale de mettre en lumière des aspects du phénomène étudié auxquels le chercheur n'aurait pas pensé spontanément lui-même et à compléter ainsi les pistes de travail que ses lectures auront mises en évidence. Pour cette raison, il est essentiel que l'entretien se déroule d'une manière très ouverte et très souple et que le chercheur évite de poser des questions trop nombreuses et trop précises. Comment faut-il s'y prendre ?

D'une manière générale, les méthodes très formelles et structurées telles que les enquêtes par questionnaire ou certaines techniques sophistiquées d'analyse de contenu conviennent moins bien pour le travail exploratoire que celles qui présentent une grande souplesse d'application comme les entre-tiens semi-directifs ou les méthodes d'observation où un degré de liberté important est laissé à l'observateur. Le motif en est très simple : les entre-tiens exploratoires servent à trouver des pistes de réflexion, des idées et des hypothèses de travail, non à vérifier des hypothèses préétablies. Il s'agit donc d'ouvrir l'esprit, d'écouter et non de poser des questions précises, de décou-vrir de nouvelles manières de poser le problème et non de tester la validité de nos propres schémas.

L'entretien exploratoire est une technique étonnamment précieuse pour une très grande variété de travaux de recherche sociale. Pourtant les cher-cheurs l'utilisent peu et mal. Bien utilisée, elle peut rendre d'inestimables services. Chaque fois que, pris par le temps, nous avons cru devoir sauter cette étape exploratoire, nous nous en sommes mordu les doigts par la suite. Elle suscite toujours gain de temps et économie de moyens. En outre, et ce n'est pas son moindre attrait, elle constitue à nos yeux une des phases les plus agréables d'une recherche : celle de la découverte, des idées qui jaillis-sent et des contacts humains les plus riches pour le chercheur.

Toutefois, dans un scénario de recherche entièrement basé sur l'entretien, la distinction entre la phase exploratoire qui conduit à la formulation des hypothèses et la phase de mise à l'épreuve des hypothèses (étape 5 d'observation et étape 6 d'analyse des informations) ont tendance à se confondre dans un seul et même processus où les hypothèses sont retravaillées en continu au fur et à mesure des entretiens successifs tout au long du déroulement de la recherche. La phase exploratoire proprement dite se réduit alors à la mise au point des outils techniques de la recherche (voir à ce propos J.-Cl. Kaufmann, *L'Entretien compréhensif*, Paris, Nathan, 1996 ; voir aussi dans le présent ouvrage p. 209 « Un scénario de recherche non linéaire » ainsi que la deuxième application p. 235.

Phase intéressante et utile donc, mais combien dangereuse si le chercheur débutant s'y engage en touriste. Le contact avec le terrain, l'expression du vécu et l'apparente convergence des discours (produits des stéréotypes socioculturels) l'amèneront très probablement à croire qu'il y voit bien plus clair que par ses lectures et que les idées, plus ou moins inconscientes qu'il se faisait sur la question, correspondent bien à ce qu'il découvre sur le terrain. C'est une tentation fréquente. Beaucoup de débutants n'y résistent pas, négligent les lectures et engagent la suite de leur recherche sur des impressions semblables à celles d'un touriste qui a passé quelques jours dans un pays étranger. Emporté par l'illusion de la transparence, il s'enfonce dans l'impasse de la confirmation superficielle d'idées préconçues. Sa recherche échouera immanquablement car l'exploration aura été détournée de sa fonction primordiale : la rupture avec la spéculation gratuite et les préjugés.

Pour remplir cette fonction de rupture et d'ouverture vers des perspectives de recherche valables, les entretiens exploratoires doivent respecter certaines conditions qui sont présentées sous forme de réponses aux trois questions ci-dessous :

- Avec qui est-il utile d'avoir un entretien ?
- En quoi consistent les entretiens et comment y procéder ?
- Comment les exploiter pour qu'ils permettent une véritable rupture et ouvrent des pistes de recherche les plus itnéressantes possibles ?

2.1. Avec qui est-il utile d'avoir un entretien ?

Trois catégories de personnes peuvent être des interlocuteurs valables.

• D'abord, des enseignants, chercheurs spécialisés et experts dans le domaine de recherche concerné par la question de départ. Nous avons déjà évoqué leur utilité à propos du choix des lectures. Ils peuvent aussi nous aider à améliorer notre connaissance du terrain en nous exposant non seulement les résultats de leurs travaux mais aussi la démarche entreprise, les problèmes rencontrés et les écueils à éviter. Ce genre d'entretien ne demande pas de technique particulière, mais il sera d'autant plus fructueux que la question de départ sera bien formulée et permettra à votre interlocuteur de cerner avec précision ce qui vous intéresse.

Pour ceux dont la question de départ serait encore hésitante, ce type d'entretien peut aussi aider à la clarifier, à condition que l'interlocuteur soit disposé à vous y aider, ce qui n'est pas courant.

• La deuxième catégorie d'interlocuteurs recommandés pour les entretiens exploratoires sont des témoins privilégiés. Il s'agit de personnes qui, par leur position, leur action ou leurs responsabilités, ont une bonne connaissance du problème. Ces témoins peuvent appartenir au public sur lequel porte l'étude ou y être extérieurs mais largement concernés par ce public. Ainsi, dans une étude sur les valeurs des jeunes, on peut rencontrer des jeunes responsables d'organisations de jeunesse aussi bien que des adultes (éducateurs, enseignants, prêtres, travailleurs sociaux, juges des enfants) dont l'activité professionnelle les met en prise directe avec les problèmes de la jeunesse.

• Enfin, troisième catégorie d'interlocuteurs utiles : ceux qui constituent le public directement concerné par l'étude ; c'est-à-dire, dans l'exemple précédent, les jeunes eux-mêmes. Ici, il est important que les entretiens couvrent la diversité du public concerné.

Les entretiens avec les interlocuteurs de la deuxième et de la troisième catégories comportent les plus grands risques de déviation par illusion de la transparence. Engagés dans l'action, les uns et les autres sont généralement portés à expliquer leurs actions en les justifiant. Subjectivité, manque de recul, vision partielle et partiale sont inhérentes à ce genre d'entretien. Une bonne dose d'esprit critique et un minimum de technique sont indispensables pour éviter les pièges qu'ils recèlent.

2.2. En quoi consistent les entretiens et comment y procéder ?

Les fondements méthodologiques de l'entretien exploratoire sont à rechercher principalement dans l'œuvre de Carl Rogers en psychothérapie. Nous en dirons tout d'abord quelques mots afin de bien saisir les principes et l'esprit de cette méthode et nous aborderons ensuite seulement les problèmes de son application dans la recherche sociale.

Ce qui suit s'applique principalement aux entretiens avec les deux dernières catégories d'interlocuteurs présentées ci-dessus.

a. *Les fondements de la méthode*

Rogers est un psychothérapeute. Son objectif pratique est donc d'aider ceux qui s'adressent à lui à résoudre leurs problèmes d'ordre psychologique. Cependant, la méthode proposée par Rogers se démarque de toutes celles qui attribuent au thérapeute un rôle plus ou moins important dans l'analyse du problème. Pour Rogers, l'analyse ne peut porter tous ses fruits que si elle est entièrement menée par le « client » lui-même. En apprenant à se reconnaître lui-même à travers l'analyse de ses difficultés, il acquiert, selon Rogers, une maturité et une autonomie personnelle qui lui profitent bien au-delà du problème plus ou moins précis pour lequel il s'est adressé au thérapeute. Pour rencontrer cet objectif, Rogers a conçu et expérimenté une méthode thérapeutique axée sur la non-directivité, qui a fait sa célébrité et qu'il a appliquée par la suite à l'enseignement.

Le principe de cette démarche consiste à laisser au client le choix du thème des entretiens ainsi que la maîtrise de leur déroulement. La tâche du thérapeute ou de l'« aidant » n'en est pas simple pour autant.

Elle consiste à aider le client à accéder à une meilleure connaissance et à une meilleure acceptation de lui-même, en fonctionnant en quelque sorte comme un miroir qui lui renvoie sans cesse sa propre image et lui permet par là de l'approfondir et de l'assumer. Cette méthode est expliquée de manière très détaillée par Rogers, dans *La Relation d'aide et la psychothérapie* (Paris, ESF, 1980, première édition en anglais en 1942). Cette version française est présentée en deux tomes. Le premier décrit la méthode et le second en présente une application réelle avec l'examen systématique des interventions de l'aidant et de son client.

Depuis Rogers, de nombreux ouvrages sur l'entretien d'aide ont été publiés, chaque auteur essayant d'apporter l'une ou l'autre amélioration suggérée par sa propre pratique ou d'adapter la méthode à des champs d'analyse et d'intervention plus larges. Cependant, chacun se réfère toujours à Rogers et au fondement même de sa démarche : la non-directivité. Toutefois et paradoxalement, c'est ce principe qui fait à la fois l'intérêt et l'ambiguïté de l'utilisation de cette méthode en recherche sociale.

b.   L'application dans la recherche sociale

Dans son livre *L'Orientation non-directive en psychothérapie et en psychologie sociale* (Paris, Dunod, 1970, p. 112), Max Pagès explique comme suit « la contradiction qui existe entre l'orientation non-directive et l'emploi d'entretiens non-directifs comme instruments de recherche sociale [...] : il est facile de la faire ressortir. Dans un cas, le but de l'interview est fixé par le client lui-même et le thérapeute ne cherche pas à l'influencer. Dans l'autre, c'est l'interviewer qui fixe le but, quel que soit celui-ci : fournir des informations à un groupe quelconque, coopérer à une recherche, favoriser le développement commercial d'une firme, la propagande d'un gouvernement, etc. ».

En ce sens on ne peut donc jamais dire que les entretiens exploratoires en recherche sociale soient strictement non-directifs. En effet, l'entretien est toujours demandé par le chercheur et non par l'interlocuteur. Il porte plus ou moins directement sur le thème imposé par le chercheur et non sur ce dont son interlocuteur désire parler. Enfin, son objectif est lié aux objectifs de la recherche et non au développement personnel de la personne interviewée. Cela fait beaucoup de différences et non des moindres. C'est pourquoi on parlera plutôt d'entretien semi-directif ou semi-structuré.

Cependant et sans s'abuser lui-même sur le caractère non-directif des entretiens exploratoires qu'il sollicite, le chercheur en sciences sociales peut s'inspirer avec grand profit de certaines caractéristiques majeures de la méthode de Rogers et, à certains points de vue, calquer son comportement sur celui du psychothérapeute non-directif. En effet, mis à part le fait qu'il évitera de laisser son interlocuteur parler longuement de sujets qui n'ont aucun rapport avec le thème prévu au départ, il s'efforcera d'adopter une attitude aussi peu directive et aussi « facilitante » que possible. Pratiquement, les traits principaux de cette attitude sont les suivants :

1. L'interviewer doit s'efforcer de *poser le moins de questions possible*. L'entretien n'est ni un interrogatoire, ni une enquête par questionnaire. L'excès de questions conduit toujours au même résultat : l'interviewé acquiert vite le sentiment qu'il lui est simplement demandé de répondre à une série de questions précises et se dispensera de communiquer le fond de sa pensée et de son expérience. Ses réponses deviendront de plus en plus brèves et de moins en moins intéressantes. Après avoir sommairement répondu à la précédente, il attendra purement et simplement la suivante comme s'il attendait une nouvelle instruction. Un bref exposé introductif sur les objectifs de l'entretien et sur ce qui en est attendu suffit généralement pour lui donner le ton général de la conversation libre et très ouverte.

2. Dans la mesure où un minimum d'interventions est toutefois nécessaire pour recentrer l'entretien sur ses objectifs, pour en relancer la dynamique ou pour inciter l'interviewé à approfondir certains aspects particulièrement importants du thème abordé, l'interviewer doit s'efforcer de *formuler ses interventions d'une manière aussi ouverte que possible*. Au cours des entretiens exploratoires, il importe que l'interviewé puisse exprimer sa propre « réalité », dans son propre langage, avec ses propres catégories conceptuelles et ses propres cadres de référence. Par des interventions trop précises et autoritaires, l'interviewer impose ses propres catégories mentales. L'entretien ne peut plus alors remplir sa fonction exploratoire car l'interlocuteur n'a plus d'autre choix que de répondre à l'intérieur de ces catégories, c'est-à-dire confirmer ou infirmer les idées auxquelles le chercheur avait déjà pensé auparavant. En effet, il est rare que l'interlocuteur rejette la manière dont le problème lui est posé : soit qu'il y réfléchisse pour la première fois, soit qu'il soit impressionné par le statut du chercheur ou la situation d'entretien.

Voici quelques exemples d'interventions de nature à faciliter l'expression libre de l'interviewé. Pour cette raison on les nomme couramment des « relances » :

• « Si je comprends bien, vous voulez dire que… » ;

- « Hmm… oui… » (pour manifester l'attention et l'intérêt que l'on porte à ce que dit le répondant) ;

- « Vous me disiez tout à l'heure que… Pouvez-vous préciser ? » (pour revenir sur un point qui mérite d'être approfondi) ;

- « Que voulez-vous dire exactement par… ? » ;

- « Vous avez évoqué l'existence de deux aspects (raisons à) de ce problème. Vous avez développé le premier, quel est le second ? » (pour revenir sur un « oubli ») ;

- « Nous n'avons pas encore parlé de… ; pouvez-vous me dire comment vous voyez… ? » (pour aborder un autre aspect du sujet).

Dans le même ordre d'idées, il ne faut pas craindre les silences. Ils effrayent toujours l'interviewer débutant. Quelques petites pauses dans un entretien peuvent permettre au répondant de réfléchir plus calmement, de rassembler ses souvenirs et, surtout, de se rendre compte qu'il dispose d'une importante marge de liberté. Vouloir combler frénétiquement le moindre silence est un réflexe de peur et une tentation aussi courante que dangereuse car elle incite à multiplier les questions et à étouffer l'expression libre. Au cours de ces silences, il se passe beaucoup de choses dans la tête de celui que l'on interroge. Bien souvent il hésite à en dire plus.. Encouragez-le alors par un sourire, ou par tout autre attitude très réceptive, car ce qu'il dira peut être fondamental.

3. A fortiori, l'interviewer doit *s'abstenir de s'impliquer lui-même dans le contenu de l'entretien*, notamment en s'engageant dans des débats d'idées ou en prenant position à l'égard de propositions du répondant. Même l'acquiescement doit être évité car, si l'interlocuteur s'y habitue et y prend goût, il interprétera par la suite toute attitude de réserve comme le signe d'une désapprobation.

4. Il faut *veiller à ce que l'entretien se déroule dans un environnement et un contexte adéquats.* Il est vain d'espérer un entretien approfondi et sincère s'il se déroule en présence d'autres personnes, dans un cadre bruyant et inconfortable, où le téléphone sonne toutes les cinq minutes ou encore lorsque le répondant ne cesse de consulter sa montre afin de ne pas manquer un autre rendez-vous. Ce dernier doit être averti de la durée probable de l'entretien (généralement une heure environ), quitte à ce qu'au moment même, passionné par son sujet, il accepte ou manifeste directement son désir de le prolonger au-delà de la limite convenue. Ce scénario favorable est en fait très courant et oblige l'interviewer à prévoir une marge de sécurité relativement importante.

5. Sur le plan technique enfin, il est indispensable d'*enregistrer les entretiens.* Un petit magnétophone avec micro incorporé qui fonctionne sur piles peut être facilement glissé dans la poche d'une veste. Ce genre d'appareil discret impressionne peu les répondants qui, après quelques minutes, n'y prêtent habituellement plus attention. L'enregistrement est bien entendu subordonné à l'autorisation préalable des interlocuteurs. Mais celle-ci est généralement accordée sans réticences lorsque les objectifs de l'entretien sont clairement présentés et lorsque l'interviewer s'engage, *primo*, à respecter leur anonymat, *secundo*, à conserver lui-même cassettes ou disquettes et *tertio*, à effacer les enregistrements dès qu'ils auront été analysés.

La prise de notes systématique en cours d'entretien nous semble par contre à éviter autant que possible. Elle distrait aussi bien l'interviewer que l'interviewé qui ne peut s'empêcher de considérer l'intensité de la prise de notes comme un indicateur de l'intérêt que son interlocuteur porte à sa conversation. En revanche, il est très utile et sans inconvénient de noter de temps à autre quelques mots destinés simplement à structurer l'entretien : points à éclaircir, questions sur lesquelles il faut revenir, thèmes qui restent à aborder, etc.

Bref, les traits principaux de l'attitude à adopter au cours d'un entretien exploratoire sont les suivants :

– poser le moins de questions possible ;

– intervenir de manière aussi ouverte que possible ;

– s'abstenir de s'impliquer soi-même dans le contenu ;

– veiller à ce que l'entretien se déroule dans un environnement et un contexte adéquats ;

– enregistrer les entretiens.

Il s'agit d'une méthode qui n'a strictement rien à voir ni avec l'échange de points de vue entre deux personnes, ni avec le sondage d'opinion. Le chercheur fixe simplement à l'avance les thèmes à propos desquels il souhaite que son interlocuteur exprime le plus librement possible la richesse de son expérience ou le fond de sa pensée et de ses sentiments. Pour aider le chercheur à mettre correctement et fructueusement cette méthode en œuvre, il n'existe aucun « truc », aucun dispositif précis qu'il suffirait d'appliquer comme une recette. Le succès est ici affaire d'expérience.

c.   L'apprentissage de l'entretien exploratoire

L'apprentissage de la technique de l'entretien exploratoire doit en effet obligatoirement passer par l'expérience concrète. Si votre intention est d'utiliser cette technique et de vous y former, le meilleur moyen consiste à analyser vos premiers entretiens de manière détaillée, de préférence avec quelques collègues qui porteront sur votre travail un regard moins partial que le vôtre. Voici une manière de procéder à cette auto-évaluation :

• Écoutez l'enregistrement et interrompez le déroulement de la bande après chacune de vos interventions.

• Notez chaque intervention et analysez-la : était-elle indispensable ? N'avez-vous pas interrompu votre interlocuteur sans motif majeur alors qu'il s'était bien engagé dans l'entretien ? N'avez-vous pas cherché à mettre un peu trop vite un terme à un silence de quelques secondes seulement ?

• Après avoir discuté chaque intervention, poursuivez l'écoute de la cassette ou de la disquette pour examiner la manière dont votre interlocuteur a réagi à chacune de vos interventions. Celles-ci l'ont-elle amené à approfondir ses réflexions ou son témoignage ou, au contraire, ont-elles induit une réaction courte et technique ? Vos interventions n'ont-elles pas suscité un débat d'idées entre votre interlocuteur et vous-même et compromis, dès lors, les chances d'une réflexion et d'un témoignage authentiques de la part de votre interlocuteur ?

• Au terme de l'écoute, évaluez votre comportement général. Vos interventions n'étaient-elles pas trop fréquentes ou trop structurantes ? Avez-vous le sentiment d'un entretien souple, ouvert et riche sur le plan du contenu ? Quel est finalement votre bilan global et quels sont, dans votre pratique, les points faibles qui demandent à être corrigés ?

Vous observerez bien vite qu'un même comportement de votre part face à des interlocuteurs différents ne conduit pas forcément au même résultat. Le succès d'un entretien dépend de la manière dont fonctionne l'interaction entre les deux partenaires. Un jour votre interlocuteur sera très réservé ; le lendemain il sera particulièrement bavard et vous éprouverez toutes les peines du monde à l'empêcher de parler de n'importe quoi. Un autre jour, vous aurez beaucoup de chance et vous penserez peut-être à tort que l'entretien exploratoire est une technique que vous maîtrisez bien. En tout état de cause, ne rejetez pas trop vite sur votre interlocuteur la responsabilité de la réussite ou de l'échec de l'entretien.

Les recommandations qui ont été faites plus haut constituent des règles générales qu'il faut s'efforcer de respecter. Mais chaque entretien n'en reste pas moins un cas d'espèce au cours duquel l'interviewer doit adapter son comportement avec souplesse et à-propos. Seule la pratique peut apporter le flair et la sensibilité qui font le bon interviewer. Enfin, il faut souligner qu'une attitude de blocage systématique ou sélectif de la part de votre interlocuteur constitue souvent une indication en elle-même qui demande à être interprétée comme telle.

2.3. L'exploitation des entretiens exploratoires

Ici, deux points de vue sont à prendre en considération : le discours en tant que donnée, source d'information et le discours en tant que processus.

a.   Le discours en tant que source d'information

Les entretiens exploratoires n'ont pas pour fonction de vérifier des hypothèses ni de recueillir ou d'analyser des données précises mais bien d'ouvrir des pistes de réflexion, d'élargir les horizons de lecture et de les préciser, de prendre conscience des dimensions et des aspects d'un problème auxquels le chercheur n'aurait sans doute pas pensé spontanément. Ils permettent aussi de ne pas se lancer dans de faux problèmes, produits inconscients de nos préjugés et prénotions. Les divergences de points de vue entre les interlocuteurs sont faciles à repérer. Elles peuvent faire apparaître des enjeux insoupçonnés au départ et donc aider le chercheur à élargir son horizon et à poser le problème aussi judicieusement que possible. Les divergences et contradictions s'imposent à nous comme des données objectives. Nous ne les inventons pas.

Dès lors, on comprendra que l'exploitation des entretiens exploratoires peut être menée de manière très ouverte, sans utilisation de grille d'analyse précise. La meilleure manière de s'y prendre consiste sans doute à écouter et réécouter les enregistrements les uns après les autres, à noter les pistes et les idées, à mettre en évidence les contradictions internes et les divergences de points de vue et à réfléchir à ce qu'ils pourraient bien révéler. Au cours de ce travail, il faut être attentif au moindre détail qui, mis en relation avec d'autres, peut mettre au jour des aspects cachés mais importants du problème.

b.   Le discours en tant que processus

L'entretien non-directif vise à amener l'interlocuteur à exprimer son vécu ou la perception qu'il a du problème auquel le chercheur s'intéresse. Souvent, c'est la première fois qu'il est amené à s'exprimer sur le sujet. Il devra donc réfléchir, rassembler ses idées, y mettre de l'ordre et trouver les mots (plus ou moins) adéquats pour, finalement, exprimer son point de vue. Les uns y arrivent assez facilement parce qu'ils sont habitués à ce genre d'exercice ; pour d'autres, ce sera plus difficile. Ils commenceront des phrases qu'ils n'achèveront pas pour de multiples raisons : manque de vocabulaire, points de vue contradictoires qui s'affrontent dans leur esprit, informations qu'ils croient dangereuses de révéler, etc. Dans ce cas, la réponse sera chaotique, décousue et parfois marquée par des virages que la logique a bien du mal à suivre mais qui peuvent être révélateurs. Ceci nous amène à considérer la communication résultant de l'entretien comme un processus (plus ou moins pénible) d'élaboration d'une pensée et non comme une simple donnée.

« Le discours n'est pas la transposition transparente d'opinions, d'attitudes, de représentations existant de manière achevée avant la mise en forme du langage. Le discours est un moment dans un processus d'élaboration avec tout ce que cela comporte de contradictions, d'incohérences, d'inachèvements. Le discours est la parole en acte… Dans toute communication (entretien non-directif) la production de la parole s'ordonne à partir de trois pôles : le locuteur, son objet de référence et le tiers, qui pose la question-problème. Le locuteur s'exprime avec toute son ambivalence, ses conflits, l'incohérence de son inconscient, mais, en la présence d'un tiers, sa parole doit subir l'exigence de la logique socialisée. Elle devient discours "tant bien que mal" et c'est par les efforts de maîtrise de la parole, par ses lacunes et ses doctrines que l'analyste peut reconstruire les investissements, les attitudes, les représentations réelles. » (L. Bardin, *L'Analyse de contenu*, Paris, PUF, 1983, p. 172)

Dès lors, même dans la phase exploratoire d'une recherche, il peut être utile de compléter l'analyse très ouverte du « discours en tant qu'information » par un examen du « discours en tant que processus ». Un tel examen fait alors appel à une lecture plus pénétrante que la précédente, qui se limitait, quant à elle, à un inventaire du contenu.

Dans la phase exploratoire d'une recherche, l'analyse de contenu a donc une fonction essentiellement heuristique, c'est-à-dire qui sert à la découverte d'idées et de pistes de travail (qui seront concrétisées plus loin par les hypothèses). Elle aide le chercheur à éviter les pièges de l'illusion de la transparence et à découvrir ce qui se dit derrière les mots, entre les lignes et à travers les stéréotypes. Elle permet de dépasser, au moins dans une certaine mesure, la subjectivité de nos propres interprétations.

Toutes les recherches exploratoires ne nécessitent pas une analyse de contenu, loin s'en faut. De plus, il n'existe pas de méthode d'analyse de contenu qui convienne pour tous les types de recherche. Selon l'objet de l'étude, l'entretien produira des discours ou communications dont les contenus peuvent être tellement différents que leur exploitation exigera des méthodes différentes. L'essentiel ici est de ne pas oublier que nous proposons les entretiens comme moyen de rupture mais qu'ils peuvent aussi bien conduire au renforcement des illusions et des préjugés s'ils sont effectués « en touriste » et exploités superficiellement. Il est donc vital, pour la recherche, de féconder les entretiens par des lectures et réciproquement, car c'est de leur interaction que résultera la problématique de recherche.

À titre indicatif, M.C. d'Unrug propose une méthode d'analyse de contenu (analyse de l'énonciation) qui a l'avantage d'être opératoire, souple et maniable et qui est accessible sans formation spécifique poussée. Elle s'applique particulièrement bien à l'entretien non-directif (M.C. d'Unrug, *Analyse de contenu*, Paris, Delarge, 1975. Elle est également présentée dans : L. Bardin, *L'Analyse de contenu, op. cit.*, p. 171).

D'autre part, les lecteurs qui souhaitent se familiariser avec la méthode de l'entretien de recherche liront avec profit l'ouvrage de A. Blanchet *et al.* *L'Entretien dans les sciences sociales* (Paris, Dunod, 1985). Un autre ouvrage de A. Blanchet, R. Ghiglione, J. Massonat et A. Trognon, *Les*

Techniques d'enquête en sciences sociales (Paris, Dunod, 1987) comporte en outre une synthèse des principales questions posées par la pratique de l'entretien de recherche, sous le titre « Interviewer » par A. Blanchet. Concernant l'entretien compréhensif, voir en particulier l'ouvrage de J.-Cl. Kaufmann (*op. cit.*).

TRAVAIL D'APPLICATION N° 6

Réalisation et analyse d'entretiens exploratoires

Cet exercice consiste à préparer, réaliser et exploiter quelques entretiens exploratoires liés à votre propre projet.

1. Préparation

- Définissez clairement les objectifs des entretiens. Pour rappel, il s'agit moins de rassembler des informations précises que de mettre en lumière les aspects importants du problème, d'élargir les perspectives théoriques, de trouver des idées, de se rendre compte de la manière dont le problème est vécu, etc.

- Mettez au point les aspects pratiques du travail : les personnes ou les types de personnes à rencontrer, leur nombre (très peu pour une première phase, par exemple entre trois et cinq), la manière de vous présenter, le matériel (carnet de bord, magnétophone, bandes magnétiques…).

- Préparez le contenu du travail : les préoccupations centrales des entretiens, la manière de les engager et d'en présenter les objectifs aux personnes que vous rencontrerez.

2. Réalisation

Effectuez le travail en veillant à conserver vos enregistrements dans de bonnes conditions et à noter au plus vite vos observations complémentaires éventuelles.

3. Exploitation

- Écoutez et réécoutez tous vos enregistrements en prenant des notes (c'est fou ce que vous découvrirez encore à chaque écoute supplémentaire.)

- Si possible, faites écouter vos enregistrements par l'un ou l'autre collègue. Racontez-leur vos expériences et demandez-leur de réagir à vos idées.

- Étudiez la possibilité de mettre en œuvre une analyse de contenu des entretiens en tant que processus et procédez-y éventuellement.

- Essayez, pour conclure, d'articuler ces idées les unes aux autres. Dégagez les idées principales. Regroupez les idées complémentaires. Bref, structurez les résultats de votre travail.

3. MÉTHODES EXPLORATOIRES COMPLÉMENTAIRES

Dans la pratique, il est rare que les entretiens exploratoires ne soient pas accompagnés d'un travail d'observation ou d'analyse de documents. Par exemple, lors d'un travail sur la situation des musées à Bruxelles et en Wallonie, l'un d'entre nous a été amené à rencontrer de nombreux conservateurs. Comme les entretiens se déroulaient généralement dans les musées mêmes, il n'a évidemment pas manqué l'occasion de les visiter et parfois d'y revenir afin de se rendre compte par lui-même de leur atmosphère, de leur conception didactique ou de la manière dont les visiteurs du moment s'y comportaient. De plus, ses interlocuteurs lui remettaient le plus souvent l'un ou l'autre document sur leur propre musée ou sur le problème général qui les préoccupait.

Bref, entretiens, observations et consultations de documents divers vont souvent de pair au cours du travail exploratoire. Dans les trois cas, les principes méthodologiques sont fondamentalement les mêmes : laisser courir son regard sans s'obstiner sur une piste unique, écouter tout autour de soi sans se contenter d'un seul message, se pénétrer des ambiances, et chercher finalement à discerner les dimensions essentielles du problème étudié, ses facettes les plus révélatrices et, par suite, les modes d'approche les plus éclairants.

Pour mener ce travail à bien, le chercheur ne s'encombrera donc pas d'une grille d'observation ou d'analyse de documents précise et détaillée. La meilleure manière de s'y prendre consiste sans doute tout simplement à noter systématiquement et aussi vite que possible dans un carnet de bord tous les phénomènes et événements observés ainsi que toutes les informations recueillies qui sont liées au thème du travail. Ici encore, il est important de ne pas négliger d'observer et de noter les phénomènes, les événements et les informations apparemment anodins mais qui, mis en relation avec d'autres, peuvent se révéler de toute première importance. Dans ce carnet, on pourra également consigner les propos les plus éclairants qui auront été entendus au cours des entretiens.

L'exploitation de ce travail consiste alors à lire et relire ces notes afin d'en dégager les pistes d'investigation les plus intéressantes. Une pratique courante consiste d'ailleurs à consigner ces réflexions plus théoriques sur les pages de gauche du carnet, en vis-à-vis des données d'observation qui les inspirent.

On oppose souvent l'observation participante où le chercheur participe à la vie du groupe étudié, comme le font en principe les ethnologues, et l'observation non participante où le chercheur observe « de l'extérieur » les comportements des acteurs concernés. La distinction n'est pas toujours nette en recherche sociale. Il existe des degrés dans la participation à la vie d'un groupe et il est rare qu'un chercheur y participe totalement. Cependant l'observation participante, sans doute plus riche et plus profonde, pose en revanche des problèmes pratiques que le chercheur doit prévoir.

Tout d'abord, il faut pouvoir être accepté par le groupe. À moins que celui-ci ait lui-même sollicité la présence du chercheur, ce dernier devra d'emblée une explication au groupe sur les raisons de sa présence, sur la nature du travail qu'il souhaite entreprendre et sur ce qu'il fera des résultats. Même si l'on est habité des meilleures intentions, il n'est guère facile d'expliquer à un groupe les objectifs d'un travail ou d'une recherche. Deux inquiétudes dominent généralement les sentiments des interlocuteurs du chercheur : la crainte de servir de cobayes et celle de voir ses propres conduites évaluées et donc jugées par la recherche. Lors de la phase exploratoire d'une recherche sur les pratiques culturelles, l'un d'entre nous a éprouvé beaucoup de difficultés à convaincre certains responsables locaux qu'il n'était pas dans leur ville pour effectuer un rapport sur la gestion des subventions que celle-ci recevait chaque année. Heureusement, la situation n'est pas toujours aussi ambiguë sur le plan institutionnel.

En toute hypothèse et quelle que soit la diversité des circonstances concrètes, il importe avant tout de ne pas tricher avec ses interlocuteurs. Leur suspicion est légitime et s'il se confirme qu'elle est fondée, le chercheur n'a plus qu'à faire ses valises. Enfin, il faut savoir que l'accueil dont le chercheur bénéficiera est directement lié à la manière dont lui-même accepte et respecte ses interlocuteurs pour ce qu'ils sont et se dispense de les juger ou de se conduire avec indiscrétion. Un chercheur n'est pas un journaliste à scandales ; il ne recherche pas les petits potins et les ragots croustillants. Il tente de saisir des dynamiques sociales. En eux-mêmes, les indicateurs dont il nourrit sa réflexion sont souvent banals et connus de tous. C'est plutôt sa façon de les agencer et de les « com-prendre » (prendre ensemble) qui caractérise son travail et lui donne son intérêt. La compréhension qu'il apporte ne provient pas des faits nouveaux qu'il révélerait mais bien des relations nouvelles qu'il établit entre les faits et qui, à des faits connus, donne une signification plus éclairante.

Ensuite, une longue participation à la vie d'un groupe peut émousser la lucidité du chercheur. Il ne remarque même plus ce qui devrait l'étonner et les sentiments qui l'attachent à certains membres du groupe peuvent compromettre son esprit critique. Pour éviter ces travers, la meilleure solution consiste à lire ses notes d'observation et à raconter régulièrement ses expériences « ethnologiques » à quelques collègues qui ne participent pas au travail sur le terrain. Outre le fait qu'elles sont très utiles à la prise de distance du chercheur à l'égard de son propre travail, ces réunions peuvent être des lieux de jaillissement d'idées que le travail du chercheur rend possible mais qu'il n'aurait pu produire à lui seul.

RÉSUMÉ DE LA 2e ÉTAPE

L'exploration

Le projet de recherche ayant été provisoirement formulé sous la forme d'une question de départ, il s'agit ensuite d'atteindre une certaine qualité d'information sur l'objet étudié et de trouver les meilleures manières de l'aborder. C'est le rôle du travail exploratoire. Celui-ci se compose de deux parties qui sont souvent menées parallèlement : d'une part un travail de lecture et d'autre part des entretiens ou d'autres méthodes appropriées.

Les lectures préparatoires servent d'abord à s'informer des recherches déjà menées sur le thème du travail et à situer la nouvelle contribution envisagée par rapport à elles. Grâce à ses lectures, le chercheur pourra en outre mettre en évidence la perspective qui lui paraît la plus pertinente pour aborder son objet de recherche. Le choix des lectures demande à être fait en fonction de critères bien précis : liens avec la question de départ, dimension raisonnable du programme, éléments d'analyse et d'interprétation, approches diversifiées, plages de temps consacrées à la réflexion personnelle et aux échanges de vues. De plus, la lecture proprement dite doit être effectuée à l'aide d'une grille de lecture appropriée aux objectifs poursuivis. Enfin, des résumés correctement structurés permettront de dégager les idées essentielles des textes étudiés et de les comparer entre eux.

Les entretiens exploratoires complètent utilement les lectures. Ils permettent au chercheur de prendre conscience d'aspects de la question auxquels sa propre expérience et ses seules lectures ne l'auraient pas rendu sensible. Les entretiens exploratoires ne peuvent remplir cette fonction que s'ils sont peu directifs car l'objectif ne consiste pas à valider les idées préconçues du chercheur mais bien à en imaginer de nouvelles. Les fondements de la méthode sont à rechercher dans les principes de la non-directivité de Carl Rogers, mais adaptés en fonction d'une application dans les sciences sociales. Trois types d'interlocuteurs intéressent ici le chercheur : les spécialistes scientifiques de l'objet étudié, les témoins privilégiés et les personnes directement concernées.

L'exploitation des entretiens est double. D'une part, les propos entendus peuvent être abordés directement en tant que source d'information ; d'autre part, chaque entretien peut être décodé en tant que processus au cours duquel l'interlocuteur exprime sur lui-même une vérité plus profonde que celle qui est immédiatement perceptible.

Les entretiens exploratoires sont souvent mis en œuvre en même temps que d'autres méthodes complémentaires, telles que l'observation et l'analyse de documents.

Au terme de cette étape, le chercheur peut être amené à reformuler sa question de départ d'une manière qui tienne compte des enseignements de son travail exploratoire.

TRAVAIL D'APPLICATION N° 7

Reformulation de la question de départ

Cet exercice consiste à revoir la question de départ et à l'adapter éventuellement au développement de votre réflexion et aux caractéristiques principales de votre questionnement. Procédez comme suit :

– sous sa première formulation, votre question de départ traduit-elle bien votre intention telle qu'elle vous apparaît au terme du travail exploratoire ? Peut-elle continuer à vous servir de fil conducteur ? Si oui, pourquoi ? Si non, pourquoi ?

– si non, formulez votre projet revu et corrigé sous la forme d'une nouvelle question de départ. Veillez à ce que cette nouvelle question réponde aux critères présentés dans la 1re étape. S'il est important qu'elle traduise aussi justement que possible vos intentions, elle n'en doit pas moins conserver les qualités qui la rendent opérationnelle. Ne cherchez donc pas à y exprimer toute la profondeur et toutes les nuances de votre pensée. Un itinéraire n'est pas un guide touristique, même s'il s'en inspire directement.

Cet exercice est bien entendu à refaire après chaque salve de travail exploratoire.

Troisième étape

LA PROBLÉMATIQUE

LES ÉTAPES DE LA DÉMARCHE

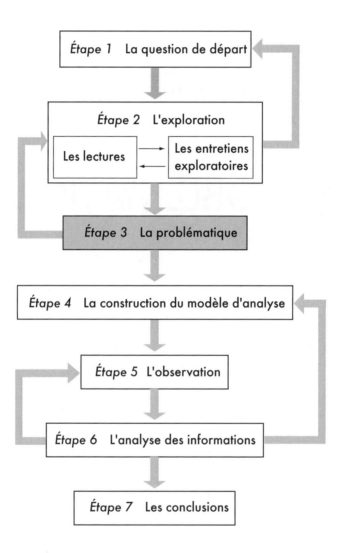

Étape 1   La question de départ

Étape 2   L'exploration

Les lectures → Les entretiens exploratoires

Étape 3   La problématique

Étape 4   La construction du modèle d'analyse

Étape 5   L'observation

Étape 6   L'analyse des informations

Étape 7   Les conclusions

OBJECTIFS

Dans le chapitre précédent, nous avons vu comment procéder à l'exploration. Il s'agit à présent de prendre du recul ou de la hauteur par rapport aux informations recueillies et de maîtriser les idées rassemblées afin de préciser les grandes orientations de la recherche et de définir une problématique en rapport avec la question de départ.

La problématique est l'approche ou la perspective théorique qu'on décide d'adopter pour traiter le problème posé par la question de départ.

Elle est l'angle sous lequel les phénomènes vont être étudiés, la manière dont on va les interroger. La problématique fait donc le lien entre un objet d'étude et des ressources théoriques que l'on pense adéquates pour l'étudier. Les pistes théoriques qu'elle définit devront être opérationnalisées de manière précise dans l'étape suivante de construction du modèle d'analyse. À ce stade-ci, c'est le type de regard porté sur l'objet qui importe, pas encore la mécanique et les outils précis de ce regard. À ce titre, la problématique représente une étape charnière entre la rupture et la construction. Elle va souvent conduire à reformuler la question de départ qui, réélaborée en cours de travail, deviendra progressivement la question effective de la recherche.

Il ne s'agit pas de plaquer de manière artificielle et dogmatique sur le phénomène étudié une théorie toute faite apprise dans un enseignement théorique de sociologie, d'anthropologie ou de quelque autre discipline que ce soit. Définir sa problématique se réalise dans la continuité de l'exploration. Il s'agit d'exploiter les lectures et les entretiens et de faire le point sur les différents aspects du problème qui y sont mis en évidence. Ce travail comparatif aura déjà été largement entamé au cours de l'étape précédente. Au fur et à mesure des salves de lecture, les contenus des différents textes et les points de vue qu'ils retiennent ont en effet été comparés. Les entretiens ont complété les lectures en permettant au chercheur de prendre conscience d'aspects du problème auxquels il n'était pas forcément sensible au départ. Lectures et entretiens l'amènent à envisager d'aborder le problème sous un certain angle, qui lui paraît le plus intéressant et le plus pertinent. C'est cet angle qu'on appelle la problématique.

La nature de cette étape est difficile à saisir pour ceux qui n'ont pas suivi une initiation systématique aux principaux courants théoriques en sciences sociales et n'ont pas eu précédemment la possibilité de prendre connaissance de quelques recherches exemplaires où la problématique est particulièrement bien construite. Cette étape n'est pas pour autant aisée pour ceux qui bénéficient d'une formation théorique plus poussée en sciences sociales. Car étudier des théories et des concepts dans le cadre d'un cours précisément « théorique » est une chose, mais les mobiliser avec discernement et pertinence dans une recherche concrète en est une autre, bien plus difficile. Pourtant, comme le disait justement le psychosociologue Kurt Lewin, « il n'y a rien de plus pratique qu'une bonne théorie ». Elle nous permet de jeter sur la réalité un regard éclairant et ordonné, elle nous aide à nous poser à nous-mêmes tout d'abord les bonnes questions qui orienteront notre investigation vers les meilleures pistes.

C'est en raison de cette difficulté mais aussi de l'importance de cette étape que nous multiplierons tout d'abord les exemples, en veillant à diversifier au maximum les phénomènes ou objets étudiés, en allant du « micro » au « macro ». Grâce à ces exemples, on pourra mettre en évidence quelques principes généraux à respecter pour problématiser un objet de recherche, quel qu'il soit. Ensuite quelques grands repères théoriques, avec leurs concepts clés, seront brièvement exposés. Enfin, on verra comment s'y prendre concrètement pour construire sa problématique.

1. EXEMPLES ET PRINCIPES PRÉALABLES POUR LA CONSTRUCTION D'UNE PROBLÉMATIQUE

Les cinq exemples retenus ici portent successivement sur des types d'objet parmi les plus couramment étudiés dans les travaux d'étudiants et les recherches en sciences sociales : les opinions et représentations, les interactions dans la vie quotidienne, le travail institutionnel, les actions collectives et les phénomènes macrosociaux. Dans un souci de continuité avec l'étape précédente et en vue de préparer la suivante, le dernier exemple portera sur la problématique du suicide telle qu'élaborée par Durkheim. Autres objets d'analyse fréquents, les pratiques et les comportements ne seront pas illustrés à ce stade car ils font l'objet de deux applications plus développées de la démarche, présentées à la fin de l'ouvrage. À ce stade-ci, chaque exemple n'est traité que sommairement, dans le seul but de montrer en quoi consiste une problématique, non d'exposer de manière détaillée une théorie (ce qui n'a pas sa place dans cet ouvrage) ni d'élaborer le modèle d'analyse d'une recherche (ce qui est l'objet de l'étape suivante). De manière délibérée, afin d'être au plus près des conditions concrètes d'une recherche effectuée par un étudiant ou un chercheur débutant, on s'est inspiré ici de travaux récents et peu connus plutôt que d'œuvres classiques des sciences sociales.

1.1. Les représentations de la justice

Que pensent les citoyens de la justice de leur pays ? À la demande de responsables politiques et de journaux notamment, de nombreux sondages d'opinion ont été récemment effectués sur cette question dans plusieurs pays. Ces sondages comportent le plus souvent une batterie de questions sélectionnées en fonction de problèmes mis en évidence par l'actualité. On demandera par exemple aux personnes sondées si elles sont d'accord avec les idées selon lesquelles la justice est trop lente, trop distante par rapport aux citoyens, trop chère pour les faibles revenus, insuffisamment attentive aux victimes, etc. À quelques exceptions près, on peut s'attendre aux types de réponse et on n'apprendra finalement que fort peu de choses. Qui, en effet, répondra, par exemple, que la justice n'est pas assez lente ? De tels sondages ne font que reproduire le sens commun à partir des catégories de pensée instituées par certains propos politiques ou médiatiques (qui parleront à la légère de « dysfonctionnement » ou de « mauvaise gouvernance » sans s'interroger sur le sens de telles notions). Ils mettent en évidence et confortent un certain nombre d'idées qui sont dans l'air du temps sans aller au cœur des représentations que les citoyens se font de la justice.

Or, le pire pour un travail de sciences sociales est de donner un vernis de scientificité à des banalités superficielles, à des idées de sens commun ou à des fausses vérités sous prétexte qu'on utilise des méthodes et techniques dites scientifiques. Dans des sondages superficiels, les personnes sondées sont souvent conduites, par les questions elles-mêmes, à répéter les idées toutes faites habituelles. Tout cela fait un peu « téléphoné » et n'apporte pas une réelle compréhension de la relation entre les citoyens et la justice de leur pays.

Grâce à ses lectures et à ses entretiens exploratoires, un chercheur plus scrupuleux aura découvert que le rapport des citoyens à la justice est plus complexe, diversifié selon les catégories sociales et les expériences concrètes et qu'il s'inscrit dans des tendances plus longues et plus larges qui touchent l'ensemble de la vie collective et le rapport aux institutions dans les sociétés contemporaines. Les ouvrages récents sur ces tendances sont légion et leurs titres sont souvent éloquents, par exemple *Le Déclin de l'institution*

(F. Dubet, Paris, Le Seuil, 2002), *La Lutte pour la reconnaissance* (Honneth, Paris, Le Cerf, 2000) ou *Les Mutations du rapport à la norme* (J. De Munck et M. Verhoeven (dir.), Bruxelles, De Boeck, 1997).

Pour comprendre les représentations de la justice, il ne faut pas se contenter de saisir des opinions superficielles à un moment donné, il faut s'interroger sur la manière dont ces représentations s'élaborent dans l'expérience concrète des citoyens qui se déploie dans un contexte socioculturel et historique particulier. Cette expérience comporte plusieurs aspects : l'expérience personnelle de la justice (contrats, conflits professionnels, divorces, successions, amendes pour infraction au Code de la Route, attentes de reconnaissance et de dédommagement comme victime, etc.) qui laisse souvent des traces voire des rancœurs ; l'expérience sociale de chacun, d'où résulte un sentiment général de « justice » ou d'« injustice » de la vie (au sens moral) ; l'habitus ou encore l'ensemble des dispositions culturelles et idéologiques liées à la position sociale et qui sont en affinité ou non avec les valeurs de la justice (au sens d'institution) ; l'influence des réseaux de proches avec qui on discute souvent et avec qui on a tendance à être « sur la même longueur d'onde » ; l'influence de l'offre d'opinions proposée par les médias mais qui est toujours elle-même « médiatisée » par l'environnement immédiat, l'inscription dans une culture où le rapport à la norme est plus complexe et plus critique... (voir Y. Cartuyvels, L. Van Campenhoudt, « Comment étudier les attentes des citoyens à l'égard de la justice », dans S. Parmentier *et al.*, *Public Opinion and the Administration of Justice*, Bruxelles, Politeia, 2004, p. 33-49).

La problématique consistera ici à s'interroger non sur des opinions stéréotypées à un moment donné mais bien sur la manière dont les représentations de la justice sont effectivement construites en lien avec l'expérience personnelle qui est aussi une expérience sociale, dans un contexte particulier. Des concepts tels que représentation sociale, expérience, trajectoire sociale, reconnaissance, réseau social ou habitus pourront être mobilisés.

1.2. Les effets du travail d'une institution sur ses usagers

Les professionnels qui travaillent dans des institutions d'aide aux personnes (services sociaux, services d'orientation scolaire, services d'urgence hospitaliers, services de consultation psychologique, etc.) souhaitent estimer l'effet de leurs interventions sur les usagers qui passent par elles. La question de départ d'une recherche pourrait alors être la suivante : « Quels sont les effets de l'intervention de l'institution ou association X sur la trajectoire des usagers qui font appel à elle ? ».

Un chercheur débutant pourrait se dire, sans autre forme de procès : « C'est simple, je vais interroger un échantillon des usagers récents de l'institution X et je vais leur demander ce que leur contact avec elle a changé dans leur vie ». Mais c'est oublier un peu vite que, pour régler leurs problèmes, les usagers ont presque toujours affaire aujourd'hui à une pluralité d'institutions entre les mains desquelles ils passent successivement. Les nouveaux dispositifs publics prévoient de plus en plus des interventions dites « en réseau » qui impliquent plusieurs institutions dont les professionnels se concertent plus ou moins. Ainsi, une personne surendettée pourra avoir affaire, outre à ses créanciers, à la justice civile voire pénale, à un service social, à un médiateur de dettes, etc. Une personne toxicomane pourra avoir affaire à un centre hospitalier, à un service social, à une guidance psychologique, à la justice pénale, etc.

Estimer l'impact propre de chaque « partenaire » du réseau devient très difficile, de sorte que pour avoir une idée de ce à quoi elle sert, chaque institution intervenante (la banque, le propriétaire du logement, la justice, le service social, le centre médical…) doit être considérée comme un maillon de l'ensemble du réseau dont elle est, qu'elle le veuille ou non, partie prenante. Par ailleurs, chaque institution intervenante relève d'un microcosme institutionnel et social différent avec son système de valeurs et de normes spécifiques (la rentabilité, le service public, l'aide aux personnes, etc.), une structure hiérarchique et organisationnelle propre (plus ou moins bureaucratique et hiérarchique, etc.), ses principes d'intervention, ses débats et ses conflits internes particuliers.

À partir de cette idée, découverte à la faveur d'entretiens exploratoires et de lectures sur les nouveaux dispositifs publics, le chercheur pourrait poser son problème d'une nouvelle manière qui consisterait à reconstituer, pour un échantillon d'usagers, l'ensemble du circuit effectué entre les différents maillons du réseau institutionnel. L'institution X serait alors étudiée sous l'angle de sa place dans ce circuit ou réseau plus large : où se situe-t-elle dans la trajectoire des usagers ? D'où arrivent ceux qui débarquent chez elle et où vont-ils après ? Dans quels rapports de force est-elle vis-à-vis d'autres systèmes institutionnels (par exemple l'aide sociale par rapport à la justice) ? Partant de l'idée que ce sont les effets de l'ensemble du système qu'il faut considérer, quelles sont les fonctions spécifiques de l'institution X dans l'ensemble de ce système ? (voir par exemple F. de Coninck, Y. Cartuyvels *et al.*, *Aux Frontières de la justice, aux marges de la société. Une analyse en groupe d'acteurs et de chercheurs*, Gent, Politique scientifique fédérale, Academia Press, 2005).

Les concepts utiles sont ceux d'institution, de réseau, de champ et de trajectoire notamment.

1.3. La signification d'une action collective

À la suite d'une série d'enlèvements d'enfants très médiatisés dans le courant des années quatre-vingt-dix, s'est constitué en Belgique un « Mouvement blanc » mobilisant, durant quelques mois, des centaines de milliers de personnes autour des thèmes de la protection des enfants et de ce qu'il était convenu d'appeler les « dysfonctionnements » de la justice. Quelle est la signification de ce mouvement pour ceux qui y ont pris part ? Quel message veulent-ils faire entendre aux responsables politiques ? Quel est son destin ? Telle est la triple question qui a fait couler beaucoup d'encre au cours des dernières années.

La manière dont ces questions sont formulées présuppose une grande homogénéité du mouvement, tant du point de vue de sa signification que du point de vue des motivations de ceux qui y prennent part. Or rien n'est moins sûr.

Les enquêtes conduites sur cette action collective par plusieurs équipes universitaires (notamment J. Marquet et Y. Cartuyvels (dir.), *Attentes sociales et demandes de justice. Les mobilisations blanches et après ?*, Bruxelles, Publications des Facultés universitaires Saint-Louis) ont montré la diversité des motivations et des raisons animant les participants à ce mouvement et, en particulier, aux manifestations de masse qui en ont constitué les temps forts : marquer sa sympathie et sa solidarité avec les parents des victimes, faire son propre deuil après une expérience collective traumatisante, manifester publiquement son mécontentement à l'égard du fonctionnement des institutions (justice, forces de police et monde politique), réclamer des mesures concrètes en vue de corriger ces « dysfonctionnements », faire pression pour que soit mise au jour l'existence de soi-disant réseaux criminels au sommet de l'État et de ses principales institutions, vouloir démontrer que les différences ethniques et culturelles sont peu de choses au regard de la question fondamentale de la protection de l'enfant, dénoncer la logique capitaliste et individualiste qui conduirait certains à considérer les enfants eux-mêmes comme une marchandise, contester par principe les institutions qui soutiennent un ordre social jugé injuste, ou ne pas vouloir manquer un événement jugé majeur ainsi qu'une grande manifestation d'émotion collective, « en être » tout simplement.

La consultation de ces enquêtes aura sans doute pour premier effet de « désubstantifier » le mouvement, de le considérer non comme un tout homogène, « en soi », mais bien comme une constellation de représentations sociales, de motivations, d'initiatives et de revendications portées par une pluralité d'individus et de petits groupes dont les systèmes de valeurs, les références idéologiques et les positions politiques sont très diversifiés. Le thème fédérateur de la protection de l'enfant permet un temps l'agrégation de ces composantes disparates mais peut en même temps les voiler.

À l'aide de la littérature sociologique sur l'action collective, le chercheur qui veut saisir la signification et le destin d'un tel mouvement découvrira que les mouvements sociaux (comme le mouvement ouvrier, le mouvement des femmes, le mouvement écologique, etc.) sont en fait constitués d'une multitude de microréseaux de mobilisation qui ont entre eux autant de divergences que de convergences (McAdam *et al.*, « Social Movements », in N.J. Smelser (éd.), *Handbook of Sociology*, Newbury Park, Londres, New Delhi, Sage, 1988, 695-737). Ce n'est qu'à certaines conditions bien précises que les convergences entre les représentations et actions de ces multiples réseaux sociaux peuvent constituer un mouvement social durable, capable de prendre appui sur des formes institutionnelles (groupes de pression, partis politiques, nouvelles législations, etc.) et d'infléchir les valeurs centrales d'une société.

À partir de là, le chercheur soucieux de saisir une action collective l'abordera non plus comme une entité en soi dont il s'agirait de mettre au jour *le* message, mais plutôt comme un processus d'action et de mobilisation au sein des microréseaux constitutifs et entre ces différents réseaux.

Les concepts d'action collective, de mouvement social et de microréseau de mobilisation pourront être utilisés.

1.4. La montée de l'intégrisme religieux

De nombreux étudiants et chercheurs s'intéressent aujourd'hui aux discours religieux dits « intégristes » qui s'inscrivent dans un climat d'inégalités sociales, de tensions communautaires et de conflits internationaux. Du point de vue du monde chrétien et/ou laïque occidental, c'est évidemment l'islam qui est visé mais on se doute que, du point de vue du monde musulman, le regard critique s'inverse. Concernant plus particulièrement l'islam, la tendance spontanée et couramment entendue est d'attribuer purement et simplement les positions religieuses et politiques sensibles à la nature même de l'islam comme si cette nature était figée une fois pour toutes telle une substance ontologique existant en dehors de ses conditions sociales et historiques.

Les études sur l'histoire des religions montrent que la manière dont elles sont mobilisées par les pouvoirs autant que par les individus et le sens qui leur est donné par leurs fidèles est directement liée au contexte socio-historique. Une religion (l'islam ou une autre) peut servir de refuge pour l'affirmation d'une identité collective blessée, de ressort de l'intégration socio-économique en procurant des lignes de conduite favorables à la réussite économique, de support de solidarité entre coreligionnaires, de substrat idéologique pour exercer un pouvoir autocratique sur une population, de mode d'accès à l'espace public lorsque les conditions de cet accès ne sont pas réunies autrement. La notion même d'intégrisme demande à être discutée car ce qu'on appelle ainsi peut faire partie d'un ensemble complexe de réactions de sens très variés et souvent contradictoires.

En s'inspirant d'auteurs qualifiés (par exemple L. Babès, *L'Islam positif. La religion des jeunes musulmans en France*, Lyon, Éd. Ouvrières, 1997), même un chercheur débutant devrait pouvoir rapidement prendre du recul par rapport aux approches stéréotypées du problème et discerner des pistes pour une problématique plus adéquate. S'inspirant par exemple de la sociologie de l'action de Max Weber, il pourrait construire sa problématique sur l'idée que la religion est ce qu'en font ceux qui s'en réclament – en particulier ceux qui sont institués ou s'instituent eux-mêmes comme porte-paroles autorisés. Il chercherait à éclairer ce qu'ils font de leur religion par leur position de force ou de faiblesse, dans un espace politique, social, économique et culturel historique particulier.

La religion peut alors être étudiée comme une construction sociale et non comme une substance inaltérable qui déterminerait le social de l'extérieur. À partir de ce point de vue, ce qui se joue spécifiquement quand le religieux est impliqué (système de croyances se référant au sacré et à l'au-delà, enracinement historique profond, dimensions symbolique et rituelle fortement marquées, importance du collectif, système hiérarchique reposant sur l'autorité de guides spirituels, etc.) peut être pris en compte sans être « substantifié ».

Ce faisant, le chercheur n'excuse rien ni ne condamne rien a priori ; il essaie de rendre compte d'un phénomène avec le plus de justesse possible. Les concepts de fonction, de communauté, d'idéologie, de sacré, de domination sociale, de légitimité et d'espace public notamment pourront lui être utiles.

1.5. Le suicide

Dans ce travail, Durkheim parvient à considérer son objet de recherche d'une manière qui sort résolument des sentiers battus. En faisant le point sur les informations tirées de son exploration statistique, Durkheim constate des régularités qui lui donnent l'intuition que le suicide a non seulement une dimension individuelle mais aussi une dimension sociale. Là où l'on concevait le suicide comme l'aboutissement d'un processus de déstructuration psychologique qui peut être lié à un sentiment oppressant de culpabilité, Durkheim voit le symptôme et le produit d'un affaiblissement de la cohésion de la société dont les membres sont moins solidaires et plus individualistes. Il choisit en fait comme objet de recherche non pas le suicide conçu comme la conclusion malheureuse d'un processus de désespoir, mais bien comme un « fait social » spécifique. À ses yeux le taux de suicide ne peut être expliqué par la somme des suicides individuels qui répondent chacun à des mobiles propres mais bien par ce qui constitue leur substrat social profond : l'état de la société dont la cohésion est influencée, pour une large part à son époque, par le système religieux qui l'anime.

Bien entendu, ceci ne signifie pas que le suicide ne puisse être valablement étudié sous un angle psychologique mais c'est à cette manière sociologique inédite de poser le problème que Durkheim va s'attacher. Certes, la notion de problématique est présentée ici d'une manière qui correspond pratiquement (pour Durkheim tout au moins) à l'approche spécifique d'une discipline (la sociologie) par opposition à une autre (la psychologie) mais les exemples précédents montrent que des problématiques différentes peuvent être envisagées au sein d'un même champ disciplinaire.

Ces différents exemples montrent que définir une problématique revient à élaborer une manière spécifique d'envisager un problème et de proposer les lignes de force de la réponse à la question de départ qui pourrait être reformulée à partir de la problématique. Ainsi, pour reprendre le deuxième exemple ci-dessus, la question de départ initiale « Quels sont les effets de l'intervention de l'institution X sur la trajectoire des usagers qui font appel à elle ? » devient « Quelle est la place et quelles sont les fonctions de l'institution X dans l'ensemble du réseau d'institutions qui interviennent sur la trajectoire de ses usagers ? ».

Pour parvenir à définir une problématique intéressante, il n'y a ni secret ni miracle : il faut se donner le temps de lire, de consulter des personnes qualifiées ; il faut être curieux et désireux de découvrir les pistes les plus intéressantes ; il faut surtout prendre du recul à l'égard des idées convenues et faire fonctionner ses propres neurones. L'intelligence est aussi affaire de courage et de travail. Pour la soutenir, on rappellera seulement quatre principes préalables pour construire une problématique et que les exemples précédents ont illustrés :

– être au clair avec soi-même et avec ses propres motivations, expliciter ses propres idées préconçues sur le phénomène étudié ;

– ne pas laisser sa propre réflexion s'emprisonner dans des modes et des catégories de pensée qui semblent aller de soi tant elles sont devenues des évidences ;

– savoir précisément ce qu'on entend par les mots les plus couramment utilisés comme « intégrisme », « comportement rationnel », « réseau », « dysfonctionnement », « exclusion sociale », « gouvernance », etc. Être conscient de ce qu'implique le fait de les utiliser ;

– lorsqu'on étudie des opinions, des représentations ou des pratiques, éviter de les étudier pour elles-mêmes, comme si elles tombaient du ciel, les resituer dans leur contexte socio-historique, tenter de saisir leur genèse et leurs fonctions, montrer comment elles sont liées à des positions sociales, à des rapports de force et à des intérêts spécifiques. Éviter d'associer de manière simpliste un type de comportement ou d'opinion avec une catégorie qui serait substantifiée en tant que telle, indépendamment de l'inscription des personnes et des groupes concernés dans un système et une dynamique d'actions et de relations plus larges.

Pour découvrir « de l'intérieur », dans leur mise en œuvre concrète, les principes clés de l'analyse en sciences sociales, le mieux est de prendre connaissance de recherches exemplaires effectuées par de bons auteurs. C'est dans ces travaux, bien mieux que dans les ouvrages purement théoriques (utiles par ailleurs, nous y reviendrons) que le chercheur débutant découvrira comment s'élabore effectivement une problématique et se construit un processus de recherche. L'ouvrage de L. Van Campenhoudt, *Introduction à l'analyse des phénomènes sociaux* (Paris, Dunod, 2001) est tout entier consacré à l'initiation à ce « regard » sociologique sur le monde et l'expérience humaine, à partir de l'exposé et du commentaire d'une dizaine de recherches exemplaires.

2. APPROCHES THÉORIQUES DU SOCIAL : LE CONCEPT COMME OUTIL DE PROBLÉMATISATION

2.1. Expliquer

Mais comment dépasser le stade des bonnes intentions et accéder à celui d'un début de théorisation ? La problématique fait donc le lien entre un objet d'étude et des ressources théoriques mobilisées pour l'étudier. Ces ressources sont exposées de manière systématique dans les cours de théorie (sociologique, anthropologique, psychosociologique, politologique, etc.) ainsi que dans de nombreux ouvrages théoriques mis à la disposition des étudiants. Dans un livre de méthode, nous ne pouvons les reprendre de manière exhaustive, systématique et détaillée. Nous nous limiterons à quelques repères majeurs et, surtout, à montrer ce qu'on peut en faire dans une recherche concrète, soit ce que les ouvrages théoriques ne montrent en général pas suffisamment.

Une recherche en sciences sociales tend à dépasser une simple description des phénomènes sociaux (même si une description bien faite n'est pas chose aisée et peut être fort précieuse) ; elle vise à expliquer ces phénomènes. Dans le sens le plus général et en même temps le plus pratique, expliquer un phénomène (comme l'échec scolaire, le suicide ou les effets du travail d'une institution) revient en fait à le mettre en relation avec autre chose : un ou plusieurs autres phénomènes, un système d'action dont il relève, un contexte macrosocial, un ensemble de transformations historiques, un sens qu'il recèle dans l'esprit de ceux qui le font exister, des stratégies d'agents en compétition, des fonctions qu'il assure pour le système social… Bref, expliquer un phénomène revient à « le sortir de son immédiateté et de l'isolement que celle-ci implique » (J. Ladrière, « La causalité dans les sciences de la nature et dans les sciences humaines », in R. Frank (dir.), *Faut-il chercher aux causes une raison ? L'explication causale dans les sciences humaines*, Paris, Vrin, 1994, p. 248-274). C'est cette mise en relation qui rend le phénomène intelligible. Par exemple, Durkheim rend le taux de suicide intelligible en le reliant au degré de cohésion d'une société. Les représentations que se font les citoyens de la justice deviennent intelligibles quand on les relie à leurs expériences vécues de la justice. Les formes prises par la vie religieuse à un moment donné sont intelligibles quand on les relie par exemple aux fonctions de la vie religieuse au regard de la communauté concernée. Opter pour une théorie revient donc à dire *par quoi* il va être expliqué, c'est-à-dire à déterminer à quoi, à quel type d'élément, le phénomène étudié va être relié pour le rendre intelligible.

2.2. Approches théoriques

Au niveau théorique le plus général, ce qu'on appelle les « paradigmes », (comme le fonctionnalisme, l'interactionnisme ou la sociologie de l'action) proposent un ensemble de concepts généraux et d'hypothèses générales qui sont censés pouvoir être utilisés avec fruit pour l'étude de tout phénomène social quel qu'il soit. Les paradigmes constituent, en quelque sorte, les points cardinaux de la théorie générale. Les théories plus spécifiques, comme la théorie des champs telle que développée notamment par Bourdieu, gardent un caractère général car leur terrain d'application n'est pas limité à un type d'objet empirique particulier (elles peuvent par exemple permettre d'étudier n'importe quel(le) secteur d'activité ou institution). Elles relèvent généralement d'un des paradigmes ou d'une combinaison de paradigmes. Moins ambitieuses, les « théories de moyenne portée » (R.K. Merton, *Éléments de théorie et de méthode sociologique*, Paris, Armand Colin, 1997) sont conçues pour expliquer certains ordres particuliers de phénomènes (par exemple la théorie de la bureaucratie chez Weber, Blau ou Crozier, ou la théorie de la déviance chez Merton ou Becker). Pour Merton, ces théories sont censées permettre d'établir un lien plus étroit entre les hypothèses et les données d'observation. Cherchant avant tout à être aussi pertinentes que possible par rapport à l'objet (la bureaucratie ou la déviance dans nos exemples), elles combinent le plus souvent plusieurs paradigmes.

Au stade de la problématisation, la structuration interne des théories (qui peut être très sophistiquée) ne nous intéresse pas encore ; ce sera l'objet de l'étape suivante. Pour le moment, ce qui nous intéresse, c'est la manière spécifique avec laquelle une théorie « pose le problème », interroge les phénomènes, permet de se poser à leur propos des questions de recherche qui prolongeront la question de départ. L'explication dont il est question ci-dessus doit, à ce stade, se limiter à et prendre la forme d'un « questionnement » : avec quoi vais-je mettre le phénomène en lien afin de le rendre intelligible ? À son niveau à la fois le plus simple et le plus fonda-mental qui nous suffit à ce stade de la problématique, théoriser consiste tout simplement à se poser de bonnes questions à l'aide de concepts biens choi-sis. C'est pourquoi on utilise parfois, précisément, le terme de « questionnement » comme synonyme de problématique, tout en distinguant bien ce questionnement tant de la question de départ (par rapport à laquelle il est plus élaboré théoriquement) que des questions précises posées dans une enquête (par rapport auxquelles il est bien plus large).

Pour baliser le vaste espace des théories et des concepts disponibles, on se limitera ici aux principaux paradigmes et à quelques exemples bien connus de théories générales plus spécifiques, sans souci d'exhaustivité, il s'en faut de beaucoup. On s'inspirera pour une bonne part de l'ouvrage de J.-M. Berthelot, *L'Intelligence du social* (Paris, PUF, 1990), qui appelle ces gran-des approches paradigmatiques des « schèmes d'intelligibilité ».

Quel que soit leur degré de généralité ou de particularité, la plupart des approches théoriques s'organisent autour d'un concept central qui en consti-tue le pivot. En effet, un concept est bien plus qu'une simple définition ou qu'une simple notion. Il implique une *conception* particulière de la réalité étudiée, une manière de la considérer et de l'interroger. C'est pourquoi une manière efficace de définir la problématique de sa recherche consiste à préci-ser le ou les concepts clés qui pourraient orienter le travail.

a.   Le schème causal

Applicable à quelque objet que ce soit, l'approche causale est la plus sponta-nément adoptée parce qu'elle correspond au mode de pensée qui domine toute la rationalité moderne : être c'est être causé par quelque chose, expli-quer un phénomène consiste à rechercher sa cause. Par exemple, Durkheim s'interroge sur la cause du taux de suicide et trouve cette cause principale-ment dans la faible cohésion de la société. La cause est extérieure au phéno-mène étudié et lui est logiquement antérieure. Comme on le verra plus loin à propos de l'échec scolaire, une relation de causalité peut être complexe et impliquer un ensemble de causes articulées les unes aux autres dans un « modèle de causalité ». La relation de causalité peut relier deux systèmes (comme l'infrastructure économique et la superstructure politique et idéolo-gique dans la théorie marxiste classique). La causalité peut être circulaire, même si un terme a plus de poids que l'autre. Pour établir une relation de causalité, il faut parvenir à démontrer que chaque variation de la cause entraîne une variation de l'effet et que cette corrélation n'est pas due au hasard (voir l'étape 6, l'analyse des informations).

Dans le langage de la causalité, on parlera souvent de facteurs explicatifs pour désigner ce qui relève de la cause. Les questions de recherche se formulent alors très classiquement comme suit : « Quels sont les facteurs explicatifs de tel phénomène ? », « Comment s'articulent-ils les uns aux autres ? ».

b. Le schème structural

La notion de structure est présente dans toute démarche scientifique visant à mettre au jour des régularités. Une structure est un mode d'agencement entre deux ou plusieurs éléments. Par exemple, l'opposition et l'alternance entre le feu vert et le feu rouge constitue une structure. C'est cette structure qui confère une signification à chaque élément en opposition. En dehors de son opposition à une lampe verte, une lampe rouge peut en effet signifier n'importe quoi. On ne peut pas étudier la féminité (comme façon culturelle d'être femme) sans son opposition à la masculinité ou à la virilité (comme façon culturelle d'être homme), l'évolution du rôle de la femme indépendamment de celui de l'homme (et inversement). À partir de la théorie de la plus-value (soit la valeur produite par la part de travail fournie par les ouvriers au-delà de ce qui est nécessaire à la constitution de leur salaire), Marx montre que l'enrichissement des bourgeois et l'appauvrissement des ouvriers sont deux phénomènes indissociables et incompréhensibles l'un sans l'autre. Ils forment une structure. Un autre exemple célèbre est celui du don tel qu'étudié par Mauss. L'obligation de donner est indissociable de celle de recevoir le cadeau et de le rendre après un certain délai. Reliées dans un mode d'agencement circulaire, ces trois obligations forment donc une structure.

Pour expliquer un phénomène ou un élément du système social dans une perspective structurale, on cherchera à savoir dans quel type d'agencement il doit être considéré et avec quels autres éléments. On s'interrogera sur les règles qui président à leur agencement et on tentera de les mettre au jour (comme C. Lévi-Strauss dans *Les Structures élémentaires de la parenté*, Paris, PUF, 1949).

De nombreuses approches théoriques et de nombreux concepts des sciences sociales (comme ceux de champ, de réseau, de système qu'on verra ci-dessous) intègrent cette idée de structure en la combinant le plus souvent avec d'autres paradigmes.

■ La théorie des champs

La notion de champ comporte une dimension structurelle associée à une dimension stratégique. Pour Bourdieu, un champ est un microcosme social pourvu d'une relative autonomie. Il consiste en une structure de positions inégales occupées par différents groupes d'agents qui sont en lutte pour la conquête des meilleures positions et des avantages associés à ces positions. Par exemple, les choix d'un journal en matière de « Une » et la tendance à rechercher des scoops s'expliquent en grande partie par la position structurelle du journal par rapport à ses principaux rivaux au sein du champ journalistique. Autre exemple : les comportements d'un cadre dans une entreprise s'expliquent en grande partie par sa position dans l'entreprise par rapport aux autres membres du personnel avec qui il est en concurrence, dont il brigue éventuellement la position ou qui mettent la sienne en péril.

Comment les prises de position et les stratégies des uns et des autres sont-elles liées à leur position structurelle dans l'ensemble d'un champ donné ? Comment se présente la lutte entre les anciens et les nouveaux et par où les nouveaux doivent-ils passer pour supplanter les anciens ? On s'interrogera donc sur la structuration générale du champ et sur la nature des luttes qui le traversent ? Telles sont quelques-unes des questions de recherche pertinentes pour l'analyse interne d'un ensemble social à partir du moment où il est problématisé comme un champ.

La théorie des champs permet aussi d'étudier les relations entre champs, en particulier les questions de la hiérarchie entre les champs (comme entre le champ judiciaire et le champ du travail social dans les nouveaux dispositifs publics de sécurisation des quartiers dits « difficiles ») et de l'autonomie relative des différents champs les uns par rapport aux autres (comme l'autonomie du champ des sciences sociales par rapport au champ politique et à ses demandes).

■ *L'analyse des réseaux sociaux*

Au sens strict, on peut définir un réseau comme un ensemble de flux (ou de circulations) d'objets quelconques (des messages, des biens, des personnes…) entre deux ou plusieurs pôles interconnectés (des personnes, des groupes, des entreprises, des pays…). Le concept de réseau peut être utilisé pour étudier l'ensemble des relations d'une ou de plusieurs personnes à partir des flux de messages ou d'objets entre chacune de ces personnes et celles avec qui elle est « en réseau ». Il s'agit donc d'une manière spécifique d'envisager ses relations. Celles-ci pourraient être étudiées sous un autre angle si l'on utilisait un autre concept (comme celui d'interaction par exemple, qu'on verra plus loin).

Le concept de réseau peut également être utilisé pour rendre compte d'un système de relations entre plusieurs personnes ou entités collectives, par exemple l'ensemble des entreprises d'un secteur industriel, des membres d'une famille, ou des élèves d'une classe. À l'aide de ce concept, on pourrait par exemple étudier la solidarité entre élèves en reconstituant la circulation des notes de cours d'élèves à élèves. Les risques de transmission sexuelle du VIH dans un pays ou un milieu quelconque peuvent être estimés en reconstituant les réseaux de partenaires sexuels. Ainsi, Laumann *et al.* ont pu démontrer voici quelques années que le VIH avait très peu de chances de se propager à l'ensemble de la population nord-américaine en raison de la forte segmentation des réseaux de partenaires sexuels (*The Social Organization of Sexuality*, Chicago, University of Chicago Press, 1994). Comme l'a fait M. Bott (*Family and Social Network*, London, Tavistock, 1972), on peut également étudier des normes et modèles de comportements (comme le partage des tâches au sein d'un couple) en partant de l'hypothèse que l'on adopte souvent les mêmes modèles que ceux en vigueur dans le réseau des proches, surtout lorsque les relations dans ces réseaux sont denses.

L'approche des réseaux sociaux est essentiellement une approche structurelle. À partir d'une description des flux entre pôles, elle tente d'en mettre au jour les logiques informelles et donc, les modes d'agencement entre les éléments interconnectés. Trois questions principales se posent au chercheur qui veut analyser un phénomène ou un ensemble de phénomènes en termes de réseaux : qu'est-ce qui circule ? Entre qui et qui, ou entre quoi et quoi ? Selon quelles modalités et quelles règles structurelles ?

c.   Le schème fonctionnel

Pour l'approche fonctionnelle, une société constitue un tout relativement cohérent qui a tendance à se reproduire et à rechercher son équilibre et sa cohésion. Chaque élément du système social (une institution, une coutume, une pratique collective…) contribue objectivement à la reproduction et à la cohésion de ce système. Le concept sociologique de fonction représente non pas la tâche ou la mission de cet élément (comme dans le sens courant du terme) ni la relation de dépendance d'une valeur à l'égard d'une autre (au sens mathématique de $y = f(x)$) mais bien cette contribution objective. Pour expliquer une composante du système social ou un phénomène social quelconque, il faut donc se poser la question suivante : quelle est sa fonction ou quelles sont ses fonctions à l'égard de ce système ? Par exemple, on peut tenter d'expliquer ce qu'on appelle l'intégrisme religieux par les fonctions de ce qu'il recouvre pour les communautés concernées.

Pour R. Merton, ce sont les fonctions « latentes », c'est-à-dire non perçues et non voulues, qui intéressent le chercheur, car il n'y a guère avantage à mettre au jour les fonctions « manifestes » qui, par définition, sont perçues de tous.

■ L'approche systémique

L'approche systémique ou l'analyse des systèmes est souvent considérée comme s'inscrivant dans le paradigme fonctionnel. En effet, un système se définit comme un ensemble organisé d'éléments interdépendants tel qu'un changement d'un des éléments affecte automatiquement tous les autres, de sorte que l'ensemble du système se recompose. Par exemple, une réforme touchant une des composantes du système pénal (comme le travail du juge d'instruction) aurait inévitablement des répercussions directes sur la nature du travail des autres composantes du système pénal (comme le Parquet ou la police).

Un système a tendance à protéger son autonomie par rapport à son environnement et à défendre ses propres frontières. Par exemple, en cas de litige juridique, ceux qui disposent d'importantes ressources économiques peuvent certes s'offrir les services des meilleurs cabinets d'avocats mais cela n'implique pas que l'économie dirige la justice. Dès que l'action en justice commence, le débat est proprement juridique et son issue dépendra des arguments juridiques avancés par les parties rivales. Le système juridique aura ainsi intégré à sa manière les éléments du contexte économique et aura fonctionné en tant que système proprement juridique. La théorie des systèmes sociaux de N. Luhmann représente une version contemporaine de l'approche systémique qui insiste sur la fermeture et l'autonomie de fonctionnement des systèmes modernes.

Étudier des phénomènes sociaux (par exemple les comportements des élèves au sein d'une école) selon une approche systémique revient à s'interroger sur les liens d'interdépendance entre les différentes composantes du système constitué par cette école. On se demandera en quoi les comportements des élèves sont attribuables non aux élèves en propre mais bien au système lui-même, constitué de l'ensemble des liens entre ceux qui en font partie : élèves mais aussi enseignants, surveillants, membres de l'administration et de la direction. On se demandera par exemple comment l'école s'adapte aux pressions de son environnement (par exemple la précarisation et l'appauvrissement de la population du quartier) pour assurer un fonctionnement interne jugé acceptable (par exemple en procédant à une sélection sociale informelle des nouveaux inscrits ou en adaptant le mode d'encadrement des élèves).

d.   Le schème compréhensif

Cette approche vise à saisir le sens des actions humaines et sociales. Ce sens peut être partagé et donc culturel, ou singulier à chaque personne et donc individuel, ces deux dimensions s'interpénétrant de manière complexe. Selon cette approche, une expérience, un phénomène ou une réalité sociale (comme une institution) reste incompréhensible si l'on ne le met pas en relation avec le sens que les acteurs impliqués lui attribuent. L'approche est dite aussi « herméneutique ». Elle consiste à associer un signifiant (par exemple une expression, un comportement, un rite, un type de langage, etc.) à un signifié (par exemple une vision partagée du monde, un sentiment de cohésion, une situation d'anomie, etc.).

Les concepts de culture, de représentation sociale, d'idéologie et de symbolique notamment seront mobilisés pour répondre finalement à la question suivante : quel est le sens de cette situation, de cette institution ou de cette action pour ceux et celles qui l'expérimentent ou sur qui elle a une incidence ?

e.   Le schème actanciel

Cette approche est fondée sur l'idée que les comportements des « acteurs » sociaux ne peuvent être réduits à des effets de structure ou de système. Les acteurs agissent et leurs actions sont intentionnelles et stratégiques. Les phénomènes sont expliqués en tant que composantes et résultantes de ces actions. Les systèmes sociaux qui conditionnent les actions sont eux-mêmes produits par elles de sorte qu'il y a une causalité circulaire entre structure sociale et action sociale. La religion est ce qu'en font ceux qui s'en réclament mais, dès lors qu'elle existe et qu'ils y adhèrent, ses structures conditionnent en retour leurs actions. Les questions centrales de cette approche sont dès lors les suivantes : De quelles actions sociales tel phénomène participe-t-il ou résulte-t-il ? Comment ces actions se développent-elles ? Avec quelle intentionnalité et selon quels processus ?

Les concepts clés sont ceux d'action sociale, d'action collective, de mouvement social, de stratégie, de pouvoir et de conflit notamment.

De nombreuses théories relèvent pour une large part de cette approche.

■ L'interactionnisme

Strictement parlant, une interaction est une situation de face à face où les individus impliqués s'influencent directement. L'interactionnisme aborde les processus d'action réciproque sous un angle essentiellement microsociologique. Chaque comportement ou message de l'un induit un comportement ou un message de l'autre dans un processus dynamique ; ils « interagissent ». Utiliser ce concept revient à considérer les situations étudiées comme le résultat des interactions entre l'ensemble des protagonistes. Comme le fait H. Becker (*Outsiders. Études de sociologie de la déviance*, Paris, Métaillié, 1985), on peut par exemple expliquer un comportement déviant par les interactions à l'intérieur des groupes déviants (où les nouveaux sont formés par les anciens) et entre déviants et « conformes » (qui ont la capacité de définir la norme et tentent de l'imposer aux premiers). Les processus de séduction, la violence conjugale ou intrafamiliale, les relations au sein d'une classe ou d'une entreprise notamment peuvent être étudiés en termes d'interaction.

Comment se déroule concrètement l'interaction entre deux ou plusieurs personnes engagées dans une situation donnée ? Quelles sont les représentations et les imaginaires (par exemple l'image que chacun se fait de l'autre et de la situation) qui orientent cette interaction ? Comment se construit progressivement une situation caractérisée par de fortes tensions ou au contraire par une grande complicité ? Comment les personnes en interaction

élaborent progressivement les normes de leur relation ? Telles sont quelques-
unes des questions que l'on peut se poser lorsqu'on aborde un phénomène
social à partir du concept d'interaction.

■ *L'analyse stratégique des organisations*

Toute organisation, comme une entreprise, une administration ou une association volontaire, peut être analysée comme un système d'action concret
(SAC) (M. Crozier et G. Friedberg, *L'Acteur et le système. Les contraintes
de l'action collective*, Paris, Le Seuil, 1977). Un SAC est un système de
coordination d'un ensemble d'actions humaines en fonction de mécanismes
de jeux relativement stables et structurés. Cette structuration est marquée par
des relations d'inégalité, de collaboration et de pouvoir notamment. Le SAC
comporte une dimension systémique (avec ses mécanismes d'autorégulation
et de reproduction) mais aussi stratégique (chacun adopte une conduite qu'il
croit conforme à ses intérêts, tente d'utiliser au mieux ses ressources, se
coalise avec d'autres ou recherche le conflit, ruse avec les règles de l'organisation…). Les rapports de pouvoir dépendent essentiellement de la maîtrise
des zones d'incertitude. Une zone d'incertitude représente un enjeu important pour un ou plusieurs protagonistes mais qui est contrôlé pour l'essentiel
par un autre. Par exemple, dans la relation professeur-élève, le pouvoir du
professeur repose essentiellement sur le fait qu'il contrôle une zone d'incertitude pour l'élève : ses points voire sa réussite ou son échec à la fin de
l'année. En revanche, les élèves contrôlent une zone d'incertitude pour
l'enseignant : leur attitude (d'attention ou de désintérêt, de docilité ou
d'indiscipline…) en fonction de laquelle le professeur pourra ou non faire
classe dans de bonnes conditions.

Quelles sont les ressources les plus importantes dans le système d'action
concret considéré et qui les contrôle ? Qui contrôle une zone d'incertitude
pour une autre catégorie d'acteurs ? Quelles stratégies les uns et les autres
sont-ils capables de mettre en œuvre ? Qu'est-ce qui fait qu'un changement
aboutit, compte tenu des intérêts des uns et des autres ? Voilà quelques questions qui s'inscrivent dans cette perspective conceptuelle.

■ *L'analyse des mouvements sociaux*

À l'opposé de l'interactionnisme qui privilégie l'analyse microsociologique
des interactions sociales, l'analyse des mouvements sociaux porte son regard
sur les actions collectives (comme le mouvement ouvrier, le mouvement des
femmes, le mouvement des sans papiers, etc.) qui affectent une société sinon
dans sa totalité, au moins dans de vastes pans de son activité. En France,
l'analyse des mouvements sociaux est associée à l'équipe d'Alain Touraine
(pour une introduction générale à l'approche théorique et méthodologique,
voir *La Voix et le regard*, Paris, Le Seuil, 1978). Ses analyses consistent à
éclairer le sens et la portée sociale d'une action collective (comme un

mouvement étudiant) en examinant dans quelle mesure elle correspond ou non aux caractéristiques attribuées théoriquement à un mouvement social (*cf.* étape 4 : La construction des hypothèses). Outre celui de mouvement social, les concepts clés sont ceux d'historicité et de modèle culturel notamment.

Dans la tradition sociologique nord-américaine, on sera généralement moins attentif au sens d'une action collective qu'à ses conditions et processus concrets d'émergence et de développement. Dès lors, l'approche combinera davantage les dimensions microsociologiques et macrosociologiques, notamment à partir du concept de microréseau de mobilisation (McAdam *et al.*, *op. cit.*).

2.3. Structure, processus et sens

On se limitera volontairement ici à ce panorama sommaire et très incomplet et à ces quelques concepts. La liste pourrait être aisément allongée avec une série d'autres approches et concepts susceptibles de rendre de précieux services. Ils peuvent être conseillés par un enseignant de sciences sociales qui encadre le travail ou étudiés dans le cadre de cours théoriques ou d'ouvrages théoriques abordés précédemment ou en parallèle. Dans le processus de recherche, c'est toutefois principalement l'étape d'exploration précédente qui doit fournir les repères à partir desquels les concepts les plus adéquats pour étudier le phénomène impliqué dans la question de départ peuvent être identifiés.

L'essentiel n'est pas ici dans l'exhaustivité. Il réside d'abord dans la capacité de structurer un champ de connaissance. Même très incomplets, les repères présentés ci-dessus permettent déjà de percevoir trois dimensions principales des phénomènes sociaux. Le chercheur peut tenter de les articuler dans son travail ou au contraire donner un poids particulier à l'une d'entre elles.

• La première dimension est la *dimension structurée* du social. Au sens le plus large du terme, cela signifie que les phénomènes n'ont pas lieu au hasard, n'apparaissent pas dans n'importe quelles conditions et ne se déroulent pas n'importe comment. Pour emprunter l'analogie du théâtre, même si tout n'est pas joué au moment où les acteurs entrent en scène, n'importe quoi n'est pas jouable en raison du texte, du scénario et de la mise en scène plusieurs fois répétés (soit des déterminations structurelles). Aborder les phénomènes en termes de système de causalité, de structure, de système, de champ ou de réseau consiste à donner du poids à cette dimension structurée du social et à chercher à la mettre au jour.

• La deuxième dimension est la *dimension processuelle et actancielle* des phénomènes sociaux. Elle signifie que la société est toujours en devenir, produite par l'action humaine, les conflits, les interactions sociales au jour le jour. La pièce n'existe que parce que des acteurs la jouent et chaque représentation est originale. Bien plus, dans la vie collective, ils ont la capacité –

qui indique la limite de l'analogie théâtrale – de modifier la pièce, d'en changer le scénario voire de refuser de la jouer ou de changer de théâtre. De nouveaux scénarios (ou de nouvelles structures) viendront alors supplanter les anciens. Aborder les phénomènes en termes d'action sociale, d'interaction, de conflit, de pouvoir, de stratégie ou de mouvement social consiste à donner du poids à cette dimension processuelle du social et à chercher à voir comme les acteurs produisent ce qu'on appelle la société, c'est-à-dire l'ensemble de leurs relations sociales.

• La troisième dimension est la *dimension de sens* des phénomènes sociaux. Elle signifie que les acteurs individuels et collectifs interprètent les situations dans lesquelles ils se trouvent et la manière dont ils les expérimentent. Chaque acteur de la pièce de théâtre perçoit son rôle d'une certaine façon et vit à sa propre manière l'expérience des représentations. Sa façon de jouer en est directement affectée. Les différents acteurs partagent une vision commune minimale de leur expérience, sans quoi ils ne pourraient jouer ensemble de manière harmonieuse, mais les perceptions des uns et des autres n'en sont pas moins partiellement divergentes voire conflictuelles. Certains, disposant de plus d'expérience, de notoriété ou de ressources, parviendront peut-être à faire valoir leur propre point de vue aux autres, ne fût-ce que partiellement. Aborder les phénomènes sociaux en termes de culture, d'idéologie, de représentations sociales ou de symbolique consiste à donner du poids à cette dimension de sens du social et à chercher à « comprendre » la manière dont les acteurs se rattachent cognitivement et émotionnellement à leurs expériences et aux institutions qui les structurent.

Avoir à l'esprit ce triangle explicatif avec ses trois pôles – structure, processus et sens – peut aider à ouvrir le champ des problématiques possibles et à positionner son propre choix en connaissance de cause (nous y reviendrons sous peu).

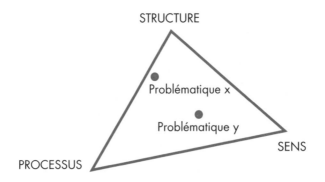

Mais à ce stade de la problématique, l'essentiel réside aussi et surtout dans la bonne compréhension de ce qu'est une théorie et du bon usage qu'il faut en faire.

Du point de vue de la démarche de recherche exposée dans ce manuel, une théorie présente deux facettes complémentaires. En tant que modèle d'analyse, elle se présente comme un système plus ou moins sophistiqué de concepts hiérarchisés entre eux (avec leurs principales dimensions et leurs indicateurs) et d'hypothèses de travail, à partir duquel l'observation peut être organisée de manière adéquate par rapport à l'objectif mais aussi ordonnée et rigoureuse. Ce sera l'objet de l'étape 4 qui suit. Mais, en amont de cette facette, à travers son concept pivot, une théorie est une manière spécifique d'interroger les phénomènes sociaux, un mode de questionnement permettant de formuler une problématique adéquate pour répondre à la question de départ en la faisant progresser.

C'est pourquoi la brève présentation qui vient d'être faite de chacun des concepts ci-dessus s'est terminée par quelques questions qui expriment ce questionnement. Réfléchir aux concepts les plus susceptibles d'éclairer le phénomène étudié et reformuler son projet à partir d'eux ne revient pas à enfermer la recherche dans une voie dogmatique et irréversible. Il s'agit au contraire d'ouvrir l'investigation à des pistes nouvelles auxquelles on n'aurait sans doute pas pu songer au départ. Bien conçu et utilisé, un concept – et plus largement la théorie dans laquelle il prend place – est un outil pour s'ouvrir l'esprit, non l'enfermer dans une réponse toute faite. Complémentairement, on le verra, l'observation doit être conçue de telle sorte qu'elle rend probable le fait d'être surpris par les informations récoltées. « Il n'y a rien de plus pratique qu'une bonne théorie » disait Lewin. Certes, mais qu'est-ce qu'une « bonne » théorie ? C'est tout d'abord une théorie qui fournit des concepts grâce auxquels la réalité peut s'offrir à nous sous un regard intéressant et pénétrant. Ensuite seulement, c'est une théorie qui procure des repères opérationnels et présente une architecture interne permettant une investigation efficace et fructueuse de cette réalité à partir de ce regard.

3. LES DEUX TEMPS D'UNE PROBLÉMATIQUE

La plupart du temps, le choix d'une problématique s'effectue progressivement, à partir déjà de l'étape exploratoire. Au fur et à mesure des lectures et des entretiens, le chercheur prend des notes, les compare, organise ses réflexions de sorte que les lignes de force de son investigation se dessinent pas à pas. Les connaissances théoriques étudiées par ailleurs peuvent être mobilisées. Soudain on se rend compte que des auteurs et des théories étudiés de manière quelque peu abstraite au cours des études s'avèrent utiles pour formuler une problématique intéressante. Toutefois, il peut être intéressant à ce stade de formaliser davantage la manière de procéder au terme de la phase exploratoire pour aider le chercheur qui débute à organiser au mieux ses idées. Cette procédure comporte deux temps.

3.1. Le premier temps : faire le point et élucider les problématiques possibles

Ce premier temps consiste à mettre à plat et à comparer les différentes approches du problème telles qu'elles se sont manifestées à partir de la phase exploratoire. Cette mise à plat peut révéler quelques lacunes dans l'exploration, notamment en matière de lectures à caractère théorique. Un petit complément de travail exploratoire pourra alors être effectué pour combler ces lacunes.

Pour organiser de manière ordonnée les pistes mises au jour dans l'étape exploratoire, l'étudiant ou le chercheur peut se référer tout d'abord aux repères fournis dans le point précédent et s'aider, s'il a la possibilité d'aller plus loin, des cours ou ouvrages théoriques auxquels il a accès.

Pour pouvoir servir à tous les lecteurs, quels que soient leurs sujets, les repères théoriques fournis ci-dessus revêtent un caractère général. Mais ces lectures exploratoires auront forcément conduit le chercheur sur une littérature spécifique au domaine particulier qu'il explore, par exemple la sociologie de la famille, la psychosociologie des entreprises ou l'analyse de la participation politique. Pour chaque domaine particulier du savoir en sciences sociales, il existe des ouvrages, des manuels ou des polycopiés (ou « syllabus » en Belgique) à visée pédagogique qui font le point sur les différents courants de pensée, les principaux auteurs et les principaux concepts de référence, les principales problématiques abordées et la manière dont elles évoluent au fil du temps, les principaux débats internes à la sous-discipline et ses perspectives les plus prometteuses.

Lorsqu'on aborde une question dans le cadre d'un travail de fin d'études ou d'une recherche, le minimum est de s'informer des grandes lignes du champ scientifique dans lequel ce travail ou cette recherche s'inscrit. Le champ des possibilités d'une discipline comme la sociologie, la science politique, l'anthropologie, la psychologie sociale ou l'économie (avec leurs multiples domaines spécialisés) est très étendu et aucun chercheur ne peut le maîtriser dans son entièreté. Mais on peut demander à ceux qui s'engagent dans un travail d'analyse d'être capables de situer les limites de l'approche qu'ils envisagent de retenir. Le propre du scientifique, qui est censé avoir été formé à la systématique et aux fondements de sa discipline, n'est pas de tout savoir de cette discipline ou de cette sous-discipline mais bien, comme le dit Pierre Bourdieu, de « savoir ce qu'il ne sait pas », c'est-à-dire de ne pas ignorer l'existence de ce qu'il ne maîtrise pas et de pouvoir dès lors situer correctement son mode d'approche dans l'espace des approches possibles, en d'autres termes sa portée et ses limites.

Mettre à plat est insuffisant ; il faut encore comparer les problématiques possibles. Comparer ne signifie pas juxtaposer mais bien mettre en évidence les points de convergence et les points de divergence entre les différentes approches, en discernant bien sur quoi portent ces convergences et ces divergences. Il s'agit essentiellement des aspects suivants : le type d'objet que les différentes problématiques possibles prennent en compte et la manière dont elles le définissent et le « construisent » à partir de leurs concepts clés, le schème d'intelligibilité sous-jacent et les hypothèses générales, les questions de recherche qu'elles induisent et à partir desquelles elles interrogent la réalité.

3.2. Le deuxième temps : se donner une problématique

Qu'il s'agisse de l'investigation de théories générales ou de théories appliquées à un champ particulier, il faut se garder de vouloir aller « trop loin » sur le plan théorique. Il n'est pas rare que des étudiants, chercheurs ou doctorants perfectionnistes, qui veulent explorer et maîtriser le fin fond des approches théoriques possibles, voire de l'une seule d'entre elles qui les passionne, s'enferment dans une réflexion purement théorique dont ils ne parviennent jamais à sortir parce qu'ils n'en sont jamais satisfaits. À la lecture de chaque nouveau livre ou article intéressant, ils remettent en cause tout leur travail antérieur et ne parviennent jamais à se décider. Combien de thèses inachevées dorment ainsi dans le bureau de chercheurs trop anxieux et trop perfectionnistes auxquels il manque une qualité essentielle : savoir trancher un moment donné et aller de l'avant.

Trancher ne signifie pas s'enfermer dans une vision obtuse. Tout ce qui a été lu, entendu et vu au cours de l'étape exploratoire sera tôt ou tard exploité, d'une manière ou d'une autre. Les perspectives théoriques non explicitement retenues pour la problématique ne seront pas oubliées ; elles resteront comme au repos, en réserve, dans les notes et dans le cerveau, prêtes à être réactivées le moment venu. Mais on ne peut pas tout prendre en compte de toutes les manières possibles ; un fil rouge est nécessaire pour donner sens et cohérence au travail. Il est tissé de la question de départ d'abord, de la problématique ensuite, des hypothèses de recherche enfin... qui s'entrelacent dans la continuité.

■ *Quels critères retenir pour choisir sa problématique ?*

Cinq critères essentiellement.

1) Les arguments de raison. Si différentes approches sont mises à plat et comparées, ce n'est pas pour en rester à un relativisme stérile selon lequel toutes les approches se vaudraient. Le champ scientifique est un champ conflictuel constitué de courants de pensée rivaux et qui sont mis en discussion. Cela fait sa fécondité. S'il n'existe pas plus d'approche théorique idéale qu'il n'existe de vérité absolue, toutes les approches ne se valent pas, certaines sont dépassées voire franchement néfastes (comme le darwinisme social qui justifie la loi du plus fort). La cohérence du champ scientifique procède de la dynamique même de débat interne au champ. Il faut donc choisir une problématique qui résiste au débat et à la faveur de laquelle des arguments forts peuvent être avancés.

2) Pour les chercheurs déjà expérimentés et maîtrisant bien le champ scientifique dans leur propre domaine surtout, un deuxième critère de fond réside dans l'intérêt de choisir une problématique susceptible de *combler une lacune dans les connaissances* et dans la littérature scientifique.

3) Si les arguments de raison doivent évidemment prévaloir, ils ne constituent pas le seul critère à prendre en compte. *La pertinence par rapport aux propres objectifs du chercheur* est elle aussi importante. La recherche appartient d'abord à celui ou à celle qui la réalise. La perspective adoptée doit d'abord l'intéresser et avoir du sens par rapport à ses objectifs. On ne fait bien que ce à quoi on trouve sens, intérêt voire plaisir.

4) *Le réalisme par rapport aux ressources* doit être pris en compte. Le critère indiqué pour la question de départ vaut ici encore. S'engager dans un travail qui dépasse ses propres limites en temps, en moyens matériels, en compétences intellectuelles et en expérience du métier ne peut conduire qu'au découragement et à un résultat de qualité médiocre.

5) Sans confondre cette étape avec la suivante, il peut être utile de prendre également en compte *les perspectives de la problématique en termes d'opérationnalisation*. Certaines approches très alléchantes intellectuellement peuvent ne pas se prêter facilement à la construction précise d'un modèle d'analyse opérationnel. Le risque est alors soit d'en rester à des considérations abstraites, soit de ne pas parvenir à articuler correctement des spéculations théoriques et des observations de terrain effectuées de manière confuse. Celui qui en est à sa première recherche peut hésiter à s'engager dans une aventure trop hasardeuse.

Concrètement, il y a deux manières de s'y prendre :

– la première manière consiste à retenir une approche théorique existante, adaptée au problème étudié et dont on a bien saisi les concepts clés et les idées principales. Par exemple, on peut étudier les positions respectives des principaux partis politiques sur une question d'actualité à partir du concept de champ de Bourdieu, en s'inspirant directement des notions qu'il utilise lui-même et qu'on trouvera soit dans des ouvrages pédagogiques qui exposent sa théorie, soit dans une de ses propres œuvres, en l'occurrence *Propos sur le champ politique* (Lyon, Presses universitaires de Lyon, 2000). Autre exemple, on peut étudier des problèmes rencontrés dans des organisations ou des entreprises (comme un conflit portant sur la mise en place d'un nouvel organigramme ou d'une innovation technologique) à l'aide des outils conceptuels et des hypothèses de l'analyse stratégique des organisations développée par Crozier et Friedberg (*op. cit.*). Autre exemple encore : pour étudier la propagation d'une information dans une collectivité, on peut mobiliser l'analyse des réseaux sociaux et tenter de reconstituer les flux d'information et les différents relais par lesquelles elle est passée. Ou encore, pour étudier les conduites de révolte dans les quartiers populaires, on peut travailler à partir de l'approche de l'acteur social telle que développée par Dubet dans *La Galère. Jeunes en survie* (Paris, Le Seuil, 1987). Pour étudier comment se forme une action collective, on peut utiliser le cadre conceptuel élaboré par McAdam *et al.* (*op. cit.*) avec le concept clé de réseau de micromobilisation. Ce premier scénario consiste donc à exploiter sans rigidité des outils théoriques qui ont déjà fait leurs preuves en y apportant les adaptations ou corrections qui le rendront plus approprié au nouvel objet d'étude. L'application de notre démarche portant sur l'absentéisme des étudiants reprise à la fin de cet ouvrage illustre ce scénario de choix de construction d'une problématique à partir d'un cadre théorique existant ;

– la deuxième manière de s'y prendre consiste à se fabriquer une problématique *ad hoc* à partir d'éléments (concepts, hypothèses, questions de recherche) puisés dans différentes approches théoriques existantes. La seconde application reprise en fin d'ouvrage illustre cette manière de faire. Pour rendre compte des modes d'adaptation au risque de contamination par le virus du sida dans les relations hétérosexuelles de personnes qui ont plusieurs partenaires et/ou dont la vie intime a connu des changements susceptibles de les exposer au risque (multiplication de partenaires successifs dans une phase de découverte des relations sexuelles, rupture brutale d'une relation qui comptait, alternance de séjours dans des pays différents, instabilité chronique recherchée ou non de la vie affective et sexuelle…), les chercheurs ont conjugué trois approches complémentaires : *primo*, la trajectoire personnelle et la position dans le cycle de vie avec les attentes et la vision des choses qu'elles impliquent ; *secundo*, la dynamique des relations dans lesquelles on est engagé avec ses partenaires et la manière dont l'un et l'autre s'impliquent dans chaque relation ; *tertio*, le réseau dans lequel les partenaires sont reliés à d'autres personnes et qui configure un espace de contraintes et d'opportunités spécifiques (Peto *et al.*, *op. cit.*). Les trois dimensions paradigmatiques vues plus haut de structure, de processus et de sens sont clairement présentes dans cette triple approche.

Si l'on adopte ce second scénario, il faut bien entendu éviter de vouloir retenir et articuler toutes les approches théoriques possibles dans une sorte de mégathéorie où chacune se noierait en perdant sa puissance d'élucidation propre et sa valeur ajoutée. Chaque approche exploitée doit l'être avec un opportunisme de bon aloi, non de manière intégrale et fétichiste. Pour se faire ses premières dents, un chercheur non chevronné aura sans doute intérêt à éviter ce second scénario et à lui préférer la première manière de faire.

Expliciter sa problématique est l'occasion de reformuler la question de départ. Cette reformulation remplit deux fonctions qui constituent à la fois deux avantages.

La première est d'obliger à recentrer son projet après avoir élargi les perspectives d'analyse. Pour faire œuvre utile, il faut savoir limiter ses ambitions. Cette limitation doit porter à la fois sur l'objet, sur l'approche théorique et sur le dispositif méthodologique au sens strict.

La deuxième fonction de la reformulation de la question de départ consiste à la préciser davantage dans les termes de l'option théorique développée dans la problématique. Ainsi par exemple, la question qu'Alain Touraine s'est posée à propos de la lutte étudiante (voir étape 1) est liée à son approche théorique actionnaliste, centrée sur le concept de mouvement social. Les exemples de questions associées aux cinq exemples repris en début de chapitre illustrent cette reformulation.

Par ces clarifications, modifications et approfondissements successifs, la question de départ deviendra progressivement et véritablement la question centrale de la recherche dans laquelle se résumera l'objectif du travail.

Comme on le constate, formulation de la question de départ, lectures et entretiens exploratoires, et enfin explicitation de sa problématique sont en étroite interaction. Ces étapes se font constamment écho dans un processus qui est davantage circulaire ou en spirale que strictement linéaire. Si ce processus a été décomposé en étapes distinctes, c'est pour la clarté de l'exposé et pour la progressivité de la formation, non pas parce qu'elles seraient réellement autonomes. Les boucles de rétroaction qui, dans le schéma suivant, remontent d'une étape à la précédente représentent ce processus circulaire.

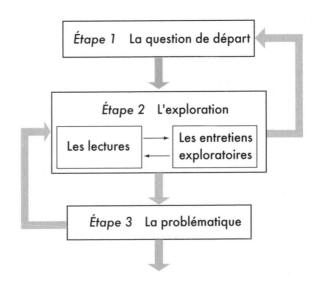

L'interaction qui se manifeste entre ces trois premières étapes se retrouve aussi dans les étapes suivantes. Ainsi, en aval, la problématique n'arrive réellement à terme qu'avec la construction du modèle d'analyse (4e étape). La construction se distingue de la problématisation par son caractère opérationnel car la construction doit servir de guide à l'observation (5e étape).

L'importance de la problématique, pour construire les étapes qui suivent, est clairement établie par Jean-Marie Berthelot (*op. cit.*, p. 39 et sq.) quand il aménage la formule de Popper dans les termes du schéma ci-dessous et avance que « tout discours de connaissance à prétention scientifique doit pouvoir se ramener à ce schéma » :

$$T \rightarrow \{p\} \approx \{e\}$$

où :

T   désigne un « système conceptuel organisé » qui correspond à notre problématique ;

{p} est « un ensemble de propositions explicatives » que nous appelons hypothèses et modèle d'analyse dans la quatrième étape ;

{e} constitue « une classe de propositions empiriques » qui sont en fait les constats observés et les relations empiriques dont les propositions explicatives {p} donnent la clé. Dans notre démarche, ces propositions empiriques sont le produit de l'analyse des informations (6e étape).

Ce passage montre bien les implications méthodologiques de l'exigence scientifique que les étapes suivantes opérationalisent.

RÉSUMÉ DE LA 3e ÉTAPE

La problématique

La problématique est l'approche ou la perspective théorique qu'on décide d'adopter pour traiter le problème posé par la question de départ. Elle est une manière d'interroger les phénomènes étudiés. Construire sa problématique revient à répondre à la question : comment vais-je aborder ce phénomène ?

Concevoir une problématique peut se faire en deux temps.

• Dans un premier temps, on fait le point des problématiques possibles, on en élucide les caractéristiques et on les compare. Pour cela, on part des résultats du travail exploratoire. À l'aide de repères (schèmes d'intelligibilité, modes d'explication) fournis par les cours théoriques ou par des ouvrages de référence, on tente de mettre au jour les perspectives théoriques qui sous-tendent les approches rencontrées et on peut en découvrir d'autres.

☞

• Dans un deuxième temps, on choisit et on explicite sa propre problématique en connaissance de cause. Choisir, c'est adopter un cadre théorique qui convient bien au problème et qu'on est en mesure de maîtriser suffisamment. Pour expliciter sa problématique, on redéfinit le mieux possible l'objet de sa recherche en précisant l'angle sous lequel on décide de l'aborder et en reformulant la question de départ de manière à ce qu'elle devienne la question centrale de la recherche. Parallèlement, on expose l'orientation théorique retenue et on l'aménage en fonction de l'objet de recherche de manière à obtenir un « système conceptuel organisé » approprié à ce que l'on cherche.

Formulation de la question de départ (qui devient au fil du travail la question centrale de la recherche), lectures, entretiens exploratoires et problématisation constituent en fait les composantes complémentaires d'un processus en spirale où s'effectue la rupture et où s'élaborent les fondements du modèle d'analyse qui opérationalisera la perspective choisie.

TRAVAIL D'APPLICATION N° 8
Le choix et l'explicitation d'une problématique

Cet exercice consiste à appliquer à votre recherche les opérations relatives à la construction d'une problématique.

• Quelles sont les différentes approches du problème révélées par vos lectures et par les entretiens exploratoires ?

• De quels modes d'explication relèvent ces différentes approches ? Aidez-vous de vos cours théoriques ou d'un ouvrage qui propose une typologie des schèmes d'intelligibilité ou des modes d'explication du social.

• À la lumière de cette élucidation, quelles sont les différentes perspectives possibles pour votre travail ? Comparez-les.

• Quelles problématiques jugez-vous la plus adaptée à votre projet et pourquoi ? Prenez en compte les critères cités p. 97-98. Retenez de préférence un cadre théorique existant que vous pouvez maîtriser sans trop de difficulté.

• Dans quel contexte de recherche cette problématique a-t-elle déjà été exploitée ? Quels sont les problèmes conceptuels et méthodologiques éventuellement rencontrés dans des recherches antérieures qui s'en inspirent ?

• Comment expliciteriez-vous votre problématique ? Quels en sont les concepts et les idées clés ? Comment reformuleriez-vous la question centrale de votre recherche ainsi que, le cas échéant, les sous-questions de recherche ?

• Après avoir pris connaissance de ces textes complémentaires, ré-explicitez votre problématique.

LA CONSTRUCTION DU MODÈLE D'ANALYSE

LES ÉTAPES DE LA DÉMARCHE

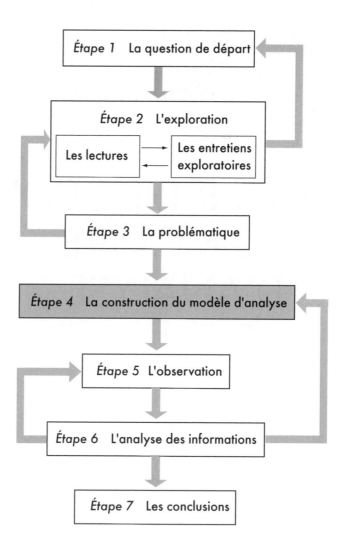

OBJECTIFS

Le travail exploratoire a pour fonction d'élargir les perspectives d'analyse, de prendre connaissance avec la pensée d'auteurs dont les recherches et les réflexions peuvent inspirer celles du chercheur, de mettre au jour des facettes du problème auxquelles il n'aurait sans doute pas pensé par lui-même et, au bout du compte, d'opter pour une problématique appropriée.

Cependant, ces perspectives et ces idées nouvelles doivent pouvoir être exploitées au mieux pour comprendre et étudier de manière précise les phénomènes concrets qui préoccupent le chercheur, sans quoi elles ne servent pas à grand-chose. Il faut donc les traduire dans un langage et sous des formes qui les rendent propres à guider le travail systématique de collecte et d'analyse de données d'observation ou d'expérimentation qui doit suivre. Tel est l'objet de cette phase de construction du modèle d'analyse. Elle constitue la charnière entre la problématique retenue par le chercheur d'une part et son travail d'élucidation qui porte sur un domaine d'analyse forcément restreint et précis d'autre part.

Comme la précédente, cette 4e étape sera développée ici à partir de deux exemples : une fois encore *Le Suicide* de Durkheim – de manière à montrer la continuité entre les étapes d'une démarche méthodologique – ainsi qu'un travail conceptuel préparatoire à une recherche sur la marginalité. À partir de ces deux exemples, les principes d'élaboration et les caractéristiques fonda-mentales des modèles d'analyse pourront mieux apparaître et être systéma-tisés.

1. DEUX EXEMPLES DE CONSTRUCTION DU MODÈLE D'ANALYSE

1.1. Le suicide

Comme nous l'avons vu plus haut, Durkheim voit dans le suicide un phéno-mène social lié notamment à l'état de cohésion de la société. Selon lui, chaque société prédispose fortement ou fiablement ses membres au suicide, même si ce dernier reste également un acte volontaire et, le plus souvent, individuel. Pour géniale qu'elle soit, cette intuition n'en demande pas moins à être développée et confrontée à la réalité.

Cela nécessite d'abord que les notions de suicide et de taux de suicide soient définies de manière précise. C'est ce que fait Durkheim dans l'intro-duction de son ouvrage : « On appelle suicide tout cas de mort qui résulte directement ou indirectement d'un acte positif ou négatif, accompli par la victime elle-même et qu'elle savait devoir produire ce résultat. »

Par cette définition précise, Durkheim entend éviter les confusions qui conduiraient à prendre en compte ce qui ne doit pas l'être, par exemple les cas de personnes se donnant accidentellement la mort, et à omettre ce qui doit être pris en compte, par exemple les cas de personnes qui recherchent et acceptent leur propre mort sans la provoquer matériellement elles-mêmes, comme le soldat qui se sacrifie volontairement sur un champ de bataille ou le martyr qui refuse d'abjurer sa foi jusque dans l'arène. En réduisant au maxi-mum les risques de confusion, cette définition de la notion de suicide permettra en principe à Durkheim de comparer valablement les taux de suicide de différentes régions d'Europe. Quant au taux de suicide, il est égal au nombre de cas correspondant à cette définition qui apparaissent au cours d'une année dans une société donnée, pour un million ou cent mille habi-tants.

Ces deux notions représentent plus que de simples définitions comme on peut en trouver par milliers dans les dictionnaires. Elles s'inspirent d'une idée théorique (ici, la dimension sociale du suicide) qu'elles transposent dans un langage précis et opérationnel permettant, dans le cas qui nous occupe, de rassembler et de comparer des données statistiques. Reliées à la même idée centrale, ces deux notions sont de plus complémentaires. Ensem-ble avec la notion de cohésion sociale, elles expriment une problématique et délimitent clairement l'objet de la recherche. En outre, celle de taux de suicide procure l'unité d'analyse des données recueillies dans ces limites. Ces qualités de transposition d'une idée théorique, de complémentarité et d'opérationalité que possèdent ces notions justifient le fait qu'on les distin-gue nettement des simples définitions en leur attribuant le statut de concepts.

L'élaboration des concepts est appelée conceptualisation. Elle constitue une des dimensions principales de la construction du modèle d'analyse. Sans elle, en effet, on ne peut imaginer un travail qui ne se perde pas dans le flou, l'imprécision et l'arbitraire.

Grâce aux concepts de suicide et de taux de suicide, Durkheim sait quelles catégories de phénomènes il prend en considération. Mais, en eux-mêmes, ces concepts ne lui disent rien sur la manière d'étudier ces phénomènes. Cette fonction importante est assurée par les hypothèses. Celles-ci se présentent sous la forme de propositions de réponse aux questions que se pose le chercheur. Elles constituent en quelque sorte des réponses provisoires et relativement sommaires qui guideront le travail de recueil et d'analyse des données et devront en revanche être testées, corrigées et approfondies par lui. Pour bien comprendre ce qu'elles sont et à quoi elles servent, revenons d'abord à notre exemple.

Dans un premier temps, Durkheim se pose la question des causes du suicide et exprime son intuition selon laquelle ce phénomène est lié au fonctionnement de la société elle-même. Il recherchera donc les causes sociales du suicide. Ce faisant, il définit la problématique de sa recherche.

Dans un deuxième temps, il fait l'hypothèse que le taux de suicide d'une société est lié au degré de cohésion de cette société : moins la cohésion sociale est forte, plus le taux de suicide doit être élevé. Cette proposition constitue une hypothèse car elle se présente sous la forme d'une proposition de réponse à la question des causes sociales du suicide. Cette hypothèse permettra d'inspirer la sélection et l'analyse des données statistiques et, en revanche, ces dernières permettront de l'approfondir et de la nuancer.

Mais avant d'en arriver là, nous constatons que cette hypothèse établit une relation entre deux concepts : celui de taux social de suicide qui a déjà été défini, et celui de cohésion sociale qui demande à être précisé.

Le degré de cohésion d'une société peut en effet être étudié sous divers angles et estimé en fonction de multiples critères. À un tel niveau de généralisation, on ne voit pas encore exactement quels types de données peuvent être retenus pour tester une telle hypothèse.

Comme critère pour estimer le degré de cohésion d'une société, Durkheim retiendra d'abord la religion. La fonction de la religion en matière de cohésion sociale lui semble en effet incontestable au cours du dix-neuvième siècle. On dira dès lors que la cohésion religieuse constitue une « dimension » de la cohésion sociale. Durkheim retiendra également une autre dimension : la cohésion familiale. Mais, pour ce qui nous concerne ici, nous nous limiterons à la cohésion religieuse.

Celle-ci peut être assez aisément estimée à l'aide de ce qu'on appelle des indicateurs. En effet, l'importance relative de la solidarité ou au contraire de l'individualisme des fidèles se manifeste concrètement, selon Durkheim, par la place du libre examen dans la religion considérée, par l'importance numérique du clergé, par le caractère légal ou non de nombreuses prescriptions religieuses, par l'emprise de la religion sur la vie quotidienne ou encore par la pratique de nombreux rites en commun. Grâce à ces indicateurs qui constituent des traits facilement observables, Durkheim rend le concept de cohésion sociale opérationnel. Par suite, son hypothèse pourra être confrontée à des données d'observation.

Schématiquement, les relations entre les éléments dont il vient d'être question peuvent être représentées comme suit :

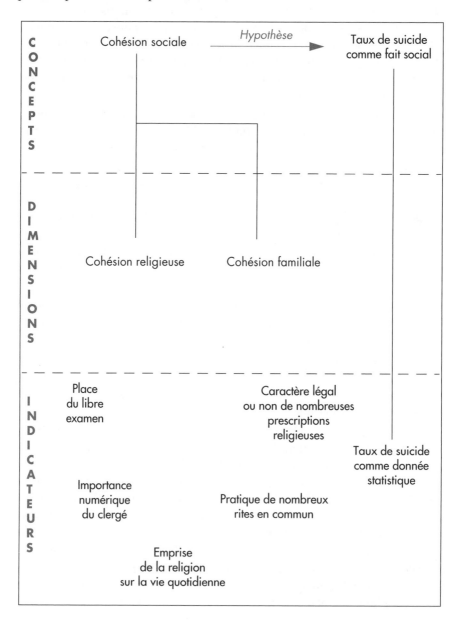

Dans ce premier exemple, on observe que :

1. Cette hypothèse établit une relation entre deux concepts qui correspondent l'un et l'autre à un phénomène concret : d'une part le concept de taux de suicide qui correspond au fait que des personnes se donnent bel et bien la mort et que ces suicides sont plus ou moins nombreux selon la société concernée, et d'autre part le concept de cohésion sociale qui correspond au fait que les membres d'une société sont plus ou moins solidaires ou individualistes.

2. Associés à leurs indicateurs éventuels, les deux concepts qui constituent l'hypothèse sont présentés de telle sorte que l'on perçoit facilement le type d'informations qu'il faudra récolter pour la tester. Le taux de suicide constitue en effet son propre indicateur tandis que la cohésion sociale pourra être estimée grâce aux cinq indicateurs retenus.

3. Grâce aux indicateurs et à la mise en relation des deux concepts par une hypothèse, il sera possible d'observer si les taux de suicide de différentes sociétés varient bien avec leur degré de cohésion sociale. Ainsi mis en relation et opérationalisés, le taux de suicide et la cohésion sociale pourront être appelés, pour cette raison, des variables.

La cohésion sociale dont, par hypothèse, les variations sont censées expliquer les variations du taux de suicide, sera appelée « variable explicative », tandis que le taux de suicide dont, par hypothèse, les variations sont censées dépendre des variations de la cohésion sociale, sera appelé « variable dépendante ». Cette relation est symbolisée par une flèche sur le schéma précédent.

Dans les chapitres suivants de son ouvrage, Durkheim formule une autre hypothèse. À côté du suicide lié à une faible cohésion sociale, qu'il appelle le suicide égoïste, il considère qu'inversement, une très forte cohésion sociale peut également favoriser le suicide. C'est le cas lorsque, animés d'un sentiment aigu de leur devoir, des soldats se sacrifient pour l'honneur de leur régiment et de leur patrie, ou encore lorsque, dans certaines sociétés, les vieillards s'abandonnent à la mort ou se la donnent eux-mêmes pour ne pas encombrer leurs cadets d'un poids inutile et, par là, pensent-ils, pour terminer leur vie dans la dignité. Durkheim parlera alors de suicide altruiste.

Il envisage enfin une troisième forme, le suicide anomique, qui résulterait d'un affaiblissement de la conscience morale qui accompagne souvent les grandes crises sociales, économiques ou politiques. Lorsque les règles morales ne fonctionnent plus comme repères valables pour structurer les conduites des individus, leurs désirs deviennent illimités et ne peuvent être satisfaits à l'aide de leurs ressources. Ce déséquilibre entre les ambitions débridées et les moyens pour les satisfaire provoque inévitablement de graves conflits internes pouvant conduire au suicide.

Ainsi, le système d'hypothèses de Durkheim peut-il finalement être représenté de la manière suivante :

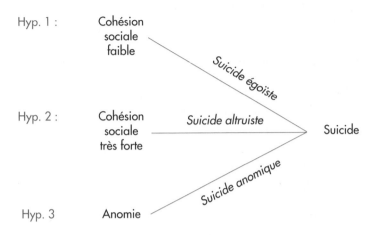

Cet ensemble structuré et cohérent composé de concepts, avec leurs dimensions et leurs indicateurs, et d'hypothèses articulés les uns aux autres constitue ce qu'on appelle le modèle d'analyse d'une recherche. Le construire revient donc à élaborer un système cohérent de concepts et d'hypothèses opérationnels.

1.2. Marginalité et délinquance

Il s'agissait pour l'un d'entre nous de présenter un modèle d'analyse sociologique de la délinquance en guise de contribution introductive à une recherche pluridisciplinaire sur ce thème. Cette recherche a été réalisée par une équipe composée d'animateurs en milieu populaire et de chercheurs universitaires. Les résultats de la première phase, essentiellement exploratoire, ont été publiés dans *Animation en milieu populaire ? Vers une approche pluridisciplinaire de la marginalité* (Bruxelles, Fédération des Maisons de Jeunes en Milieu Populaire, 1981). La contribution de Luc Van Campenhoudt, « La Délinquance comme processus d'adaptation à une décomposition des rapports sociaux : repères sociologiques » (p. 26-33) constitue la base de l'exemple que nous proposons ici. Cependant, le texte original a été retravaillé pour bien mettre en évidence l'opération de construction.

Le modèle d'analyse proposé s'inspire de la perspective générale de la sociologie de l'action telle que conçue par Alain Touraine dans *Production de la société* (Paris, Le Seuil, 1973). Il repose sur deux concepts complémentaires, celui de rapport social et celui d'acteur social.

La délinquance y est considérée comme le fait d'une exclusion sociale, conçue comme une décomposition des rapports sociaux d'une part, et comme un processus de réponse à cette exclusion d'autre part. Se sentant exclu, le délinquant entretiendra son exclusion et sa délinquance parce que c'est à travers celle-ci qu'il essaie de se reconstituer comme acteur social.

À travers ce processus, le délinquant tente de reconstituer avec d'autres un univers social dans lequel il soit admis, reconnu, accepté, et dans lequel il puisse avoir une image gratifiante de lui-même, parce qu'il y joue un rôle. Dans l'univers de la bande, les actes déviants qu'il pose et le rôle qu'il joue lui confèrent en effet une identité, le reconstituent en tant qu'acteur social actif, valorisé, pouvant s'exprimer et se faire entendre.

Dans cette problématique, il ne s'agit pas d'expliquer la délinquance par les caractéristiques personnelles (psychologiques, familiales, socio-économiques…) de l'individu, ni par le fonctionnement de la société globale (qui produirait les délinquants comme autant de victimes passives d'un système dont ils seraient finalement extérieurs), mais bien de tenter de mieux comprendre ce phénomène par la manière dont sont structurés (ou déstructurés) les rapports sociaux dont les jeunes délinquants sont parties prenantes et au travers desquels ils se constituent comme acteurs sociaux.

Cette problématique suggère dans un premier temps, deux hypothèses :

1. Les jeunes délinquants sont des acteurs sociaux dont les rapports sociaux sont fortement décomposés. La violence et le rejet des normes de la société sont leur réponse à cette décomposition ou à cette exclusion sociale dont ils sont l'objet.

2. La délinquance recèle un processus d'adaptation à cette décomposition ; elle constitue une tentative « hors normes » ou déviante de se restructurer comme acteur social.

Ces hypothèses mettent essentiellement en relation deux groupes de concepts principaux : d'un côté ceux de rapport social et d'acteur social, de l'autre celui de délinquance en tant que « condition » (d'exclu) et en tant que processus de restructuration. Voici comment le concept d'acteur social et le modèle qui en découle ont été construits.

L'acteur social est défini par la nature du rapport social dans lequel il est engagé. Cet acteur peut être individuel ou collectif. Par exemple, dans l'entreprise, la direction et le personnel constituent chacun un acteur social qui vit l'expérience d'un rapport social avec l'autre. Il en va de même pour l'enseignant et ses élèves ou pour les autorités publiques et leurs administrés.

Dans tous les cas, un rapport social se présente comme une coopération conflictuelle d'acteurs qui coopèrent à une production (comprise dans son sens le plus large, par exemple de biens ou de services, d'une formation générale ou professionnelle, de l'organisation de la vie collective…) mais qui entrent inévitablement ainsi en conflit en raison de leurs positions inégales dans la coopération ou, ce qui revient au même, de leur emprise inégale sur les enjeux de leur coopération (la définition des objectifs ou la rétribution des prestations par exemple).

Chaque individu est en fait partie prenante d'un ensemble de rapports sociaux en raison de ses coordonnées sociales. Selon l'endroit où il se trouve, le même individu peut être tantôt chef d'entreprise, parent, simple membre d'une association mais président d'une autre, militant politique et maire de sa commune. Dans chacun de ses rapports sociaux, il peut être un acteur fortement ou faiblement structuré selon qu'il coopère ou non à la production et selon qu'il est capable d'en infléchir ou non les orientations, les modalités et les résultats ; selon, en d'autres termes, qu'il est capable ou non de trouver une place dans la coopération et de se défendre dans une relation conflictuelle.

Dès lors, on peut distinguer quatre types abstraits d'acteur social définis par la manière de pratiquer un rapport social, et qui sont représentés par les quatre axes du schéma suivant :

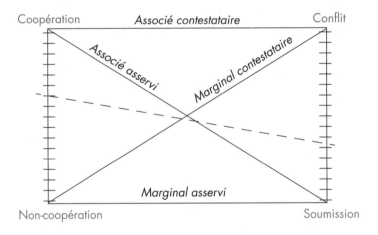

Les situations réelles correspondent rarement à des types aussi tranchés et doivent être le plus souvent représentées par des axes intermédiaires comme, par exemple, le trait en pointillés. C'est qu'en fait, des types ne constituent pas à proprement parler des catégories, mais bien des repères grâce auxquels des situations intermédiaires et plus nuancées peuvent être saisies et comparées.

La construction de ce système conceptuel définit non seulement les concepts de rapports social et d'acteur social, mais contribue à clarifier les hypothèses. La première suggère un lien entre les comportements caractéristiques de la délinquance et une faible structuration des rapports sociaux des individus concernés ; la seconde suppose que la restructuration du rapport social se fait à travers les actes de violence propres à la délinquance.

Dans ce second exemple, on observe que :

1. Une fois encore le modèle d'analyse est composé de concepts et d'hypothèses qui sont étroitement articulés entre eux pour former ensemble un cadre d'analyse cohérent et unifié. Sans cet effort de cohérence, la recherche s'éparpillerait dans diverses directions et, bien vite, le chercheur ne parviendrait plus à structurer son travail.

2. Comme dans la recherche de Durkheim, ce second modèle d'analyse ne comporte que très peu de concepts de base et d'hypothèses. Bien plus, on observe le plus souvent la présence d'une hypothèse centrale qui structure l'ensemble de la recherche de la même manière qu'au départ, le travail a pris appui sur une seule question centrale, même si celle-ci a été remaniée à plusieurs reprises. Bien entendu, il sera le plus souvent nécessaire de définir clairement d'autres concepts auxiliaires ou de formuler quelques hypothèses complémentaires. Mais il faut éviter que la richesse et les nuances de la pensée ne compromettent l'unité de l'ensemble du travail. Ces qualités doivent aller de pair à la faveur d'un effort de structuration et de hiérarchisation des concepts et des hypothèses.

D'autre part, il ne faut pas confondre les concepts constitutifs d'un modèle d'analyse et ceux dont on fait simplement usage dans le cœur du travail et qui font partie du vocabulaire courant des sciences sociales. Si le sens qu'on leur donne s'écarte du sens le plus généralement admis, il sera toujours possible de les définir au moment où on les utilisera pour la première fois.

2. POURQUOI DES HYPOTHÈSES ?

L'organisation d'une recherche autour d'hypothèses de travail constitue le meilleur moyen de la mener avec ordre et rigueur sans sacrifier pour autant l'esprit de découverte et de curiosité propre à tout effort intellectuel digne de ce nom. Bien plus, un travail ne peut être considéré comme une véritable recherche s'il ne se structure autour d'une ou de plusieurs hypothèses. Pourquoi ?

D'abord parce que l'hypothèse traduit par définition cet esprit de découverte qui caractérise tout travail scientifique. Fondée sur une réflexion théorique et sur une connaissance préparatoire du phénomène étudié (phase exploratoire), elle se présente comme une présomption non gratuite portant sur le comportement des objets réels étudiés. Le chercheur qui la formule dit en fait : « Je pense que c'est dans cette direction-là qu'il faut chercher, que cette piste sera la plus féconde. »

Mais en même temps, l'hypothèse procure à la recherche un fil conducteur particulièrement efficace qui, à partir du moment où elle est formulée, remplace la question de recherche dans cette fonction, même si celle-ci doit rester présente à l'esprit. La suite du travail consistera en effet à tester les hypothèses en les confrontant à des données d'observation. Parmi l'infinité des données qu'un chercheur peut en principe recueillir sur un sujet, l'hypothèse fournit le critère de sélection des données dites « pertinentes », à savoir leur utilité pour tester l'hypothèse. Ainsi, Durkheim ne s'embarrasse-t-il pas d'interminables statistiques sur le suicide. Il se contente de celles qui lui paraissent indispensables pour tester et nuancer ses hypothèses, ce qui, en l'occurrence, n'est déjà pas si mal.

Se présentant comme critère de sélection des données, les hypothèses sont, par le fait même, confrontées à ces données. Le modèle d'analyse qu'elles expriment peut être ainsi testé en tant que tel. Même s'il s'inspire du comportement des objets réels, il doit être en retour confronté à ce comportement. Si les hypothèses contribuent à une meilleure compréhension des phénomènes observables, elles doivent en revanche concorder avec ce que nous pouvons en apprendre par l'observation ou l'expérimentation. Le travail empirique ne constitue donc pas simplement une analyse du réel à partir d'un modèle d'analyse ; il procure en même temps le moyen de corriger ce dernier, de le nuancer et de décider à terme s'il convient à l'avenir de l'approfondir ou s'il vaut mieux, au contraire, y renoncer dorénavant.

Sous les formes et les procédures les plus variées, les recherches se présentent toujours comme des va-et-vient entre une réflexion théorique et un travail empirique. Les hypothèses constituent les charnières de ce mouvement ; elles lui donnent son amplitude et assurent la cohérence entre les parties du travail.

3. COMMENT S'Y PRENDRE CONCRÈTEMENT ?

Reste à savoir comment s'y prendre pour élaborer concrètement un modèle d'analyse. Il existe bien entendu de nombreuses voies différentes. Chaque recherche est une expérience unique qui emprunte des chemins propres dont le choix est lié à de nombreux critères comme l'interrogation de départ, la formation du chercheur, les moyens dont il dispose ou le contexte institutionnel dans lequel s'inscrit son travail. Nous pensons cependant une fois encore qu'il est possible de faire des suggestions à la fois ouvertes et précises à ceux qui entament cette importante et difficile étape de la recherche.

Tout d'abord, il faut rappeler qu'une hypothèse se présente comme une réponse provisoire à une question. Avant de mettre au point le modèle d'analyse, il n'est donc jamais inutile de repréciser une dernière fois la question centrale de la recherche. Cet exercice constitue un gage de structuration cohérente des hypothèses.

Ensuite, et toujours en amont du modèle d'analyse proprement dit, la qualité du travail exploratoire a une grande importance. Si les différents textes étudiés ont fait l'objet de lectures approfondies et de synthèses soignées, si celles-ci ont été confrontées les unes aux autres avec attention, si les entretiens et les observations exploratoires ont été exploités comme il se doit, alors le chercheur dispose normalement de nombreuses notes de travail qui l'aideront considérablement dans l'élaboration du modèle d'analyse. Au fur et à mesure de l'avancement du travail exploratoire, des concepts clés et des hypothèses majeures sortiront progressivement du lot, ainsi que les liens qu'il serait intéressant d'établir entre eux. Le modèle d'analyse se prépare en fait tout au long de la phase exploratoire.

Pour construire le modèle, le chercheur peut finalement s'y prendre de deux manières différentes, encore qu'il n'y ait pas de séparation stricte entre elles : soit il met principalement l'accent sur les hypothèses et se préoccupe secondairement des concepts, soit il fait l'inverse. Pour des raisons pédagogiques, nous commencerons par la construction des concepts. Il s'agit en fait maintenant de systématiser ce que nous n'avons abordé jusqu'ici que de manière essentiellement intuitive à l'aide des deux exemples précédents, afin d'apprendre à construire effectivement un modèle d'analyse.

3.1. La construction des concepts

La conceptualisation est plus qu'une simple définition ou convention terminologique. Elle constitue une construction abstraite qui vise à rendre compte du réel. À cet effet, elle ne retient pas tous les aspects de la réalité concernée mais seulement ce qui en exprime l'essentiel du point de vue du chercheur. Il s'agit donc d'une construction-sélection.

Comme nous l'avons vu, construire un concept consiste d'abord à déterminer les dimensions qui le constituent et par lesquelles il rend compte du réel. Ainsi, pour prendre une analogie bien connue, les concepts « triangle » et « rectangle » désignent des réalités à deux dimensions de type volume.

Construire un concept, c'est ensuite en préciser les indicateurs grâce auxquels les dimensions pourront être mesurées. Bien souvent, en sciences sociales, les concepts et leurs dimensions ne sont pas exprimés en termes directement observables. Or, dans le travail de recherche, la construction n'est pas une pure spéculation. Son objectif est de nous conduire au réel et de nous y confronter. C'est là le rôle des indicateurs.

Les indicateurs sont des manifestations objectivement repérables et mesurables des dimensions du concept. Ainsi, les cheveux blancs et rares, le mauvais état de la denture et la peau ridée sont des indicateurs de vieillesse.

Mais dans les pays qui tiennent un registre d'état civil, la date de naissance est un indicateur plus pertinent car il permet une mesure plus précise de l'état de vieillesse.

Cependant, il est des concepts pour lesquels les indicateurs sont moins évidents. La notion d'indicateur y devient alors beaucoup plus imprécise. Celui-ci peut n'être qu'une trace, un signe, une expression, une opinion ou tout phénomène qui nous renseigne sur l'objet de notre construction.

Il est des concepts simples (vieillesse) n'ayant qu'une dimension (chronologique) et un indicateur (âge). D'autres sont très complexes et obligent même à décomposer certaines dimensions en composantes avant d'arriver aux indicateurs. Le nombre de dimensions, composantes et indicateurs varie donc suivant les concepts. Finalement, la décomposition du concept pourra présenter par exemple une forme telle que celle qui est reprise ci-dessous :

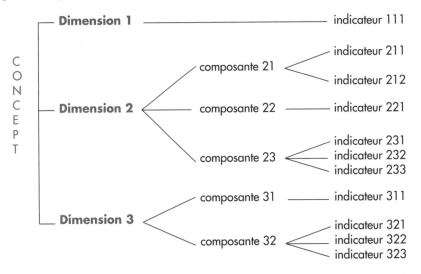

(À la place du terme « indicateur », certains auteurs utilisent le terme « attribut » ; d'autres encore parlent de « caractéristique ». Ces différents termes sont équivalents.)

Il y a deux façons de construire un concept. Chacune correspond à un niveau différent de conceptualisation. L'une est inductive et produit des « concepts opératoires isolés », l'autre est déductive et crée des « concepts systémiques » (P. Bourdieu, J.-C. Chamboredon et J.-C. Passeron, *op. cit.*).

a.   Le concept opératoire isolé

Un concept opératoire isolé (COI) est un concept construit empiriquement à partir d'observations directes ou d'informations rassemblées par d'autres. C'est à travers les lectures et entretiens de la phase d'exploration que l'on peut recueillir les éléments nécessaires à cette construction. Voici un exemple appliqué à l'étude du phénomène religieux, tiré d'une recherche de Y. Glock (cet exemple est exposé dans R. Boudon et P. Lazarsfeld, *Le Vocabulaire des sciences sociales*, Paris, Mouton, 1965, p. 49-59).

Constatant que les études sur la religion aboutissaient à des résultats contradictoires et que chaque auteur concevait la religion à sa manière, Glock s'est attelé à construire le concept de religion de manière précise et nuancée. Des travaux des autres auteurs, il retira les divers aspects de la religion qui peuvent être pris en considération. Il les regroupa autour de quatre axes et composa un COI à quatre dimensions :

1. La dimension expérientielle couvre des expériences de vie spirituelle intense qui donnent à ceux qui y accèdent le sentiment d'entrer en communication avec Dieu ou une essence divine. Dans sa forme extrême, la visite du Saint-Esprit ou l'apparition en sont des indicateurs.

2. La dimension idéologique couvre les croyances concernant la réalité divine et tout ce qui y est associé : Dieu, le Diable, l'Enfer, le Paradis, etc.

3. La dimension ritualiste vise les actes accomplis dans le cadre de la vie religieuse : prière, messe, sacrements, pèlerinage…

4. La dimension conséquentielle concerne la mise en pratique des principes religieux dans la vie quotidienne : pardonner au lieu de rendre coup pour coup, être honnête avec le fisc et dans les affaires au lieu d'essayer de tirer le maximum de profit de l'ignorance de l'autre, etc.

Le tableau ci-dessous reprend l'ensemble des dimensions retenues ainsi que quelques exemples d'indicateurs pour chaque dimension.

Dimensions	Indicateurs
Expérientielle	– apparition – sentiment d'avoir été en communication avec Dieu – sentiment d'intervention de Dieu dans sa vie
Idéologique	– croyance en Dieu – croyance au Diable – croyance à l'Enfer – croyance à la Trinité
Ritualiste	– prière – messe – sacrements – pèlerinage
Conséquentielle	– pardonner à ceux qui font du mal – déclarer tous ses revenus au fisc – maquiller les défauts d'une voiture usagée pour en tirer un bon prix – etc.

S'il est assez facile d'attribuer des indicateurs à la dimension ritualiste, en sélectionner pour chacune des autres dimensions est beaucoup moins évident. La mesure du degré de religiosité n'est donc pas indépendante des indicateurs retenus.

Malgré cela, construire un COI pour observer le phénomène religieux constitue un réel progrès. Même s'il y a divergence sur le poids à accorder à chaque élément, les quatre dimensions et leurs indicateurs permettent de constituer un cadre de référence commun et de donner plus de validité à la mesure du phénomène religieux.

b.   Le concept systémique

Concept induit, empirique, le concept opératoire isolé « religion » reste cependant une construction imparfaite. Ses rapports avec d'autres concepts tels que ceux d'idéologie, de valeurs ou de conscience collective ne sont pas définis.

La rigueur analytique et inductive caractérise les concepts opératoires isolés tandis que la rigueur déductive et synthétique caractérise les concepts systémiques. Leur construction repose sur la logique des relations entre les éléments d'un système théorique.

Le concept systémique n'est pas induit par l'expérience ; il est construit par raisonnement abstrait : déduction, analogie, opposition, implication, etc., même s'il s'inspire forcément du comportement des objets réels et des connaissances acquises antérieurement sur ces objets. Dans la plupart des cas, ce travail abstrait s'articule à l'un ou l'autre cadre de pensée plus général, que l'on appelle une théorie générale ou un paradigme. C'est le cas des concepts de structure, de fonction, de système, de champ, de réseau et d'interaction vus dans l'étape de problématique. C'est aussi le cas du concept d'acteur social présenté plus haut, qui s'inscrit dans le cadre du paradigme de la sociologie de l'action.

Comme nous l'avons vu, ce concept d'acteur social se déduit de celui de rapport social. L'acteur social est en effet un des pôles, individuel ou collectif, d'un rapport social défini comme relation de coopération conflictuelle. Par conséquent, le concept d'acteur social prend nécessairement deux dimensions définies, l'une par la capacité de l'acteur de coopérer, l'autre par sa capacité d'infléchir la gestion de la production dans le cadre d'une relation conflictuelle. Comme le représentent les axes du schéma présenté page 112, différents types d'acteurs peuvent dès lors être construits à partir des combinaisons que l'on peut logiquement concevoir sur base de ces deux dimensions. Nous reprendrons ici cet exemple pour montrer comment s'élabore un concept systémique, avec ses dimensions et indicateurs.

– La dimension « coopération » : composantes et indicateurs

Pour pouvoir caractériser, à l'aide du concept d'acteur social, des acteurs qui existent dans la réalité, il faut pouvoir leur attribuer des caractéristiques qui correspondent aux indicateurs de ce concept. Pour trouver de bons indicateurs de la dimension « coopération », il faut d'abord en préciser les composantes.

La coopération est une relation d'échange caractérisée par une certaine durée, mais aussi par l'inégalité des parties. Ce qui s'échange entre les acteurs, ce sont des ressources et des atouts que chacun possède et dont les autres ont besoin pour réaliser leur projet collectif ou individuel. Comme cet échange est durable, il est régi par des règles formelles et informelles contraignantes. Mais cet échange reste inégal car les atouts, ressources et moyens dont chacun dispose sont différents et inégaux. Un ouvrier sans qualification a moins à offrir, dans l'échange, qu'un technicien hautement spécialisé. L'un devra accepter ce qu'on lui propose comme emploi et comme salaire, l'autre pourra négocier et, si ses compétences sont rares, il pourra même faire pression sur l'employeur pour obtenir un aménagement des règles en sa faveur.

En raison de l'inégalité des moyens et des positions de chacun, les règles qui régissent l'échange se font le plus souvent à l'avantage de celui qui dispose des meilleurs atouts. Ce déséquilibre engendre le conflit et rend donc toute coopération conflictuelle. Nous reviendrons plus loin sur la notion de conflit qui est donc inhérente à la coopération. Pour l'instant, il s'agit d'abord de préciser les composantes de la coopération.

■ *Première composante : des ressources*

Pour coopérer, les acteurs doivent disposer de ressources, atouts ou moyens à échanger. Dans la réalité, cela peut correspondre à des indicateurs tels que les capitaux ou d'autres moyens matériels, les qualifications, les diplômes, les compétences ou les capacités personnelles, le titre, l'expérience, etc.

■ *Deuxième composante : la pertinence des ressources*

Ces atouts ou ressources doivent être pertinents, c'est-à-dire utiles à l'autre partie. La nature de la qualification, sa rareté sur le marché de l'emploi, le niveau d'études et l'expérience acquise sont des indicateurs de la pertinence des ressources.

■ *Troisième composante : la reconnaissance de la valeur d'échange*

Disposer d'atouts pertinents ne suffit pas. Encore faut-il qu'ils soient reconnus comme tels par les acteurs de la coopération. Si une qualité n'est pas validée ou reconnue par un diplôme et garantie par une instance officielle ou prestigieuse, elle perd de sa valeur ; elle n'est pas mobilisable ou négociable dans l'échange coopératif. Cette composante est étroitement associée à la précédente et les indicateurs peuvent être en partie les mêmes : diplômes, certificats ou lettres de recommandation sont des indicateurs de la reconnaissance en même temps que de la pertinence. Il en est d'autres, moins formels, comme le fait d'appartenir à une famille prestigieuse ou d'être sorti d'une faculté particulièrement renommée. Ces deuxième et troisième composantes sont des conditions de validité de la première (atouts ou ressources).

■ *Quatrième composante : l'intégration aux normes ou le respect des règles du jeu*

Pour réaliser les objectifs de l'action collective à laquelle coopèrent les acteurs, ceux-ci doivent mobiliser leurs ressources et les mettre en œuvre conformément aux normes qui organisent la coopération à cette action collective. Le respect de la hiérarchie, des principes, des normes et des usages sont des indicateurs de cette quatrième composante. Au contraire, le désaccord avec la direction, le non-respect des normes et des usages sont des indicateurs de la dimension conflictuelle dont nous parlerons plus loin.

■ *Cinquième composante : le degré d'implication, d'investissement dans l'action collective*

Il y a plusieurs manières de respecter les normes et valeurs du système auquel on coopère. Les extrêmes en sont la conformité passive d'une part et la coopération zélée d'autre part.

La conformité passive consiste à se soumettre aux règles, normes et coutumes sans se poser de question sur leur pertinence ; c'est le cas du ritualiste étudié par Merton. À l'opposé, dans la coopération active, on trouve un acteur zélé qui donne le maximum de lui-même afin d'atteindre au mieux les objectifs de l'action collective.

Les indicateurs de cette composante varient d'une organisation à l'autre ainsi que d'une position à l'autre au sein de chacune de celles-ci. Ainsi, pour un ingénieur, cadre dans une entreprise sidérurgique, un indicateur de cette composante sera le fait de faire gratuitement des heures supplémentaires, alors que pour un employé de banque, cela consistera à garder son calme et son sourire même si le client est désagréable et provocant.

Souvent, la coopération maximale est facilitée lorsque les acteurs partagent les mêmes valeurs ou lorsqu'ils s'accordent sur les finalités du projet auquel ils coopèrent. Ainsi, la connaissance de l'échelle de valeurs des acteurs et leur compatibilité avec celles du système peuvent aussi constituer un indicateur utile de l'implication dans la coopération.

C'est en combinant les informations obtenues à travers les indicateurs de ces cinq composantes que le chercheur peut évaluer la capacité d'un acteur à coopérer et situer cette capacité sur un axe tel que celui-ci :

Capacité de coopération

Faible   Médiane   Forte

Selon la précision de l'information obtenue (qualitative ou quantitative) par les indicateurs, on sera amené soit à se contenter d'un simple classement entre une forte capacité de coopération et une faible capacité de coopération, soit à calculer des niveaux ou, mieux encore, un indice de coopération.

– La dimension « conflit » : composantes et indicateurs

Nous avons vu que la coopération met en relation des acteurs inégalement pourvus d'atouts et que les conditions et les règles régissant les échanges de coopération sont le produit d'un rapport de force, d'une négociation dans laquelle le plus faible, en atout et en habileté à négocier, est bien obligé d'accepter les conditions des plus forts. Le conflit est donc inhérent à la coopération parce qu'il est généré par l'inégalité des parties et institué par les règles qui organisent cette participation. En conséquence, comme deuxième dimension du concept de rapport social, le conflit doit se concevoir comme le processus par lequel chaque acteur essaie d'améliorer sa position et sa maîtrise des enjeux, tout en assurant la coopération nécessaire.

Le conflit n'est donc pas synonyme de rupture et n'implique pas forcément un degré élevé de violence physique, économique ou morale. La dimension conflictuelle du rapport social se présente comme un système d'emprise et de contre-emprise sur les enjeux du rapport. La conduite conflictuelle est donc une conduite de pression sur l'autre acteur, par toutes sortes de moyens, destinée à modifier une situation qui n'est pas jugée satisfaisante. Cette pression peut être soutenue et avoir des moments forts mais elle ne peut compromettre le minimum de participation nécessaire au fonctionnement de l'organisation à laquelle les acteurs coopèrent.

S'ils cessent de coopérer, les acteurs rompent en effet la relation d'échange et perdent toute possibilité d'en retirer quelque bénéfice que ce soit : salaire ou revenus, satisfactions et avantages divers. Ce n'est que dans sa forme extrême que le conflit devient rupture, comme dans le cas de la guerre civile au niveau d'une société globale. La rupture du rapport social ne se produit que lorsque l'un des deux acteurs estime qu'il ne retire plus rien de la coopération telle qu'elle fonctionne, ou du moins qu'il a plus à gagner en en sortant qu'en s'y maintenant.

Étant le produit de l'inégalité des parties et de leur rapport de force, les règles ne sont pas neutres. C'est pourquoi elles sont sources de conflit. Mais, en outre, elles alimentent continuellement le conflit car les règles formelles ne sont pas nécessairement l'effet de la sagesse universelle mais bien d'un nouveau rapport de force. Comme l'expliquent Crozier et Friedberg (*L'Acteur et le système, op. cit.*), elles sont la codification partielle, provisoire et contingente des règles du jeu :

- partielle parce que les règles ne peuvent tout prévoir et que les acteurs tiennent toujours à garder une marge de liberté et évitent de s'enfermer dans un système trop contraignant ;
- provisoire parce que les atouts, circonstances et situations peuvent changer et modifier le rapport de force entre les partenaires ;
- contingente parce qu'étroitement dépendante de ce qui précède ainsi que des perceptions et anticipations que chacune des parties élabore à propos de l'autre.

Vu les caractéristiques des règles de la coopération, on comprend mieux pourquoi l'acteur social se définit autant par la dimension « conflit » que par la dimension « coopération » du rapport social. S'articulant sur l'échange, le conflit porte d'abord sur l'enjeu central que constituent les résultats de l'échange, sur ce que chacun peut en retirer. Il porte ensuite sur les règles du jeu, car c'est à travers les aménagements de celles-ci que chacun peut améliorer ou consolider les gains qu'il retire de la coopération.

À partir de ce qui précède, on peut dégager les composantes du conflit et leurs indicateurs ; ils permettront de situer l'acteur social sur la dimension conflictuelle.

■ *Première composante : la capacité de repérer les acteurs*
  et les enjeux de leur rapport social

La position de l'acteur social dépend de sa capacité à percevoir la coopération comme un processus conflictuel. Ceci implique la perception de deux phénomènes indissociables : les acteurs et leurs enjeux. Pour se structurer comme acteur social dans un rapport donné, un individu doit être capable de repérer lui-même les acteurs en conflit, c'est-à-dire percevoir d'une part l'acteur social dont il est partie prenante et d'autre part l'acteur antagoniste avec lequel il entretient des relations à la fois coopératives et conflictuelles.

Comme c'est à travers les enjeux de leur rapport que les acteurs se constituent comme tels, la capacité de discerner et de définir ces enjeux est indispensable au repérage des acteurs. Pour saisir le degré de structuration d'un acteur social, il faut donc tenir compte de sa capacité à découvrir les enjeux du conflit, c'est-à-dire ce que les uns et les autres peuvent perdre ou gagner en fonction des règles du jeu de leur coopération. Ces enjeux peuvent être économiques (sécurité d'emploi, revenus...), politiques (modification des règles du jeu elles-mêmes...), sociaux (le système hiérarchique, les statuts respectifs…) ou culturels (les finalités, les options idéologiques…).

Les indicateurs qui permettent de visualiser cette composante conflictuelle varient avec le cadre de l'action sociale dans laquelle sont engagés les acteurs : entreprise, école, hôpital ou prison auront des indicateurs spécifiques. Le plus souvent ils apparaissent dans le discours des acteurs concernés soit sous forme de revendication ou d'opposition à des idées, soit sous forme d'action, par exemple : freinage, arrêt de travail ou manifestation.

■ *Deuxième composante : la capacité de percevoir les règles du jeu*
  et de les remettre en question

Il s'agit ici d'évaluer la lucidité et la capacité critique de l'acteur concernant les normes, écrites et non écrites, les usages et interdits qui circonscrivent les enjeux et qui génèrent le conflit. Il s'agit ainsi de repérer les manifestations de désaccord de l'acteur avec les normes et pratiques en vigueur même s'il continue de s'y soumettre.

■ *Troisième composante : se servir de sa marge de liberté*

En principe, cette marge n'est jamais nulle mais encore faut-il que l'acteur en soit conscient et ose s'en servir. Le souci de réussir sa carrière ou la peur de contrarier la direction en exprimant son avis sont des indicateurs d'une faible capacité conflictuelle. Protester, engager un débat, signer une pétition sur des signes d'une capacité conflictuelle.

■ *Quatrième composante : la propension à utiliser ses atouts pour faire valoir*
  son point de vue

Pour repérer la position de l'acteur sur la dimension conflictuelle, il ne suffit pas qu'il soit assez lucide pour comprendre les règles du jeu, repérer les enjeux et découvrir les acteurs antagonistes, il faut aussi qu'il ait des atouts et qu'il soit capable de les utiliser pour se faire entendre ou pour amener l'autre à négocier. Ainsi, pour un cadre d'entreprise, le fait de bien connaître les règles du jeu et de faire des contre-propositions constructives qui s'inscrivent dans la logique du système est l'indicateur d'une forte capacité conflictuelle. En outre, l'expérience de conflits antérieurs, le fait d'être soutenu par des collègues ayant des intérêts convergents et le fait d'avoir des appuis extérieurs puissants sont autant d'exemples d'indicateurs possibles de cette composante.

Rappelons cependant que le choix des indicateurs des composantes de cette dimension conflictuelle dépend du type d'action dans laquelle l'acteur est engagé. Ils ne peuvent donc être donnés d'avance, une fois pour toutes.

On peut dès lors représenter comme suit la construction du concept d'acteur social :

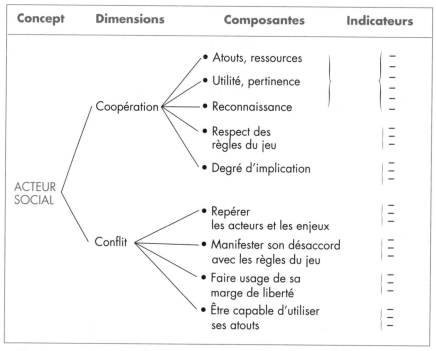

Concept	Dimensions	Composantes	Indicateurs

Atouts, ressources

Utilité, pertinence

Coopération — Reconnaissance

Respect des règles du jeu

Degré d'implication

ACTEUR SOCIAL

Repérer les acteurs et les enjeux

Conflit — Manifester son désaccord avec les règles du jeu

Faire usage de sa marge de liberté

Être capable d'utiliser ses atouts

Ainsi construit, le concept d'acteur social peut faire l'objet d'une observation systématique. Si l'on pouvait pour chaque indicateur exprimer les attributs de l'acteur par 1 ou 0 selon qu'il est ou non porteur de l'attribut désigné par l'indicateur, on pourrait calculer un indice de capacité de coopération et un indice de capacité de conflit qui permettraient de situer l'acteur social dans un espace social défini par les deux dimensions du rapport social qui constituent l'acteur.

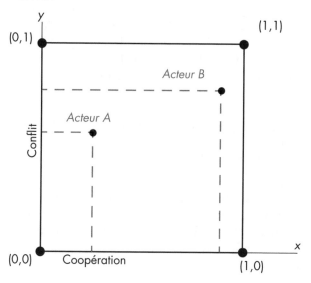

Sur un tel graphique, les coordonnées (*x, y*) précisent les niveaux de coopération et de conflit qui structurent l'acteur. Chaque acteur concret peut alors être représenté par un point situé à l'intérieur du carré formé par les quatre types remarquables d'acteur social : le marginal asservi (0, 0), l'associé asservi (1, 0), le marginal contestataire (0, 1) et l'associé contestataire (1, 1). Il est dès lors possible de comparer plusieurs acteurs et de mesurer leurs différences, ou encore de mesurer les modifications qui affectent le degré de structuration d'un même acteur au cours d'une période donnée par les écarts entre les positions successives de cet acteur.

c.   Concepts systématiques, concepts opératoires isolés et prénotions

Qu'il s'agisse du concept opératoire isolé ou du concept systémique, la construction implique nécessairement l'élaboration de dimensions, composantes et indicateurs. Mais tous les concepts n'ont pas toujours une composition aussi élaborée que celui d'acteur social. Certains concepts peuvent n'avoir qu'une dimension ou une composante correspondant à un seul indicateur, comme par exemple la vieillesse et la date de naissance.

Le concept opératoire isolé et le concept systémique ne se distinguent pas seulement par la méthode de construction, inductive pour le premier et déductive pour le second, mais aussi par le degré de rupture avec les prénotions.

Un concept opératoire isolé est un concept induit. Il reste doublement vulnérable par le fait qu'il est construit empiriquement, d'abord parce que, dans l'induction, on part de ce que l'on perçoit avec l'œil et l'oreille de Monsieur Tout-le-monde. On construit le concept à partir d'observations partielles et d'informations souvent tronquées ou biaisées qui se présentent à nous. De plus, même lorsqu'elle est fondée sur la comparaison, la confrontation ou l'analyse critique, la construction reste sujette aux influences plus ou moins inconscientes de préjugés et schémas mentaux préconçus.

Pour construire le concept opératoire isolé, on part des indicateurs que le réel présente, on sélectionne, on regroupe ou on combine. Dans la construction du concept systémique, la procédure est inverse. On commence par raisonner à partir de paradigmes développés par les grands auteurs et dont l'efficacité a déjà pu être testée empiriquement. On situe le concept par rapport à d'autres concepts et ensuite, par déductions en chaîne, on dégage les dimensions, les composantes et les indicateurs.

Dans ce second scénario, l'indicateur est lui-même une construction de l'esprit, une conséquence logique d'un raisonnement antérieur. Il ne représente plus un état de choses, mais désigne une catégorie mentale à laquelle pourrait correspondre un fait, une trace ou un signe, qui est à découvrir et dont l'absence ou la présence prendra une signification particulière.

Que l'on procède par la méthode inductive ou déductive, la construction conduit toujours à opérer une sélection sur le réel. Le problème crucial de toute construction conceptuelle est donc celui de la qualité de cette sélection. Ainsi pour le concept systémique, la sélection est le produit d'une logique déductive et abstraite, ce qui est considéré comme la manière la plus apte à rompre avec les préjugés. Pour le concept opératoire, la sélection repose aussi sur une construction, mais l'empirisme du procédé inductif le rend plus vulnérable aux préjugés. Le concept opératoire isolé se situe donc à mi-chemin entre le concept systémique et les prénotions.

Au lieu de représenter les concepts opératoires isolés et les concepts systé-miques selon le schéma linéaire d'un rapport hiérarchique, il serait sans doute plus pertinent de les situer dans un rapport dialectique par lequel ils s'éclairent et se défient mutuellement pour faire progresser la connaissance scientifique. Car finalement, ce qui fait la valeur d'un concept, c'est aussi sa capacité heuristique, c'est-à-dire en quoi il nous aide à découvrir et à comprendre. C'est le progrès qu'il apporte à l'élaboration des connaissances.

3.2. La construction des hypothèses

Il n'est d'observation ou d'expérimentation qui ne repose sur des hypothè-ses. Quand elles ne sont pas explicites, elles sont implicites ou, pire, incons-cientes. Et lorsqu'elles ne sont pas explicitement construites, elles conduisent à des impasses ; les informations collectées sont partielles, partiales ou tout simplement inexploitables et ne peuvent confirmer autre chose que les préjugés inconscients qui ont guidé la collecte des données.

a.   Les différentes formes d'hypothèses

Une hypothèse est une proposition qui anticipe une relation entre deux termes qui, selon les cas, peuvent être des concepts ou des phénomènes. Une hypothèse est donc une proposition provisoire, une présomption, qui demande à être vérifiée. Elle peut prendre deux formes différentes.

■ *Première forme*

L'hypothèse se présente comme l'anticipation d'une relation entre un phéno-mène et un concept capable d'en rendre compte.

L'hypothèse qu'a formulée Pasteur sur l'existence des micro-organismes est de ce type, ou encore l'hypothèse que les physiciens ont faite sur la composition de l'atome à l'époque où il était considéré comme la plus petite unité, irréductible, de la matière. Lorsque le sociologue Alain Touraine fait l'hypothèse que l'agitation étudiante en France « porte en elle un mouve-ment social capable de lutter au nom d'objectifs généraux contre une domination sociale » (*Lutte étudiante*, Paris, Le Seuil, 1978), il présuppose une relation entre le phénomène de l'agitation étudiante et le concept de mouvement social qu'il a défini dans son modèle d'analyse. La confrontation de la manière dont des militants étudiants perçoivent et vivent leur lutte avec les caractéristiques théoriques du concept de mouvement social permettra de tester l'hypothèse et, par là, de mieux comprendre la nature de l'action des étudiants. Ces exemples mettent aussi en évidence les liens étroits entre la construction des concepts et celle des hypothèses, car la construction d'un concept se présente déjà comme la formulation implicite d'une hypothèse sur le réel.

■ *Deuxième forme*

Cette deuxième forme est certainement la plus courante en recherche sociale. L'hypothèse se présente alors comme l'anticipation d'une relation entre deux concepts ou, ce qui revient au même, entre les deux types de phénomènes qu'ils désignent.

La relation présumée entre la présence du bacille de Koch et la maladie des tuberculeux est une hypothèse de ce type. En recherche sociale, les deux exemples étudiés plus haut correspondent également à cette forme. L'hypothèse, formulée par Durkheim, selon laquelle le taux de suicide dépend du degré de cohésion de la société, anticipe bien une relation entre deux concepts et, par suite, entre les deux types de phénomènes qu'ils recouvrent. Il en est de même pour l'hypothèse qui établit une relation entre la délinquance et le degré de structuration des individus comme acteurs sociaux.

Sous ces deux formes, l'hypothèse se présente comme une réponse provisoire à la question de départ de la recherche (progressivement revue et corrigée au cours du travail exploratoire et de l'élaboration de la problématique). Pour connaître la valeur de cette réponse, il est nécessaire de la confronter à des données d'observation ou, plus rarement en sciences sociales, d'expérimentation. Il faut, en quelque sorte, la soumettre à l'épreuve des faits.

Dans sa formulation, l'hypothèse doit donc être exprimée sous une forme observable. Cela signifie qu'elle doit indiquer, directement ou indirectement, le type d'observations à rassembler ainsi que les relations à constater entre ces observations afin de vérifier dans quelle mesure cette hypothèse est confirmée ou infirmée par les faits. Cette phase de confrontation de l'hypothèse et de données d'observation se nomme *la vérification empirique*. C'est par la construction des concepts et de leurs indicateurs que l'hypothèse devient observable. Nous reviendrons sous peu, et de manière plus précise, sur les exigences formelles auxquelles doit répondre la formulation d'une hypothèse.

En matière d'hypothèses, on rencontre les mêmes obstacles qu'en matière de conceptualisation. Certaines hypothèses ne sont que des relations fondées sur des préjugés ou stéréotypes de la culture ambiante. Ainsi des hypothèses

telles que « l'absentéisme dans les entreprises augmente avec l'accroissement du nombre de femmes au travail », « le taux de criminalité dans une
ville est liée au taux d'immigrés qui y vivent » ou « le niveau baisse dans
l'enseignement » sont des hypothèses fondées sur des préjugés. Même s'il
est possible de rassembler des statistiques qui leur donnent un semblant de
confirmation, ces hypothèses correspondent au niveau zéro de la construction et, de ce fait, elles conduisent à une compréhension médiocre et défor-
mée de la réalité sociale.

De plus, elles sont inutiles et dangereuses. Inutiles, parce qu'elles sont
généralement démenties dès lors que l'on mène des analyses systématiques
et correctement construites. Produits inconscients de préjugés, elles
n'apportent pas de nouveaux éléments de compréhension et de connaissance. Dangereuses, parce qu'elles peuvent trouver confirmation au niveau
des apparences et donner à l'erreur des allures de vérité scientifique. Elles
consolident alors les idées les plus simplistes et les plus éculées, et renfor-
cent artificiellement certains clivages sociaux sur la base d'erreurs
d'analyse.

b.   Hypothèses et modèles

Construire une hypothèse ne consiste pas simplement à imaginer une relation entre deux variables ou deux termes isolés. Cette opération doit
s'inscrire dans la logique théorique de la problématique. Il est rare d'ailleurs
que l'on s'en tienne à une hypothèse. C'est, le plus souvent, un corps
d'hypothèses que l'on construit. Ces hypothèses doivent donc s'articuler les
unes aux autres et s'intégrer logiquement à la problématique. Il est donc
difficile de parler d'hypothèses sans traiter en même temps du modèle impliqué par la problématique.

Problématique, modèle, concepts et hypothèses sont indissociables. Le
modèle est un système d'hypothèses logiquement articulées entre elles. Or
l'hypothèse est une anticipation d'une relation entre concepts ; donc le
modèle est aussi un ensemble de concepts logiquement articulés entre eux
par des relations présumées. Par conséquence, ce que nous avons écrit à
propos de la construction des concepts reste applicable aux hypothèses et
modèles. Leur construction repose soit sur une procédure inductive semblable à celle du concept opératoire isolé, soit sur un raisonnement de type
déductif analogue à celui du concept systémique.

Le tableau ci-dessous schématise grossièrement les correspondances des
procédures de construction. La méthode hypothético-inductive produit des
concepts opératoires, des hypothèses empiriques et un modèle que Pierre
Bourdieu qualifie de mimétique. La méthode hypothético-déductive construit des concepts systémiques, des hypothèses déduites et un modèle théorique au sens propre du terme.

Concept	Hypothèse	Modèle
Systémique	Théorique ou déduite	Théorique
Opératoire	Induite ou empirique	Mimétique
(Prénotions)	(Sans intérêt et dangereuse)	(Sans objet)

Pour P. Bourdieu, le modèle théorique est le seul qui, par construction, possède un pouvoir explicatif. Le modèle mimétique est purement descriptif et sa qualité scientifique dépend de la distance qu'il prend à l'égard des prénotions (Bourdieu, Chamboredon et Passeron, *op. cit.*).

– *Construction d'hypothèses et modèles induits*

Pour répondre à la question de départ, il suffit rarement d'une seule hypothèse. Souvent, l'hypothèse n'est qu'une réponse partielle au problème posé. D'où l'utilité de conjuguer plusieurs concepts et hypothèses pour couvrir les divers aspects du problème. Cet ensemble de concepts et d'hypothèses articulés logiquement les uns aux autres constitue donc le modèle d'analyse.

Qu'il soit complexe et ambitieux, ou limité à des relations simples entre quelques concepts, la construction du modèle doit répondre à deux conditions : constituer un système de relations et être rationnellement ou logiquement construit. Pour le montrer, partons d'un exemple portant sur les facteurs de réussite scolaire à l'école primaire. La question de départ est donc la suivante : *quels sont les facteurs de réussite à l'école primaire ?*

(Cette question n'a évidemment de sens que dans un système d'enseignement où l'échec est possible. Si ce n'était pas le cas, on peut remplacer « réussite » par « performance scolaire » dans la question.)

Après lecture de quelques ouvrages sur le sujet, on peut formuler plusieurs hypothèses. La réussite serait plus fréquente dans les milieux favorisés, c'est-à-dire dans les familles à gros revenus ou quand le père occupe une position sociale élevée. D'autres auteurs soulignent l'importance de la disponibilité des parents à l'égard de l'enfant. S'ils ont tous les deux une occupation professionnelle qui ne leur laisse pas beaucoup le temps de s'intéresser aux enfants, les résultats scolaires peuvent en souffrir. Enfin, d'autres recherches mettent en évidence l'importance du niveau d'éducation des parents. Plus ce niveau est élevé, plus les parents sont conscients du rôle qu'ils ont à jouer et plus le contexte culturel (conversation, lectures, jeux, films…) est favorable au développement intellectuel de l'enfant.

Toutes ces idées peuvent produire des hypothèses que l'on pourrait confronter à l'observation mais, traitées indépendamment les unes des autres selon le schéma ci-dessous, ces hypothèses, même confirmées, ne permettraient pas de comprendre l'interaction entre les facteurs de la réussite scolaire.

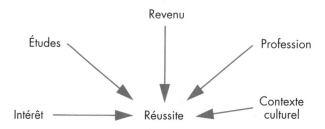

Dans ce cas, on ne peut parler de modèle. Par contre, en raisonnant quelque peu à partir des résultats de recherches antérieures ou d'un travail exploratoire, il est possible de construire un système de relations beaucoup plus éclairant.

Plus le niveau d'études des parents est élevé, plus leur position professionnelle sera importante (H1) et plus les revenus seront élevés (H5). En même temps, le niveau d'éducation, associé à ce niveau d'études, devrait accroître la conscience des besoins de l'enfant ainsi que l'intérêt qu'on lui porte (H2). En outre, il devrait favoriser un contexte culturel propice au développement intellectuel de l'enfant (H3).

Par conséquent, si revenu (H6), intérêt (H7) et contexte culturel (H8) sont réellement élevés dans les familles en question, le taux de réussite des enfants devrait être plus élevé que dans d'autres familles qui ne présentent pas ces caractéristiques.

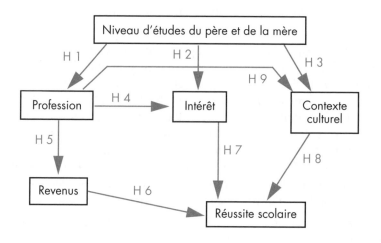

Mais ce n'est pas tout. L'hypothèse (H4) introduit une autre condition. On peut supposer qu'une profession élevée soit affectée de contraintes qui réduisent effectivement les possibilités de s'intéresser au travail scolaire des enfants. Enfin, il faut encore concevoir des hypothèses alternatives pour les familles dans lesquelles les niveaux d'études des parents sont différents.

Pour que le modèle soit confirmé, il faudrait en plus de la confirmation de chaque hypothèse, que les résultats des observations montrent que le taux de réussite scolaire est le plus élevé quand toutes les relations associées à un niveau d'études supérieur sont rencontrées et le plus bas quand le niveau d'études des parents ne dépasse pas le minimum obligatoire. Il faudrait aussi que les cas intermédiaires présentent des taux de réussite significativement différents du précédent. Sinon, le modèle serait caduc. Il se passerait, en réalité, d'autres processus non prévus par le modèle, soit en ce qui concerne les variables utilisées, soit dans leurs relations, soit sur les deux plans à la fois.

L'avantage de la construction d'un tel modèle est double. D'abord, il rend tout le système vulnérable par la déficience d'un seul de ses éléments et il n'accepte, comme vrai, que ce qui est totalement confirmé. En revanche, il est relativement aisé de repérer les infirmités du modèle et d'en revoir la construction à la lumière des résultats obtenus. Ce double avantage disparaît lorsque les hypothèses sont conçues séparément et testées sans articulation entre elles.

– La construction par déduction

Supposons une question de départ sur la délinquance juvénile. La théorie du rapport social et de l'acteur social peut nous aider à comprendre le phénomène. C'est à partir de cette problématique que nous formulerons les hypothèses et le modèle d'analyse. En gros, la problématique peut se résumer comme suit.

Socialisé dès la naissance, l'individu est partie prenante de plusieurs systèmes de rapports sociaux. Dans l'expérience de ces rapports, il se constitue en acteur social coopérant et négociant (conflictuellement) les fruits et les modalités de cette coopération. Image de soi, équilibre et structure de la personnalité sont liés à la manière dont il est structuré comme acteur social et pâtissent dès que sa participation à la coopération et à la négociation tend vers zéro.

S'il se trouve hors jeu et ne peut intervenir pour en modifier les règles, il aura tendance (réaction de défense du moi) à chercher ou à inventer d'autres jeux dans lesquels il pourra nouer de nouveaux rapports sociaux qui l'institueront comme acteur social valable à ses propres yeux.

Cette problématique a conduit à formuler les hypothèses suivantes :

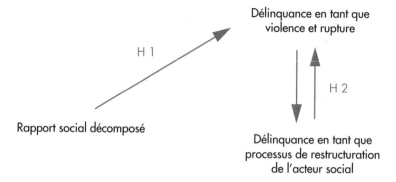

Délinquance en tant que
violence et rupture

H 1

H 2

Rapport social décomposé

Délinquance en tant que
processus de restructuration
de l'acteur social

■ *Hypothèse 1*

Les jeunes délinquants sont des acteurs sociaux qui, par rapport à la société, se caractérisent par une coopération minimale (faible intégration scolaire, peu de perspectives traditionnelles ou chômage, exclusion sociale) et une propension conflictuelle élevée (vandalisme et violence comme rejet de la société).

Ceci est un exemple d'hypothèse conçue comme l'anticipation d'une relation entre un phénomène et un concept capable d'en rendre compte. En outre, cette hypothèse offre la particularité de mettre en relation les deux dimensions de l'acteur social. En effet, la délinquance y est conçue comme une relation entre la coopération et la dimension conflictuelle.

Cette hypothèse peut être représentée par le diagramme ci-dessous. L'hypothèse sera confirmée si les faits révèlent qu'effectivement les délinquants se situent autour du point *X* dont les coordonnées correspondent à une coopération fiable et à une propension conflictuelle élevée.

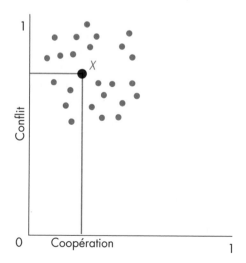

■ *Hypothèse 2*

Parallèlement, ces comportements violents constituent une tentative « hors normes » ou déviante de se restructurer comme acteur social. Autrement dit, ces actions violentes et autres conduites marginales sont les nouveaux jeux dans lesquels les individus se reconstituent comme acteurs par le fait d'y coopérer activement, d'une part, et de pouvoir en négocier les règles et rôles, d'autre part.

Dans cet exemple, les hypothèses ne sont pas le produit empirique d'une observation antérieure ; elles sont le produit théorique d'un raisonnement fondé sur un postulat, en l'occurrence le concept de rapport social, lié lui-même au paradigme de la sociologie de l'action. Ce postulat ne tombe évidemment pas du ciel ; il résulte lui-même d'une confrontation critique des différents paradigmes sociologiques. Cette confrontation porte notamment sur le fait de savoir s'ils conviennent ou non à l'étude de l'objet considéré (ici la délinquance) et s'ils sont susceptibles de conduire à des connaissances nouvelles sur cet objet. C'est en particulier sur ce point que la formation méthodologique s'articule à la formation théorique qui constitue le substrat indispensable de tout travail de recherche de qualité.

En outre, ce modèle est plus qu'un assemblage d'hypothèses séparées les unes des autres, comme dans le premier exemple de modèle d'analyse de la réussite scolaire. Hypothèses et concepts s'impliquent ici mutuellement et sont indissociables. Dans cette application, nous rencontrons en outre un cas courant en recherche sociale où un concept (ici celui de rapport social) constitue à lui seul un modèle qui génère ses propres hypothèses.

Bref, les opérations de construction et les deux méthodes considérées peuvent être résumées par le tableau et le schéma ci-dessous :

Méthode hypothético-inductive	Méthode hypothético-déductive
La construction part de l'observation. L'indicateur est de nature empirique. À partir de lui, on construit de nouveaux concepts, de nouvelles hypothèses et, par là, le modèle que l'on soumettra à l'épreuve des faits.	La construction part d'un postulat ou concept postulé comme modèle d'interprétation du phénomène étudié. Ce modèle génère, par un travail logique, des hypothèses, des concepts et des indicateurs auxquels il faudra rechercher des correspondants dans les faits.

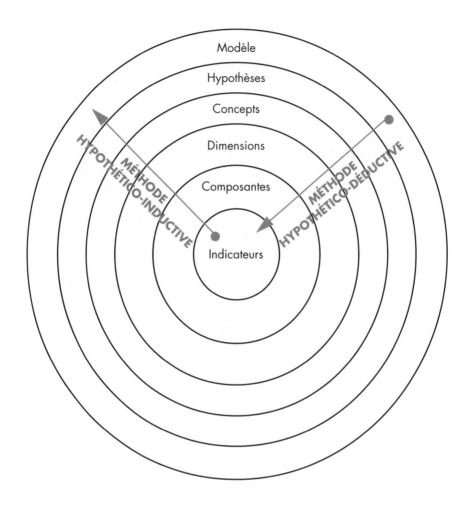

Lorsque des chercheurs font leurs premiers pas sur un terrain qu'ils découvrent pour la première fois, la démarche hypothético-inductive prévaut généralement. Par la suite, lorsqu'ils pressentent le mode de conceptualisation susceptible d'éclairer ce type de terrain, la démarche hypothético-déductive prend progressivement plus d'importance. En réalité, les deux démarches s'articulent plus qu'elles ne s'opposent. Tout modèle comporte inévitablement des éléments de structuration déductive mais aussi inductive (par exemple dans le choix des dimensions et des indicateurs ou dans la formulation d'hypothèses complémentaires). Dans de nombreuses recherches, on observe un jeu fécond entre l'une et l'autre, qui assure à la fois le recul d'une construction et la pertinence de cette construction par rapport à l'objet.

c. Le critère de « falsifiabilité » de l'hypothèse

Une hypothèse peut être testée lorsqu'il existe une possibilité de décider, à partir de l'examen de données, dans quelle mesure elle est vraie ou fausse. Cependant, même si le chercheur conclut à la confirmation de son hypothèse au terme d'un travail empirique conduit avec soin, précaution et bonne foi, son hypothèse ne peut être considérée pour autant comme absolument et définitivement vraie.

Aussi brillantes soient-elles, les conclusions des analyses de Durkheim sur le suicide n'en ont pas moins été largement remises en question par d'autres auteurs. Les uns, comme H.C. Selvin (« Durkheim's "suicide" and problems of empirical research », *American Journal of Sociology*, LXIII, 6, 1958, p. 607-619), ont mis en lumière les faiblesses méthodologiques de la recherche de Durkheim et les biais qu'elles ont introduits dans l'analyse. D'autres, comme M. Halbwachs (*Les Causes du suicide*, Paris, F. Alcan, 1930), procédant à la fois à un examen critique de l'ouvrage de Durkheim et à des recherches complémentaires, ont souligné la fragilité de certaines de ses analyses. Cet auteur reproche notamment à Durkheim de n'avoir pas pris en compte un nombre suffisant de variables dites « de contrôle » destinées à estimer plus correctement l'importance propre de la variable explicative principale. Ainsi, par exemple, l'impact de la religion sur le taux de suicide aurait pu être mesuré plus finement si Durkheim l'avait plus systématiquement confronté avec celui des professions. Dans le *Dictionnaire critique de la sociologie* de Raymond Boudon et François Bourricaud, on trouvera une synthèse des principales critiques qui ont été formulées à l'égard de cette recherche de Durkheim (Paris, PUF, 1982, au mot « Suicide », p. 534-539).

Par ces remarques, ce n'est pas tant la valeur propre du travail de Durkheim qui est ici remise en cause. Ce sont les limites, et c'est le sort de toute recherche quelle qu'elle soit, qui sont d'abord soulignés. Le réel est aussi complexe et changeant que les méthodes de recherche destinées à mieux le comprendre sont grossières et rigides. Nous ne l'appréhendons de mieux en mieux que par touches successives et imparfaites qui demandent sans cesse à être corrigées. En ce sens, un progrès de la connaissance n'est jamais autre chose qu'une victoire partielle et éphémère sur l'ignorance.

Ainsi, on ne démontrera jamais la vérité absolue et définitive d'une hypothèse. Le lot de chacune est d'être tôt ou tard infirmée en tout ou en partie et d'être remplacée par d'autres propositions plus fines qui correspondent mieux à ce que révèlent des observations de plus en plus précises et pénétrantes. Si la réalité ne cesse de se transformer et si les modèles et les méthodes d'observations et d'analyse progressent réellement, il ne peut en effet en être autrement.

Les implications pratiques de ces considérations épistémologiques ne sont pas minces. Sachant que la connaissance résulte de corrections successives, le véritable chercheur ne s'efforcera jamais de prouver à tout prix la valeur d'objectivité de ses hypothèses. Il cherchera au contraire à en cerner aussi justement que possible les limites dans l'espoir, non de les établir, mais bien de les parfaire, ce qui implique *de facto* qu'il les remette en question. Cela ne peut évidemment être envisagé que si le chercheur formule ses hypothèses empiriques sous une forme telle que leur infirmation soit effectivement possible ou, pour reprendre l'expression de Karl R. Popper (*La Logique de la découverte scientifique*, Paris, Payot, 1982) que si ses hypothèses sont « falsifiables ».

Cette qualité postule au moins deux conditions élémentaires et que chacun pourra aisément comprendre sans qu'il soit nécessaire d'entrer ici dans de difficiles questions d'ordre épistémologique qui divisent de nombreux auteurs et qui, bien que très importantes, ne constituent pas l'objet de cet ouvrage.

■ *Première condition*

Pour être falsifiable, une hypothèse doit revêtir un caractère de généralité. Ainsi, les hypothèses de Durkheim sur le suicide peuvent encore être testées aujourd'hui à partir de données actuelles ou récentes. Cela n'aurait pas été possible si Durkheim avait formulé ses hypothèses sur le modèle suivant : « Le taux de suicide particulièrement élevé en Saxe entre les années 1866 et 1878 est dû à la faible cohésion de la religion protestante » (à partir d'un tableau de Durkheim, *op. cit.*, p. 14). Non seulement une telle hypothèse ne nous aurait pas appris grand-chose sur le suicide comme phénomène social en tant que tel et nous n'aurions pas estimé utile de tester aujourd'hui encore une telle hypothèse. Mais, même si telle était notre intention, nous aurions éprouvé les pires difficultés pour y procéder en raison du fait qu'il s'agit d'un phénomène local et singulier à propos duquel il nous serait d'ailleurs difficile de recueillir de nouvelles données plus fiables que celles dont disposait Durkheim à son époque.

Cet exemple nous indique une distinction essentielle. Le taux de suicide en Saxe fut donc une donnée utile pour vérifier une hypothèse de caractère plus général sur le lien que Durkheim établit entre le taux de suicide et la cohésion de la société et, en revanche, une telle hypothèse a pour fonction de mieux éclairer les situations particulières. Mais nous voyons que l'hypothèse et le taux de suicide en Saxe relèvent l'une et l'autre de deux niveaux différents : la première est une proposition qui possède un caractère de généralité ; la seconde constitue une donnée relative à une situation singulière et non reproductible.

On comprendra aisément qu'une proposition qui ne possède pas ce caractère de généralité ne peut faire l'objet de tests répétés et, n'étant pas falsifiable, ne peut être tenue pour hypothèse scientifique au sens strict. Ainsi, la proposition : « L'entreprise Machin a fait faillite en raison de la concurrence étrangère » est une interprétation d'un événement singulier. Peut-être s'inspire-t-elle d'une hypothèse relative à la restructuration mondiale de la production qui possède quant à elle un certain degré de généralité mais elle n'en constitue pas une en elle-même.

Ce problème de l'articulation entre le général et le singulier se pose de manière très différente selon la discipline et les ambitions du chercheur. L'historien travaille par définition à partir d'événements uniques et ne peut, comme le chimiste, reproduire indéfiniment la même expérience dans son laboratoire. D'autre part, celui qui entend travailler « pour la Science » s'imposera des contraintes méthodologiques plus strictes que celui qui cherche « simplement » à mieux comprendre un événement présent mais souhaite néanmoins mettre en œuvre dans ce but une démarche d'analyse réfléchie, inspirée de la pratique des chercheurs. Lorsque Popper écrit que « des événements singuliers non reproductibles n'ont pas de signification pour la science » (p. 85), il songe principalement à la démarche scientifique dans les sciences naturelles dont le modèle ne peut évidemment être appliqué tel quel aux sciences humaines, qui n'ont ni les mêmes objectifs, ni des objets d'études de natures comparables.

■ *Deuxième condition*

Une hypothèse ne peut être falsifiée que si elle accepte des énoncés contraires qui sont théoriquement susceptibles d'être vérifiés. La proposition « Plus la cohésion sociale est forte, plus le taux de suicide est faible » accepte au moins un contraire : « Plus la cohésion sociale est forte, plus le taux de suicide est élevé ». La vérification, fût-elle partielle et très locale, d'une telle proposition conduirait à infirmer tout ou partie l'hypothèse de départ. Pour que cette hypothèse soit falsifiable, il est donc indispensable que de tels énoncés contraires puissent être formulés.

C'est d'ailleurs ce qu'il advint en quelque sorte de l'hypothèse de Durkheim, puisqu'il fut amené à considérer le suicide altruiste comme le résultat d'une cohésion sociale très forte : « Si une individuation excessive conduit au suicide, une individuation insuffisante produit les mêmes effets. Quand l'homme est détaché de la société, il se tue facilement, il se tue aussi quand il est trop fortement intégré » (*op. cit.*, p. 233).

Cette seconde condition permet de comprendre le critère de vérification d'une hypothèse que suggère Popper : une hypothèse peut être tenue pour vraie (provisoirement) tant que tous ses contraires sont faux. Ce qui implique bien entendu que les deux conditions que nous avons soulignées soient réunies : *primo*, que l'hypothèse revête un caractère de généralité, et *secundo* qu'elle accepte des énoncés contraires qui sont théoriquement susceptibles d'être vérifiés.

Comme nous l'avons déjà fait remarquer, les critères de scientificité suggérés par Popper ne peuvent être appliqués de la même manière dans les sciences naturelles et dans les sciences humaines. Si nous les avons mis en évidence ici, cela ne signifie donc en aucune façon que, de notre point de vue, les secondes doivent prendre les premières pour modèle. Le débat est infiniment plus complexe. Nous pensons simplement que cette brève et très sommaire introduction à la signification et aux limites de la vérification empirique aux yeux d'un des plus illustres épistémologues de ce siècle devrait aider chacun à mieux saisir l'essence profonde de l'esprit de recherche.

Nous y reviendrons au moment opportun, soit en présentant les objectifs de l'étape d'observation qui va suivre. À ce stade-ci, nous pouvons déjà souligner que cet esprit de recherche se caractérise par la remise en question perpétuelle des acquis provisoires et par le souci de s'imposer des règles méthodologiques qui obligent à concrétiser cette disposition à chacune des étapes du travail. Sans doute le chercheur en sciences sociales doit-il, pour une large part, s'imposer d'autres contraintes que son collègue physicien. Toutefois, les caractéristiques propres de sa démarche ne le dispensent pas de procéder avec précaution, dans le plus élémentaire respect de l'esprit de recherche et de progrès intellectuel. Trop souvent on entend encore des énoncés irréfutables qui s'accompagnent généralement d'un souverain mépris pour ceux qui refusent de les accepter a priori.

RÉSUMÉ DE LA 4ᵉ ÉTAPE
La construction du modèle d'analyse

Le modèle d'analyse constitue le prolongement naturel de la problématique en articulant sous une forme opérationnelle les repères et les pistes qui seront finalement retenus pour présider au travail d'observation et d'analyse. Il est composé de concepts et d'hypothèses qui sont étroitement articulés entre eux pour former ensemble un cadre d'analyse cohérent.

La conceptualisation, ou construction des concepts, constitue une construction abstraite qui vise à rendre compte du réel. À cet effet, elle ne retient pas tous les aspects de la réalité concernée mais seulement ce qui en exprime l'essentiel du point de vue du chercheur. Il s'agit donc d'une construction-sélection. La construction d'un concept consiste dès lors à désigner les dimensions qui le constituent et, ensuite, à en préciser les indicateurs grâce auxquels ces dimensions pourront être mesurées.

On distingue les concepts opératoires isolés qui sont construits empiriquement à partir d'observations directes ou d'informations rassemblées et les concepts systémiques qui sont construits par raisonnement abstrait et se caractérisent, en principe, par un degré de rupture plus élevé avec les préjugés et l'illusion de la transparence.

☞

☞

Une hypothèse est une proposition qui anticipe une relation entre deux termes qui, selon les cas, peuvent être des concepts ou des phénomènes. Elle est donc une proposition provisoire, une présomption, qui demande à être vérifiée. Dès lors, l'hypothèse sera confrontée, dans une étape ultérieure de la recherche, à des données d'observation.

Pour pouvoir faire l'objet de cette vérification empirique, une hypothèse doit être falsifiable. Cela signifie d'abord qu'elle doit pouvoir être testée indéfiniment et donc revêtir un caractère de généralité, et ensuite, qu'elle doit accepter des énoncés contraires qui sont théoriquement susceptibles d'être vérifiés.

Seul le respect de ces exigences méthodologiques permet de mettre en œuvre l'esprit de recherche qui se caractérise notamment par la remise en question perpétuelle des acquis provisoires de la connaissance.

TRAVAIL D'APPLICATION N° 9

Définition des concepts de base et formulation des hypothèses principales de la recherche

Pour effectuer cet exercice avec bénéfice, gardez à l'esprit ces quelques suggestions :

- Partez d'une question précise, telle que revue et corrigée au terme du travail exploratoire et de la problématique.

- Ne brûlez pas les étapes. Cet exercice constitue l'aboutissement naturel d'un travail exploratoire correctement mené et d'une réflexion sur la problématique retenue.

- Consultez les bons auteurs. N'hésitez pas à leur emprunter leurs concepts et à vous inspirer de leurs hypothèses. Dans ce cas, soyez soucieux d'indiquer clairement vos références et vos emprunts. Il s'agit d'une question d'honnêteté mais il y va en outre de la validité externe de votre travail.

- Veillez à la cohérence de votre modèle d'analyse : mettez clairement en évidence les relations que vous envisagez entre les concepts et les hypothèses.

- Ne cherchez pas pour autant midi à quatorze heures. Veillez toujours à être aussi clair et simple que possible. Souvenez-vous que la qualité prime sur la quantité : un ou deux concepts centraux et une ou deux hypothèses principales suffisent le plus souvent. Ne vous préoccupez des concepts et hypothèses secondaires qu'après avoir acquis la certitude que vos concepts et hypothèses centraux sont bien choisis.

TRAVAIL D'APPLICATION N° 10

Explicitation du modèle d'analyse

Cet exercice consiste à détailler et à rendre opérationnels les hypothèses et les concepts principaux définis dans l'exercice précédent. Il vous est en effet demandé :

– *pour les concepts* : de définir leurs dimensions éventuelles et leurs indicateurs ;

– *pour les hypothèses* : d'identifier les variables annoncées par chacune des hypothèses et de préciser le lien que l'hypothèse suggère entre elles.

Cinquième étape

L'OBSERVATION

LES ÉTAPES DE LA DÉMARCHE

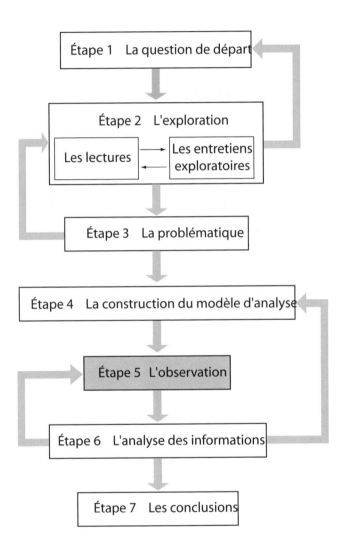

OBJECTIFS

L'observation comprend l'ensemble des opérations par lesquelles le modèle d'analyse (constitué d'hypothèses et de concepts avec leurs dimensions et leurs indicateurs) est soumis à l'épreuve des faits, confronté à des données observables. Au cours de cette phase, de nombreuses informations sont donc rassemblées. Elles seront analysées systématiquement au cours de l'étape suivante. Comme en physique ou en chimie, l'observation peut prendre la forme de l'expérimentation, mais nous n'en parlerons pas ici car les conditions d'application de l'expérimentation sont trop rarement réunies en recherche sociale.

L'observation – parfois appelée « travail de terrain » – est une étape essentielle dans toute recherche en sciences sociales. Ces disciplines peuvent en effet être considérées comme des disciplines « empiriques » en ce sens qu'elles impliquent toujours la récolte et l'analyse d'un matériau « concret » telles que des réponses aux questions posées dans un questionnaire, des données statistiques, des propos recueillis dans le cadre d'entretiens, des documents produits par une organisation quelconque (comme une entreprise, une administration ou un journal), des documents audiovisuels ou des observations effectuées directement sur les lieux de vie des personnes étudiées.

Ce matériau « concret » n'est pas pour autant un matériau « brut » car il ne saurait être saisi indépendamment des outils utilisés à cette fin (concepts, méthodes et techniques). Par exemple, un taux de suicide n'est pas une réalité brute, il est une information ou une donnée construite à l'aide d'outils méthodologiques (essentiellement une définition précise de la notion de suicide, un dispositif relativement complexe de comptage des cas de suicide et un mode de calcul du taux de suicide) mais qui n'en vise pas moins à rendre compte de la réalité et qui doit donc être en concordance avec elle. En l'occurrence, cette « réalité brute » est le fait que, chaque année, dans une population donnée, plusieurs milliers de personnes accomplissent délibérément un acte conduisant à leur propre mort. Ni réalité brute, ni pure abstraction, un matériau de recherche « concret » est une information sur la réalité qui est produite par le dispositif de recherche.

Avant d'entrer dans le cœur de cette étape, il importe de bien comprendre le sens de l'observation dans la recherche sociale. Ce sens est triple :

– premièrement, l'observation vise à tester les hypothèses. À ce titre, l'observation occupe une place nécessaire dans l'ensemble du dispositif de recherche et participe de sa cohérence générale. C'est essentiellement dans cette cohérence générale que réside la validité de la démarche. Plus précisément, la rigueur consiste en l'adéquation entre les enseignements avancés au terme de la recherche et ce qui permet de les avancer : des concepts judicieusement choisis et définis avec précision, des hypothèses explicitées et bien construites et, pour ce qui concerne cette étape, des dispositifs de récolte et d'analyse d'un matériau empirique correctement conçus et mis en œuvre ;

– deuxièmement, l'observation confère à la recherche un principe de réalité. Si la spéculation théorique occupe une place importante dans les sciences sociales, comme dans pratiquement toutes les disciplines scientifiques, cette spéculation doit « avoir les pieds sur terre ». Les idées du chercheur doivent être en concordance avec ce que la réalité sociale laisse voir sur elle-même et « se connecter directement aux expériences réelles des gens ainsi qu'à ce qu'ils pensent » comme disent A. Strauss et J. Corbin, porte-parole de la « théorie enracinée » – mieux connue sous son appellation anglaise originale de *Grounded Theory* – (*Les Fondements de la recherche qualitative*, Academic Press, Fribourg, 2004, p. 22). Ceci ne signifie pas qu'il faille prendre tout propos pour de l'argent comptant mais bien que, pour saisir quelque phénomène social que ce soit, il faut pouvoir appréhender son incidence sur les consciences de ceux et celles qui le vivent ;

– troisièmement, enfin et sans doute surtout, le sens profond de l'empirie est celui-ci : se mettre systématiquement et délibérément en situation d'être surpris. Loin de conduire à s'enfermer dans une conviction, la construction et le formalisme de la méthode doivent au contraire contraindre à explorer des aspects du phénomène étudié qui ne cadrent pas forcément avec les intuitions de départ. Correctement conçues, les contraintes méthodologiques ne constituent pas un carcan ; bien au contraire, elles servent à contraindre le chercheur à voir ce qu'il ne pensait pas voir. Car, pour se mettre systématiquement en situation d'être surpris, il faut adopter une démarche... systématique qui oblige à « ratisser » en des lieux et selon des manières qui rendent la surprise plus que plausible, probable. Les règles en matière de construction du modèle d'analyse, de construction d'échantillon, d'analyse des données, la conduite à adopter au cours d'un entretien ou d'une observation ne sont que quelques exemples de cette systématisation de la démarche. Tantôt les découvertes surprenantes ainsi rendues possibles emballent le chercheur car elles l'entraînent vers de nouvelles explorations, tantôt elles lui posent problème car elles réclament une remise en cause plus ou moins profonde des hypothèses. Mais telle est la loi du genre. Il en découle qu'une bonne hypothèse n'est pas une hypothèse qui se vérifie mais bien une hypothèse qui favorise la découverte. Considérer l'observation comme la récolte opportuniste de données favorables aux hypothèses de recherche que le « chercheur » tiendrait obstinément à vérifier est à l'opposé de l'esprit de la recherche et disqualifie sans pardon son travail. Une hypothèse n'est pas une idée fixe et le travail empirique n'est pas une manipulation de données en fonction d'un préjugé ni même d'une cause, aussi généreuse soit-elle.

Une certaine souplesse méthodologique est certes souhaitable et les directives et conseils présentés dans cet ouvrage ne doivent pas être appliqués de manière fétichiste ou ritualiste. Pour autant, il ne s'agit pas de faire n'importe quoi n'importe comment au nom de la souplesse et de l'inventivité. Car c'est l'inventivité elle-même qui, paradoxalement, en pâtirait. Le substantif « discipline » dans le vocable « discipline scientifique », tant entré dans le vocabulaire qu'on n'y fait plus guère attention, prend ici tout son sens.

Concernant l'étape d'observation, cette systématisation de la démarche peut être construite autour de trois questions auxquelles le chercheur devra répondre avant de se lancer sur le terrain ou sur la collecte de ses données :

– observer quoi ?
– sur qui ?
– comment ?

1. OBSERVER QUOI ? LA DÉFINITION DES DONNÉES PERTINENTES

De quelles données un chercheur a-t-il besoin pour tester ses hypothèses ?

De celles qui sont définies par les indicateurs. Pour illustrer cette réponse, reprenons l'exemple de la recherche de Durkheim sur le suicide. Pour tester l'hypothèse sur les liens entre la cohésion religieuse et le taux de suicide, quelles données sont nécessaires ? Chacun peut répondre facilement : d'une part, des données lui permettant de calculer les taux de suicide de plusieurs contrées aussi peu différentes que possible, sauf bien entendu sur le plan de la religion et, d'autre part, des données relatives à la cohésion religieuse.

Comme la cohésion religieuse n'est pas directement observable, Durkheim a fait porter ses observations sur des indicateurs tels que l'importance numérique du clergé, le nombre de rites et de croyances partagés en commun ou la place du libre examen. En réalité, Durkheim a donc dû rassembler des données relatives, non à une simple variable en tant que telle, mais bien à plusieurs indicateurs de cette variable. Cette indispensable décomposition de la variable multiplie donc les données à récolter et exige un travail soigneusement structuré et organisé. Il a d'ailleurs été reproché à Durkheim le caractère peu opérant et assez flou de l'indicateur « place du libre examen ».

En outre, il faut aussi faire porter l'observation sur les indicateurs des hypothèses complémentaires. Pour estimer correctement l'impact d'un phénomène (la cohésion de la société) sur un autre (le suicide), il ne suffit pas d'étudier les relations entre les deux seules variables annoncées par l'hypothèse. La prise en considération de variables de contrôle est indispensable car les corrélations observées, loin de traduire des liens de cause à effet, peuvent résulter d'autres facteurs qui relèvent du même système d'interaction. Il faudra donc récolter un certain nombre de données relatives à d'autres variables que celles qui sont explicitement prévues dans les hypothèses principales.

Pour éviter que le chercheur ne soit submergé par une masse trop volumineuse de données difficilement contrôlables, cet élargissement de la récolte des données sera néanmoins mené avec parcimonie. Il se limitera aux observations prescrites par les indicateurs relevant des hypothèses complémentaires formulées par le chercheur. Sur quelque phénomène que ce soit, il est possible de produire ou de récolter une infinité de données. Mais quelle signification leur attribuer si elles ne s'inscrivent pas dans le cadre d'un modèle d'analyse ?

En recherche sociale, il s'agit au contraire de ne rassembler que les données utiles à la vérification des hypothèses, à l'exclusion des autres. Ces données nécessaires sont appelées très justement les données pertinentes. En revanche, les données surnuméraires égarent le chercheur et le conduisent dès lors à fournir un travail dont l'ampleur est généralement proportionnelle à la médiocrité.

Le problème de la définition des données nécessaires pour tester les hypothèses n'est pas aussi simple qu'il paraît de prime abord. Il n'existe aucune procédure technique permettant de résoudre cette question de manière standardisée. À ce point de vue comme à beaucoup d'autres, chaque recherche est un cas d'espèce que le chercheur ne peut résoudre qu'en faisant appel à sa propre réflexion et à son bon sens.

Pour s'aider dans cette tâche, il dispose de guides, les hypothèses, et de points de repère, les indicateurs. Le meilleur – et le seul – moyen de définir aussi justement que possible les données pertinentes utiles au travail empirique consiste donc à élaborer un modèle d'analyse aussi clair, précis et explicite que possible.

2. OBSERVER SUR QUI ? LE CHAMP D'ANALYSE ET LA SÉLECTION DES UNITÉS D'OBSERVATION

2.1. Le champ d'analyse

Il ne suffit pas de savoir quels types de données devront être rassemblés. Il faut encore circonscrire le champ des analyses empiriques dans l'espace géographique et social et dans le temps. À cet égard, deux situations peuvent se présenter.

• *Première situation* : le travail porte sur un phénomène ou un événement singulier, par exemple les réseaux de communication au sein d'un service hospitalier particulier, le recrutement d'une école ou l'échec d'une conférence internationale. Dans ce cas, l'objet du travail définit lui-même *de facto* les limites de l'analyse et le chercheur ne rencontrera pas de difficulté à cet égard. Pour éviter les malentendus et travailler sans se disperser, il sera néanmoins nécessaire de préciser explicitement les limites du champ d'analyse, même si elles semblent évidentes : période de temps prise en compte, zone géographique considérée, organisations et acteurs sur lesquels l'accent sera mis, etc.

• La *deuxième situation* est celle du *Suicide* de Durkheim : le chercheur met l'accent non sur des phénomènes singuliers mais bien sur des processus sociaux. Dans ce cas, des choix s'imposent. Par exemple, Durkheim a dû choisir les pays sur lesquels l'analyse a porté. Ces choix doivent être raisonnés en fonction de plusieurs critères.

Au premier rang d'entre eux se trouvent les hypothèses de travail elles-mêmes et ce qu'elles dictent au bon sens. Comme nous l'avons vu plus haut, les hypothèses de Durkheim l'obligeaient pratiquement à choisir, comme principal champ d'analyse, des pays aussi peu différents que possible les uns des autres, sauf sur le plan de la religion. En réalité, il est très courant que de telles implications s'imposent assez naturellement aux chercheurs.

Un deuxième critère très important dans la pratique n'est autre que la marge de manœuvre du chercheur : les délais et les ressources dont il dispose, les contacts et les informations sur lesquels il peut raisonnablement compter, ses propres aptitudes notamment dans les langues étrangères, etc. On ne s'étonnera pas que, le plus souvent, le champ de recherche soit situé dans la société où le chercheur vit lui-même. A priori, cela ne constitue ni un inconvénient, ni un avantage.

Quoi qu'il en soit, le champ d'analyse demande à être très clairement circonscrit. Une erreur très courante chez les chercheurs débutants consiste à le choisir beaucoup trop large. Un étudiant réalisera volontiers un travail sur le sous-développement à partir d'un examen sommaire de diverses données relatives à une bonne dizaine de pays différents tandis que, pour sa part, un chercheur qui prépare une thèse concentrera ses analyses sur une communauté de dimension très réduite dont il étudiera avec soin l'histoire, le fonctionnement politique, les structures sociales et économiques, et les représentations culturelles et religieuses, par exemple. Paradoxalement, le travail empirique n'apporte souvent des éléments fiables de contrôle d'hypothèses de caractère général que si lui-même se présente au contraire comme un examen précis et approfondi de situations singulières.

2.2. L'échantillon

Le propre des sociologues est, en principe, d'étudier les ensembles sociaux (par exemple une société globale ou des organisations concrètes dans une société globale) comme des totalités différentes de la somme de leurs parties. Ce sont les comportements d'ensemble qui l'intéressent au premier chef, leurs structures et les systèmes de relations sociales qui les font fonctionner et changer, non, pour eux-mêmes, les comportements des unités qui les constituent. Mais, même dans ce type de recherches spécifiquement sociologiques, les informations utiles ne peuvent souvent être obtenues qu'auprès des éléments qui constituent l'ensemble. Pour connaître le mode de fonctionnement d'une entreprise, il faudra, le plus souvent, interroger ceux qui en font partie, même si l'objet d'étude est constitué par l'entreprise elle-même et non par son personnel. Pour étudier l'idéologie d'un journal, il faudra analyser les articles publiés, même si ces articles ne constituent pas, en eux-mêmes, l'objet de l'analyse.

La totalité de ces éléments, ou des « unités » constitutives de l'ensemble considéré est appelée « population » ; ce terme pouvant désigner aussi bien un ensemble de personnes, d'organisations ou d'objets de quelque nature que ce soit.

Une population étant délimitée (par exemple la population active d'une région, l'ensemble des entreprises d'un secteur industriel ou les articles publiés dans la presse écrite sur un sujet donné au cours d'une année), il n'est pas pour autant toujours possible, ni d'ailleurs utile, de rassembler des informations sur chacune des unités qui la composent. La banalisation des sondages d'opinion a appris au grand public qu'il est possible d'obtenir une information fiable relative à une population de plusieurs dizaines de millions d'habitants en n'interrogeant que quelques milliers d'entre eux.

Cependant le recours aux techniques d'échantillonnage n'est pas propre aux sondages d'opinion qui, lorsqu'ils sont effectués indépendamment d'une problématique théorique, comme c'est habituellement le cas, ne relèvent d'ailleurs pas de la recherche sociale en tant que telle. Ces techniques peuvent être utilisées dans les buts les plus variés. Par exemple, un auditeur d'entreprise analysera un échantillon représentatif des milliers de factures annuelles pour en retirer des informations relatives à la totalité des factures envoyées ou reçues par l'entreprise. Un bibliothécaire examinera un échantillon représentatif des ouvrages possédés afin d'estimer leur état général de conservation. Un commerçant sélectionnera un échantillon représentatif de ses clients pour tester l'impact d'une campagne de publicité qu'il envisage de lancer.

Cependant, et en dépit de leurs nombreux avantages, les techniques d'échantillonnage sont loin de constituer une panacée en recherche sociale. Qu'en est-il exactement ?

Lorsqu'il a circonscrit son champ d'analyse, trois possibilités s'offrent au chercheur : il peut soit recueillir des données et faire finalement porter ses analyses sur la totalité de la population couverte par ce champ, soit se limiter à un échantillon représentatif de cette population, soit n'étudier que certaines composantes très typiques, bien que non strictement représentatives, de cette population. Le choix est en fait assez théorique car, le plus souvent, l'une des solutions s'impose naturellement, compte tenu des objectifs de la recherche.

Première possibilité : étudier la totalité de la population

Le mot « population » doit donc être compris ici dans son sens le plus large, celui d'ensemble d'éléments constituant un tout. L'ensemble des factures d'une entreprise, des livres d'une bibliothèque, des élèves d'une école, des articles d'un journal ou des clubs sportifs d'une ville constituent autant de populations différentes. La recherche de Durkheim portait sur l'intégralité de la population considérée puisque ses analyses se fondaient sur des données statistiques nationales. Cette formule s'impose souvent dans deux cas qui se situent aux antipodes l'un de l'autre : soit lorsque le chercheur, analysant des phénomènes macrosociaux (les taux de suicide par exemple) et étudiant la population en tant que telle n'a dès lors pas besoin d'informations précises sur le comportement des unités qui la composent, mais uniquement des données globales disponibles dans les statistiques, soit lorsque la population considérée est très réduite et peut être étudiée entièrement en elle-même.

Deuxième possibilité : étudier un échantillon représentatif de la population

Cette formule s'impose lorsque deux conditions sont rassemblées :

- lorsque la population est très importante et qu'il faut récolter beaucoup de données pour chaque individu ou unité ;
- lorsque, sur les points qui intéressent le chercheur, il est important de recueillir une image globalement conforme à celle qui serait obtenue en interrogeant l'ensemble de la population, bref lorsque se pose un problème de représentativité.

L'exigence de représentativité est moins fréquente qu'on ne le pense parfois : il ne faut pas confondre scientificité et représentativité. Pour mieux connaître des groupes ou des systèmes de relations, il n'est pas forcément pertinent, sur le plan sociologique, de les étudier comme des sommes d'individualités. Sans doute n'est-il pas inutile de s'interroger sur la signification de la notion de représentativité qui est trop souvent évoquée avec beaucoup de légèreté sur le plan épistémologique. Ceux qui s'intéressent à cette question peuvent consulter notamment *Le Métier de sociologue* (*op. cit.*, p. 243) qui cite le cas du « *Two-Step Flow of Communication* » pour montrer l'erreur qu'engendre une utilisation peu lucide du principe de représentativité (exemple repris de « *Two-Step Flow of Communication : an Up-to-Date Report on an Hypothesis* », *Public Opinon Quarterly*, 1957, p. 67).

Nous ne nous attarderons pas ici sur les techniques d'échantillonnage proprement dites qui sont trop spécifiques pour entrer dans le cadre de ce livre. Comme pour toutes les questions très techniques, il existe de nombreux ouvrages qui traitent de ce sujet et que l'on peut aisément se procurer dans n'importe quelle bibliothèque de sciences sociales. Si ces techniques ne sont généralement guère difficiles à comprendre, leur mise en œuvre est souvent plus compliquée en raison des imperfections et des difficultés d'accès aux bases de sondages (registres de l'état civil, annuaires et listes diverses qui sont censés contenir les noms de toutes les unités de la population) et aux données statistiques qui permettent d'établir des quotas, ou encore du travail de nombreux enquêteurs dont l'absence de scrupules ou de compétence peut ruiner la fiabilité de l'échantillon.

Troisième possibilité : étudier des composantes non strictement représentatives mais caractéristiques de la population

Cette formule est sans doute la plus courante. Lorsqu'un chercheur souhaite par exemple étudier la manière différenciée dont plusieurs journaux rendent compte de l'actualité économique, la meilleure solution consiste à analyser dans le détail quelques articles de ces différents journaux qui portent sur les mêmes événements, de manière à procéder à des comparaisons significatives. Vouloir étudier tous les articles publiés est impossible et vouloir constituer un échantillon représentatif de l'ensemble des articles de chaque journal n'a guère de sens car les critères de représentativité seraient forcément très partiels et arbitraires.

Si un autre chercheur désire analyser l'impact du mode de gestion du personnel des entreprises sur ses performances au travail, il se contentera avec raison d'étudier en profondeur le fonctionnement d'un petit nombre d'entreprises très caractéristiques des principaux modes de gestion du personnel.

Dans les cas où le chercheur envisage une méthode d'entretien semi-directif (voir plus loin), il ne peut se permettre, le plus souvent, d'interviewer que quelques dizaines de personnes seulement. Dans ce cas, le critère de sélection de ces personnes est généralement la diversité maximale des profils en regard du problème étudié.

Ainsi par exemple, dans une recherche intensive sur les différents modes de réaction d'une population à la rénovation de son quartier, on cherchera à diversifier au maximum les types de personnes interrogées à l'intérieur de cette population. Le critère qui permet de dire qu'on a fait le tour des cas de figure est celui de la saturation. Si le chercheur veille à diversifier systématiquement les profils, il arrive forcément un moment où il ne parvient plus à trouver de nouveaux cas franchement différents de ceux déjà rencontrés et où le rendement marginal de chaque entretien supplémentaire décroît rapidement.

3. OBSERVER COMMENT ? LES INSTRUMENTS D'OBSERVATION ET LA COLLECTE DES DONNÉES

Dans ce troisième point, nous exposerons d'abord les principes d'élaboration des instruments d'observation. Cet exposé sera illustré par deux exemples qui permettront de saisir la manière dont s'opère le passage du concept et de ses indicateurs aux techniques de recueil des données. Nous traiterons ensuite des différentes opérations qui font partie du travail de la phase d'observation et présenterons enfin un panorama des méthodes de collecte les plus courantes.

3.1. L'élaboration des instruments d'observation

Cette phase du travail d'observation consiste à construire l'instrument capable de recueillir ou de produire l'information prescrite par les indicateurs. Cette opération ne se présente pas de la même façon selon qu'il s'agit d'une observation directe ou indirecte.

a.   L'observation directe et l'observation indirecte

L'observation directe est celle où le chercheur procède directement lui-même au recueil des informations, sans s'adresser aux sujets concernés. Elle fait directement appel à son sens de l'observation. Par exemple, pour comparer le public du théâtre à celui du cinéma, un chercheur peut compter les gens à la sortie, observer s'ils sont jeunes ou vieux, comment ils sont habillés, etc.

Dans ce cas l'observation porte sur tous les indicateurs pertinents prévus. Elle a comme support un guide d'observation qui est construit à partir de ces indicateurs et qui désigne les comportements à observer ; mais le chercheur enregistre directement les informations. Les sujets observés n'interviennent pas dans la production de l'information recherchée. Celle-ci est manifeste et prélevée directement sur eux par l'observateur.

Dans le cas de l'observation indirecte, le chercheur s'adresse au sujet pour obtenir l'information recherchée. En répondant aux questions, le sujet intervient dans la production de l'information. Celle-ci n'est pas prélevée directement et est donc moins objective. En fait, il y a ici deux intermédiaires entre l'information recherchée et l'information obtenue : le sujet à qui le chercheur demande de répondre et l'instrument constitué des questions à poser. Ce sont là deux sources de déformations et d'erreurs qu'il faudra contrôler pour que l'information apportée ne soit pas faussée, volontairement ou non.

Dans l'observation indirecte, l'instrument d'observation est soit un questionnaire soit un guide d'interview. L'un et l'autre ont comme fonction de produire ou d'enregistrer les informations requises par les hypothèses et prescrites par les indicateurs. Les deux exemples qui suivent portent sur l'élaboration d'un instrument d'observation. Dans les deux cas, l'instrument retenu est le questionnaire car cette technique exige une élaboration plus poussée que le guide d'interview. Précise et formelle, elle se prête particulièrement bien à une utilisation pédagogique. En fin d'étape, d'autres méthodes seront présentées.

b.   *Premier exemple : le phénomène religieux*

Considérons une étude qui s'attache à vérifier si et en quoi la pratique et les sentiments religieux se sont transformés depuis deux générations. Supposons en outre que le champ d'observation se limite aux catholiques et qu'une des hypothèses soit : les jeunes catholiques de 16 à 20 ans sont moins religieux que leurs grands-parents.

Pour soumettre cette hypothèse à l'épreuve des faits, il faut mesurer le degré de religiosité chez les jeunes catholiques d'une part, et chez leurs grands-parents d'autre part. Dans l'étape précédente, nous avons déjà construit le concept de religion et nous en connaissons les quatre dimensions et leurs indicateurs. L'observation consiste à rassembler toutes les informations désignées par les indicateurs. La plupart des études sur ce sujet procèdent par questionnaire. Celui-ci est un ensemble de questions couvrant tous les indicateurs de tous les concepts impliqués par les hypothèses. Chaque question correspond à un indicateur et a pour fonction de produire, par sa réponse, l'information nécessaire. Pour cette application, nous ne retiendrons pas la dimension expérientielle qui ne concerne qu'un public très limité.

Pour ce qui concerne tout d'abord la dimension idéologique de la religion, les indicateurs retenus sont rappelés dans la première colonne du tableau page ci-dessous. En regard de chaque indicateur sont repris la question ou les questions correspondantes ainsi que les emplacements prévus pour l'enregistrement des réponses.

Dimension idéologique				
Indicateurs	**Questions**	**Oui**	**Non**	**?**
Croyance en :				
Dieu	• Croyez-vous que Dieu existe vraiment ?	❏	❏	❏
	• Comment vous représentez-vous Dieu ?	❏	❏	❏
	– comme une personne vivant dans l'au-delà ?	❏	❏	❏
	– comme une sorte d'esprit, une force vitale ?	❏	❏	❏
	– comme quelque chose d'abstrait et d'indéfini ?	❏	❏	❏
	– je ne sais pas, difficile à dire.	❏	❏	❏
Démon	• Croyez-vous à l'existence du Diable ?	❏	❏	❏
	• S'agit-il d'un être qui vous pousse réellement à faire le mal ?	❏	❏	❏
	• Ou n'est-il que la représentation symbolique et abstraite du mal que subit l'humanité ?	❏	❏	❏
	Croyez-vous ou non...			
Âme	– à l'âme ?	❏	❏	❏
Survie	– à une vie après la mort ?	❏	❏	❏
Enfer	– à l'enfer ?	❏	❏	❏
Paradis	– au paradis ?	❏	❏	❏
Péché	– au péché ?	❏	❏	❏
Réincarnation	– que les morts ressusciteront un jour ?	❏	❏	❏
Trinité	– à l'existence de trois personnes en Dieu ?	❏	❏	❏

Cet exemple n'est qu'une illustration du lien entre indicateurs et questions. Les questions citées sont extraites ou inspirées du questionnaire élaboré par l'*European Value Systems Study Group*, pour son étude des valeurs en Europe. Des résultats ont été publiés par J. Stoetzel sous le titre *Les Valeurs du temps présent* (Paris, PUF, 1983) et par R. Rezsohazy et J. Kerkhofs sous le titre *L'Univers des Belges, valeurs anciennes et valeurs nouvelles dans les années 80* (Louvain-la-Neuve, CIACO, 1984).

La deuxième dimension du phénomène religieux est la dimension ritualiste. Elle concerne des actes, paroles et rites de la vie religieuse réglés par la liturgie. Les sacrements, la messe, les pèlerinages et la célébration des grandes fêtes religieuses en sont des indicateurs pertinents. Plusieurs problèmes restent à résoudre avant de rédiger les questions.

Aux jeunes, on ne peut poser toutes les questions qui seraient pertinentes pour les vieux. Les jeunes de 16 à 20 ans n'ont pas la même expérience que les vieux et on ne peut leur demander par exemple s'ils se sont mariés ou non à l'église, s'ils ont appelé un prêtre pour administrer les sacrements à ceux de leurs proches parents qui se mouraient, etc. On est donc en face de deux sortes d'indicateurs, les uns qui sont pertinents pour les deux groupes et les autres qui ne sont pertinents que pour l'un ou l'autre des deux groupes. Par conséquent, au lieu de se référer à des pratiques communes pour construire les questions, on devra, dans certains cas et pour certains aspects du problème, se contenter de questions portant non plus sur des pratiques mais sur des attitudes.

Pour ce qui concerne par exemple l'indicateur « sacrement des malades », deux questions peuvent être posées : « Un de vos proches parents vient de subir un grave accident et pourrait en mourir. Les membres de votre famille sont divisés ; les uns veulent appeler un prêtre parce qu'il y va de son salut, les autres refusent de le faire venir pour ne pas effrayer le blessé et entamer son moral. Quel parti prenez-vous ? »

Ou encore : « Un de vos proches parents (75 ans) est mourant mais ne s'en rend pas compte. Que faites-vous ? : appeler un médecin, appeler un prêtre, appeler la famille, ou autre chose. » La façon de présenter la question a aussi son importance : pouvoir cocher plusieurs réponses n'est pas équivalent à devoir indiquer uniquement le choix prioritaire.

Pour chacun des indicateurs de cette dimension, il faudra donc trouver des questions adéquates qui composeront le questionnaire. Le tableau page ci-contre présente un exemple particulier et partiel de cette opération, d'autres indicateurs et d'autres questions pouvant bien entendu être envisagés. La première question est, elle aussi, extraite du questionnaire de l'*European Value Systems Study Group* (déjà cité).

La troisième dimension du concept est la dimension conséquentielle. Elle porte sur l'impact de la religion sur la vie quotidienne, sur l'application de ses préceptes dans la vie de tous les jours.

Cette dimension a plusieurs composantes que l'on peut dégager du décalogue. Sept des dix commandements fournissent cinq composantes : respect des parents et des supérieurs, respect de la vie, respect du bien d'autrui, mensonge et médisance, adultère et sexualité. On pourrait encore y ajouter les vertus théologales, mais restons-en là. À chacune de ces composantes (les commandements) peuvent correspondre de nombreux indicateurs. Les questions qui devraient en découler posent deux problèmes.

Dimension ritualiste		
Indicateurs	**Questions**	**Réponses**
Messe	• En dehors des mariages, enterrements et baptêmes, à quelle fréquence assistez-vous à un service religieux ?	
	– plus d'une fois par semaine	❑
	– une fois par semaine	❑
	– une fois par mois	❑
	– seulement à Noël ou à Pâques	❑
	– à l'occasion d'autres fêtes religieuses	❑
	– une fois par an	❑
	– moins d'une fois par an	❑
	– jamais ou pratiquement jamais	❑
Sacrement des malades	• Un de vos proches parents est gravement blessé et pourrait mourir. Les membres de votre famille sont divisés sur la décision à prendre. De quel côté vous rangeriez-vous ? De celui de ceux qui souhaitent :	
	– appeler un prêtre parce qu'il y va du salut du blessé ?	❑
	– ne pas appeler de prêtre pour ne pas effrayer le blessé et entamer son moral ?	❑
	– laisser la décision aux autres ?	❑
	• Un de vos proches parents (75 ans) est mourant mais ne s'en rend pas compte. Que faites-vous :	
	– appeler un médecin ?	❑
	– appeler un prêtre ?	❑
	– appeler la famille ?	❑
	– faire comme si tout était normal ?	❑

■ *Premier problème :* faut-il rédiger des questions pour tous les indicateurs d'une composante ?

Chaque commandement peut trouver une application dans de nombreuses situations. En outre voler et mentir, etc. peuvent prendre des formes et des degrés de gravité très variables. En ce qui concerne le vol, par exemple, prendre quelques pommes sur l'arbre du voisin, voler de petites choses dans un grand magasin, prendre le bus sans payer, tromper le fisc, maquiller les défauts d'un meuble ou d'une voiture pour les vendre beaucoup plus cher que leur valeur réelle, constituent des formes de vol différentes entre elles mais qui n'atteignent pas le niveau de gravité attribué au cambriolage professionnel ou au vol à main armée.

Il n'est donc pas sage de prendre quelques indicateurs au hasard et de les transformer en questions. Il faut, au contraire, trouver une série d'indicateurs exprimant les divers niveaux que l'on souhaite repérer dans la progression de la déviance. Pour chaque niveau il est même souhaitable d'avoir plusieurs indicateurs. L'idéal est donc d'obtenir, pour chacune des composantes, une batterie d'indicateurs marquant les paliers de la déviance et d'y faire correspondre une progression.

Mais cette rigueur et cette précision provoquent leurs propres inconvénients. Les questions indiscrètes et la longueur du questionnaire risquent d'accroître les refus de répondre et les réponses trompeuses.

Cet aspect du questionnaire nous conduit à aborder le deuxième problème.

■ *Deuxième problème :* faut-il faire porter les questions sur des faits matériels (actes ou comportements) ou sur des attitudes et opinions ?

Il est clair que si l'on procède par des questions directes portant sur tous les indicateurs de déviance, on risque d'avoir peu de réponses. Peu de personnes seront disposées à déclarer qu'il leur arrive de voler dans un magasin, de frauder le fisc ou de tromper leur conjoint. Pour contourner l'obstacle on procède par questions indirectes. On demande aux répondants d'exprimer leur attitude à l'égard de comportements déviants ou des personnes qui commettent ces actes déviants. Il existe plusieurs manières de procéder. En voici deux, présentées par des exemples concrets dans les deux tableaux suivants :

Dimension conséquentielle

Voici quelques affirmations ou dictons à l'égard desquels nous vous demandons d'exprimer votre degré d'accord ou de désaccord. Pour chaque affirmation, vous avez le choix entre cinq positions :

1	*2*	*3*	*4*	*5*
Tout à fait d'accord	Plutôt d'accord	Hésitant, indécis	Plutôt pas d'accord	Pas du tout d'accord

Faites une croix dans la colonne correspond à votre opinion.

	1	2	3	4	5
• Qui vole un œuf, vole un bœuf.					
• Charité bien ordonnée commence par soi-même.					
• Tromper le fisc n'est pas du vol.					
• Aimer sa femme et autant sa voisine n'est ni péché, ni crime.					
• Abréger la vie d'une personne incurable, pour mettre fin à ses souffrances, c'est courageux et respectable.					
• L'enfer, c'est les autres : œil pour œil, dent pour dent, n'est pas un mauvais principe.					

Dans *L'Univers des Belges*, Jean Kerkhofs se base sur une méthode semblable pour mesurer le degré de tolérance à l'égard des comportements déviants. Aux personnes interrogées, il propose vingt-deux comportements considérés comme déviants et demande de situer chacun d'eux sur une échelle d'« excusabilité ». En voici une sélection se rapportant aux indicateurs des cinquième (tuer), des sixième et neuvième commandements.

Dimension conséquentielle (bis)	
Questions	**Réponses**
Comment jugez-vous les actes ci-dessous ? Situez votre jugement sur une échelle de 1 à 10 où = 1 = toujours justifié, 10 = jamais justifié.	Cote de 1 à 10
• L'euthanasie (mettre fin aux jours d'une personne incurable)	❑
• Tuer en état de légitime défense	❑
• Se suicider	❑
• L'avortement	❑
• Tuer un cycliste, suite à un état d'ivresse au volant	❑
• L'assassinat politique	❑
• Les expériences sexuelles entre jeunes gens encore mineurs	❑
• Les hommes et les femmes mariés qui ont une aventure sexuelle avec quelqu'un d'autre	❑
• La prostitution	❑
• L'homosexualité	❑
• Le divorce	❑

La plupart des propositions citées sont extraites du questionnaire de l'*European Value Systems Study Group* (déjà cité). Une fois de plus, ceci n'est qu'un exemple. D'autres indicateurs peuvent être choisis et d'autres questions peuvent être posées.

Il faut remarquer ici que lorsqu'on dispose d'indicateurs qui marquent une progression dans la déviance, cette progression ne doit pas apparaître dans la présentation des questions. L'ordre des propositions doit être différent de celui de la progression. De plus, la formulation des questions doit être conçue pour obtenir une information adéquate et non ambiguë. Il faut en outre que l'information obtenue se présente sous une forme qui se prête aux opérations de l'analyse statistique. Il existe des manuels qui aident à résoudre ces problèmes. Pour concevoir un bon questionnaire (ordre des questions, longueur du questionnaire, présentation) et formuler de bonnes questions, nous vous y renvoyons (p. 173).

Cependant, il est une opération dont on ne peut se passer et qui vaut plus que tous les conseils. Elle consiste à prétester le questionnaire auprès d'un petit nombre d'individus appartenant aux diverses catégories du public concerné par l'étude, mais si possible différents de ceux qui ont été retenus dans l'échantillon. Ce test préalable permet bien souvent de détecter les questions déficientes, les oublis, les ambiguïtés et tous les problèmes que soulèvent les réponses. Ainsi le test du questionnaire a révélé que l'euthanasie est un terme incompris ou inconnu de beaucoup de personnes et qu'il fallait expliquer sa signification dans la question. De même une confusion fréquente apparaissait entre immortalité, résurrection et réincarnation. Ce n'est qu'après avoir testé et corrigé les questionnaire que l'on procédera à la collecte des données.

c.   Deuxième exemple : les cadres comme acteur social de l'entreprise

Dans cette étude, il s'agit de voir comment les cadres d'une entreprise se situent en tant qu'acteur social. Dans la phase de construction, le concept d'acteur social a été construit sur deux dimensions (coopération et conflit) ayant chacune plusieurs composantes. Dans cet exemple, nous nous limiterons à concevoir un instrument d'observation pour la dimension coopération.

Les cinq composantes de la dimension coopération étaient :

1. des ressources ;

2. la pertinence des ressources ;

3. la reconnaissance de la valeur d'échange ;

4. l'intégration aux normes ou le respect des règles du jeu ;

5. le degré d'implication, d'investissement dans l'action collective.

Comme nous l'avons vu dans l'étape précédente, les indicateurs de ces composantes sont théoriques ou virtuels. Les faits qui peuvent correspondre à chaque indicateur sont peu ou pas connus. Ces indicateurs désignent une catégorie mentale pour laquelle nous devons rechercher des faits ayant les propriétés requises par eux. Nous ne connaissons pas à l'avance les objets ou comportements particuliers qui peuvent servir d'indicateurs. Nous pouvons en imaginer quelques-uns mais nous ignorons les autres. Par exemple, les indicateurs des ressources et atouts des acteurs peuvent être très variés et variables d'une personne à l'autre. Il nous faut les découvrir.

Par construction l'indicateur n'évoque donc pas directement ici un fait particulier et précis comme dans l'étude du phénomène religieux ; c'est une catégorie théorique définissant les propriétés que les faits doivent avoir pour être acceptés comme indicateurs. C'est pourquoi, avant d'élaborer l'instrument d'observation, il faut passer par une opération préalable : la pré-enquête. Elle a pour fonction de nous révéler des indicateurs et de nous orienter dans le choix de l'instrument d'observation.

Dans la recherche qui a été menée par l'un d'entre nous sur ce sujet, la pré-enquête avait deux volets. Le premier portait sur les cadres et s'appuyait sur un guide d'interview. Il s'agissait d'interviews semi-dirigés. À chaque échelon de la hiérarchie, pour chacun des principaux secteurs d'activité, deux ou trois cadres furent interrogés. Le principe de sélection fut le suivant : deux personnes étaient retenues selon une procédure aléatoire et une troisième était choisie en fonction des recommandations des uns ou des autres.

Les questions visant à faire émerger les indicateurs étaient les suivantes :

- Quel fut votre parcours professionnel depuis la fin de vos études jusqu'à ce jour ?
- En quoi consiste votre fonction actuelle et quels sont les problèmes que vous y rencontrez ?
- Qu'est-ce que la direction attend de ses cadres en général et comment cela se manifeste-t-il sur le plan de votre travail ?
- Être cadre dans cette entreprise, est-ce intéressant ?

Le temps de réponse à ces questions allait de dix à quarante minutes. Il est même arrivé que les deux dernières questions ne purent pas être posées. En répondant à la deuxième, les plus loquaces fournissaient les informations recherchées par les suivantes. En faisant l'inventaire du contenu de l'interview, on dégagea pour chacune des cinq composantes les indicateurs qui devaient figurer dans l'instrument d'observation.

Le second volet de la pré-enquête visait à découvrir les caractéristiques formelles de l'organisation : ses objectifs, ses règles et ses principes. Il comprenait l'interview de quelques membres de la direction et l'étude des documents que celle-ci avait accepté de divulguer. Une partie des informations avait déjà été obtenue lors de la phase exploratoire, mais à ce stade-là, la démarche était encore trop générale pour résoudre tous les problèmes posés par les indicateurs. Ce n'est qu'après la phase de construction que l'on put retourner auprès de la direction avec des questions plus précises... (ce qui ne produit pas automatiquement des réponses précises !).

À l'issue de la pré-enquête, les indicateurs qui semblaient devoir être pris en considération étaient les suivants :

■ *Composantes 1 et 2 : atouts et ressources utiles à l'entreprise*

- savoirs :
  - nature et niveau des études,
  - expérience antérieure,
  - connaissance des langues étrangères,
  - familiarité avec l'informatique.

- savoir-faire :   – capacité de prévision et d'organisation,

                          – capacité en matière de relations humaines (comman-
                          der, communiquer, animer, négocier, résoudre les
                          conflits),

                          – dynamisme et initiative.

- potentiel :   – polyvalence et disponibilité à la mobilité,

                          – capacité d'adaptation aux changements de situation,
                          aux problèmes nouveaux et aux techniques nouvelles.

■ *Composante 3 : reconnaissance de la valeur d'échange*

Les savoirs jouissent le plus souvent d'une reconnaissance externe (diplômes et certificats). Les savoir-faire et le potentiel ne peuvent que rarement être objectivés. Le plus souvent, ils ne peuvent faire l'objet que d'une reconnaissance interne relativement subjective et aléatoire.

Les questions concernant les études, l'expérience, la connaissance des langues et la maîtrise de l'informatique sont faciles à formuler ; nous ne nous y attarderons pas. Disons simplement qu'il est bon d'avoir l'information avec la meilleure précision. Ainsi en matière de connaissance des langues, il ne suffit pas de demander : « Quelles langues connaissez-vous en dehors du français ? » Il est utile de faire préciser le degré de connaissance : lire, comprendre un exposé, parler, rédiger.

La simple réponse à cette question nous livre un triple indicateur. L'information ainsi obtenue est indicateur de ressources : les langues connues ; indicateur d'utilité : le degré de maîtrise de la langue et son utilité commerciale ; et indicateur de reconnaissance : le niveau de connaissance d'une langue peut être facilement objectivé et est donc susceptible de reconnaissance immédiate.

Le savoir-faire et le potentiel sont plus difficiles à objectiver et leur instrument d'observation moins aisé à mettre au point.

Dans les savoir-faire, la capacité de prévision et d'organisation est quasiment inabordable. L'évaluer exigerait le recours à des tests ou jeux de simulation impraticables dans une enquête normale. Par contre, la capacité en matière de relations humaines peut être évaluée par l'élaboration d'une échelle d'attitudes. Celle-ci est une technique, rigoureuse et relativement sophistiquée, de mesure des attitudes d'un individu à partir d'une batterie d'opinions. D'autres moyens plus simples et plus rapides existent aussi, ils peuvent fournir des informations pertinentes dans la mesure où l'étude n'exige pas une grande finesse d'analyse. C'est le cas des deux questions présentées dans le tableau de la page ci-contre. (*Remarques* : Dans la seconde question, les mêmes rôles sont repris, mais dans le désordre ; cette seconde question doit être placée loin de la précédente dans le questionnaire, pour éviter l'influence de la première sur la seconde.)

Question 1 : Dans la fonction de cadre, quelle importance convient-il d'accorder aux divers rôles ci-dessous ?					
Rôles	**Importance du rôle :**				
	faible				forte
	1	2	3	4	5
• Décider et planifier le travail					
• Commander					
• Informer					
• Coordonner, organiser					
• Contrôler l'exécution					
• Arbitrer les conflits					
• Écouter, consulter et se concerter avec les collaborateurs					
• Prendre le temps de convaincre, de persuader					
• Communiquer, discuter					
• Animer son équipe					
• Stimuler, encourager, récompenser					
• Négocier					

Question 2 : Pour chacun des rôles ci-dessous, indiquez le degré d'aisance ou de gêne que vous ressentez à les pratiquer.					
Rôles	**Degré d'aisance ou de gêne :**				
	aisance				gêne
	1	2	3	4	5
• Arbitrer les conflits					
• Négocier					
• Décider et planifier le travail					
• Informer					
• Commander					
• Communiquer, discuter					
• Être exigeant, sanctionner					
• Animer son équipe					
• Prendre le temps de convaincre, de persuader					
• Coordonner, organiser					
• Contrôler l'exécution					
• Stimuler, encourager, récompenser					
• Écouter, consulter et se concerter avec les collaborateurs					

Dans les douze rôles proposés, les six premiers cités dans la première question appartiennent à un style de management plutôt autoritaire, les six derniers à un style plutôt participatif. Le fait de leur donner de l'importance et de s'y sentir à l'aise est considéré ici comme un indicateur des capacités à gérer les relations humaines.

Dans l'étape suivante, nous montrerons, pour le phénomène religieux, comment calculer un indice mesurant une capacité de ce type. Rappelons encore une fois que c'est au moment où l'on formule les questions et le questionnaire qu'il faut prévoir l'usage que l'on va faire des réponses et, par conséquent, la forme que doit prendre la réponse pour que l'information puisse être traitée correctement lors de l'analyse des données.

■ Composante 4 : l'intégration aux normes ou le respect des règles du jeu

Pour coopérer à la réalisation des objectifs, il ne suffit pas d'avoir des ressources utiles et reconnues (composantes 1 à 3). Encore faut-il les mettre en œuvre conformément aux normes et règles établies pour assurer la coordination des activités et la réalisation des objectifs. Certes, le respect des divers points du règlement de travail ou la conformité aux attentes de la direction pourraient servir d'indicateurs. Dans l'exemple des cadres, que nous suivons pour illustrer les modalités de l'observation, il existe d'autres indicateurs plus simples et plus faciles à observer. Nous en avons déjà parlé, il s'agit des heures supplémentaires et des jours de congé. Ces deux indicateurs offrent en outre l'avantage de couvrir à la fois les composantes 4 et 5 car ils permettent de mesurer le respect des règles du jeu et le degré d'implication (manière de coopérer) des acteurs.

Dans toute coopération, il y a des règles qui sont plus claires et plus précises que d'autres. Face à cet état de choses, chacun des partenaires peut, selon l'importance qu'il accorde à l'affaire, opter entre deux positions extrêmes : soit prendre la règle au pied de la lettre et faire le minimum prescrit par la règle ; soit, à l'opposé, dépasser la règle et faire le maximum dans le souci d'atteindre les objectifs de l'entreprise.

Au cours de la pré-enquête, les cadres et les membres de la direction ont souvent fait allusion à cette orientation maximaliste pour distinguer les « vrais » cadres des autres. En outre ils considéraient que les heures supplémentaires non récupérées et les jours de congé passés dans l'usine étaient des signes manifestes de leur intérêt pour l'entreprise. Par conséquent, ces deux informations ont été retenues comme indicateurs de l'intégration aux normes de l'entreprise.

Ceux qui prenaient tous leurs jours de congé et n'effectuaient que peu ou pas d'heures supplémentaires ont été classés comme minimalistes et peu intégrés. Les autres ont été classés comme maximalistes, sur une échelle allant du plus minimaliste au plus maximaliste, proportionnellement au nombre d'heures supplémentaires et de jours de congé qu'ils sacrifiaient à l'entreprise. Comme les jours de congé sont faciles à calculer, nous avons procédé par questions directes. Par contre, les heures supplémentaires étant difficiles à comptabiliser, nous avons eu recours à des questions indirectes visant à exprimer leur attitude à cet égard. Nous savons que l'attitude ne correspond pas souvent au comportement réel, mais nous avons fait ce choix car nous poursuivions aussi d'autres objectifs de recherche.

Voici les questions. L'exploitation des réponses sera exposée dans l'étape suivante, lorsqu'on abordera le problème de la mesure et de l'agrégation des données.

La première série de questions porte sur les opinions. On demande par exemple aux répondants d'entourer le chiffre qui correspond le mieux à leur opinion :

– 1 signifiant : « tout à fait d'accord » ;

– 2 : « plutôt d'accord » ;

– 3 : « indécis, partagé » ;

– 4 : « plutôt pas d'accord » ;

– 5 : « pas du tout d'accord ».

• Être cadre, c'est aussi faire des heures supplémentaires gratuitement.	1	2	3	4	5
• Pour un cadre, faire des heures supplémentaires, en toute occasion, c'est se laisser exploiter.	1	2	3	4	5
• Pour un cadre, faire des heures supplémentaires, ce n'est rien d'autre qu'être responsable.	1	2	3	4	5
• Dans cette entreprise, les cadres recueillent toujours, à moyen ou long terme, les fruits de leurs heures supplémentaires.	1	2	3	4	5

La seconde série de questions porte donc, quant à elle, sur des comportements concrets :

V 116	Avez-vous utilisé tous les jours de congé auxquels vous aviez droit au cours de l'année précédente ?	Oui	Non
V 117	Combien de jours de congé non utilisés vous restait-il au 31 décembre (en % du total) ?	......	%
V 118	En avez-vous récupéré quelques-uns au début de cette année ? Combien ?	......	
V 119	Si oui, combien restaient inutilisés ?	......	
V 120	Avez-vous déjà calculé le nombre d'heures que vous consacriez, en moyenne, par semaine, à votre activité professionnelle l'an passé ?	Oui	Non
	Si non, passez directement à la question V 125		

☞

V 121	Si oui : Combien d'heures consacriez-vous à votre activité professionnelle ?		
	– au bureau :	...	H/sem.
V 122	– chez vous :	...	H/sem.
V 123	Total :	...	H/sem.
V 124	Depuis ce calcul, votre charge de travail a-t-elle été modifiée ?	Oui	Non
	Si oui, répondez aussi à la question suivante (V 125).		
V 125	Estimez le temps que vous consacrez actuellement à votre activité professionnelle en vous basant sur les quatre dernières semaines :		
	Moyenne par semaine : – au bureau :	...	H/sem.
V 126	– chez vous :	...	H/sem.
V 127	Total	...	H/sem.
	Ces quatre semaines constituent-elles une période d'activité normale dans votre service ?	Oui	Non

Remarque :

Les codes devant les questions (V 116, etc.) sont les codes des différents indicateurs, couramment appelés variables. Ces codes sont généralement indiqués d'emblée sur le questionnaire afin de faciliter le codage et l'analyse des réponses.

■ *Composante 5 : le degré d'implication et d'investissement dans l'action collective*

Il s'agit ici de mettre au point les instruments d'observation qui permettront de mesurer le degré d'implication de l'acteur dans l'action collective.

Les deux séries de questions qui précèdent portent sur des indicateurs qui sont déjà révélateurs de cette composante ; plus on fait d'heures supplémentaires, plus on est impliqué. Toutefois, on pourrait y ajouter d'autres questions plus qualitatives qui portent sur le degré d'adhésion aux valeurs de l'entreprise.

À titre d'exemple, les résultats de l'enquête qui a été réalisée ont révélé que l'esprit qui régnait dans une des entreprises étudiées s'articulait sur les idées suivantes : « Vous faites partie d'une entreprise qui marche très bien malgré la crise. Votre produit est de qualité. Mais rien n'est définitivement acquis. La concurrence est vigilante. Il reste encore beaucoup de choses à améliorer, des coûts à réduire. Nous sommes parmi les meilleurs et nous devons le rester. » Dans cette entreprise, la polyvalence, la mobilité et l'initiative au service de la qualité et de l'efficacité étaient des qualités fortement valorisées.

Les questions qui ont apporté les informations nécessaires concernant cet esprit d'entreprise d'une part, et le sens que l'acteur donne à son travail d'autre part, sont les suivantes :

- Quelles sont les qualités que la direction attend de ses cadres ? (Citez-les dans l'ordre d'importance en commençant par la plus importante.)
- Quelles sont les trois qualités auxquelles la direction semble attacher le plus d'importance ?
- Quelles sont les principales qualités qu'un cadre attend d'un autre cadre ?
- Quelles sont les principales qualités auxquelles vous, personnellement, vous attachez le plus d'importance ?

À travers les qualités attendues par la direction, on découvrira ce qui est valorisé dans l'entreprise. À travers les qualités attendues par les cadres, et par chacun personnellement, on découvrira ce qui est valorisé par les cadres. En comparant les unes et les autres, on estimera le degré d'adéquation entre les valeurs de l'entreprise et celles des cadres, considérés soit globalement, soit individuellement.

Ici, nous avons affaire à des questions ouvertes. On pourrait certes utiliser des questions fermées ou à choix multiples, mais alors il faudrait que, parmi les réponses possibles, on soit certain d'avoir pris en considération toutes les qualités qui sont effectivement en jeu dans l'entreprise. Pour la discussion entre les avantages et inconvénients des questions fermées, ouvertes ou à choix multiples, nous vous renvoyons aux ouvrages spécialisés.

3.2. Les trois opérations de l'observation

a.   *Concevoir l'instrument d'observation*

Comme nous venons de le voir, la première opération de la phase d'observation consiste donc à concevoir un instrument capable de produire toutes les informations adéquates et nécessaires afin de tester les hypothèses. Cet instrument sera souvent, mais pas obligatoirement, un questionnaire ou un guide d'interview. Dans ces deux cas, nous avons vu que leur mise au point requiert parfois une pré-enquête en complément de la phase exploratoire.

Pour que cet instrument soit capable de produire l'information adéquate, il devra contenir des questions portant sur chacun des indicateurs retenus préalablement et atteindre le meilleur degré de précision dans la formulation de ces questions. Mais cette précision ne s'obtient pas du premier coup. La deuxième opération à réaliser dans l'observation consiste dès lors à tester l'instrument d'observation.

b.   Tester l'instrument d'observation

L'exigence de précision varie selon qu'il s'agit d'un questionnaire ou d'un guide d'interview. Le guide d'interview est le support de l'entretien. Même lorsqu'il est très structuré, il reste dans les mains de l'enquêteur. Par contre, le questionnaire est souvent destiné à la personne interrogée ; il est lu et rempli par elle. Il est donc important que les questions soient claires et précises, c'est-à-dire formulées de telle sorte que tous les sujets interrogés les interprètent de la même manière.

Dans un questionnaire adressé à des jeunes et portant sur la pratique du sport, se trouvait la question suivante : « Vos parents font-ils du sport ? Oui ou non. » Cette question paraît simple et claire, et pourtant, elle est mal formulée et conduit à des réponses inutilisables. Tout d'abord, le mot « parents » est imprécis. S'agit-il du père et de la mère ou d'un ensemble familial plus large ? Ensuite, que répondre si seulement l'un des deux fait du sport ? Les uns répondront « oui », pensant qu'il suffit que l'un des deux soit sportif ; les autres diront « non », estimant que la question porte sur les deux à la fois. Ainsi, pour désigner le même état des choses, on obtiendra des « oui » chez les uns et des « non » chez les autres. Ces réponses étaient inutilisables et toute la partie de la recherche qui tournait autour de cette question a dû être abandonnée.

Outre l'exigence de précision, il faut encore que le sujet interrogé soit en état de donner la réponse, qu'il la connaisse et ne soit pas contraint ou enclin à la cacher.

Pour s'assurer que les questions seront bien comprises et que les réponses correspondront bien aux informations recherchées, il est impératif de tester les questions. Cette opération consiste à les soumettre à un petit nombre de sujets appartenant aux différentes catégories d'individus composant l'échantillon. On découvre ainsi qu'un terme tel que « euthanasie » n'est pas compris de tout le monde. On découvre aussi des questions qui provoquent des réactions affectives ou idéologiques et dont les réponses deviennent inutilisables. C'est le cas, par exemple, de la proposition déjà citée à propos de laquelle on demandait d'exprimer son degré d'accord : « Point n'est faute ni crime à aimer sa femme et autant sa voisine. »

Cette proposition introduit une discrimination entre les hommes et les femmes et provoque chez ces dernières une réponse négative qui est sans rapport avec l'information recherchée. Par ce moyen, on identifie également d'autres types de questions qui posent problème, telles que celles auxquelles les gens n'aiment pas répondre et qu'il est dès lors préférable de ne pas poser en début de questionnaire.

En ce qui concerne le guide d'interview, les exigences sont différentes. C'est la façon de mener l'entretien qui doit être expérimentée autant, sinon davantage que les questions elles-mêmes qui sont contenues dans le guide.

Nous ne parlons pas ici du guide d'entretien très structuré dont les exigences sont semblables à celles du questionnaire. C'est surtout lorsqu'il s'agit d'un entretien semi-dirigé que les choses deviennent très différentes. Attention cependant : un guide d'interview peu structuré ne signifie pas que le chercheur a commis des omissions ou a été négligent au cours de la phase de construction, mais bien que, pour diverses raisons liées à ses objectifs de recherche, il n'a pas jugé souhaitable que le type de construction de son interview transparaisse à travers les questions.

Dans ce cas, il s'agit d'amener la personne interrogée à s'exprimer avec un grand degré de liberté sur les thèmes suggérés par un nombre restreint de questions relativement larges, afin de laisser le champ ouvert à d'autres réponses que celles que le chercheur aurait pu explicitement prévoir dans son travail de construction. Ici, les questions restent donc ouvertes et n'induisent ni les réponses, ni les relations qui peuvent exister entre elles.

La structure des hypothèses et des concepts n'est pas strictement reproduite dans le guide d'interview, mais elle n'en est pas moins présente dans l'esprit de celui qui conduit l'entretien. Celui-ci doit continuellement amener son interlocuteur à s'exprimer sur les éléments de cette structure sans la lui révéler. Le succès d'un tel entretien dépend bien sûr de la composition des questions mais aussi et surtout de la capacité de concentration et de l'habileté de celui qui mène l'entretien. Il est donc important de se tester. Cela peut se faire en enregistrant quelques entretiens et en écoutant comment ils ont été menés.

c. La collecte des données

La troisième opération de la phase d'observation est la collecte des données. Celle-ci constitue la mise en œuvre de l'instrument d'observation. Cette opération consiste à recueillir ou rassembler concrètement les informations prescrites auprès des personnes ou unités d'observation retenues dans l'échantillon.

On procédera par observation directe lorsque l'information recherchée est directement disponible. Le guide d'observation est alors destiné à l'observateur lui-même, non à un éventuel répondant. Dès lors, sa rédaction ne répond pas à des contraintes aussi précises que celles du questionnaire par exemple. Sans être de l'observation directe, la collecte de données statistiques existantes, de documents écrits (textes, tracts…) ou picturaux (affiches, photos…) pose également des problèmes spécifiques qui seront évoqués dans le dernier point de cette étape.

Par contre, l'observation indirecte, par questionnaire ou guide d'interview, doit vaincre la résistance naturelle ou l'inertie des individus. Il ne suffit pas de concevoir un bon instrument, il faut encore le mettre en œuvre de manière à obtenir un taux de réponses suffisant pour que l'analyse soit valable. Les gens ne sont pas forcément disposés à répondre, sauf s'ils y trouvent un avantage (parler un moment, par exemple) ou s'ils pensent que leur avis peut aider à faire avancer les choses dans un domaine auquel ils attachent de l'importance. Le chercheur doit donc convaincre son interlocuteur, « vendre sa marchandise ». C'est pourquoi on évitera généralement d'envoyer un questionnaire par la poste et on le confiera plus volontiers à des enquêteurs, si le coût n'en est pas trop élevé. Le rôle de l'enquêteur est alors de créer chez les personnes interrogées une attitude favorable, le souci de répondre franchement aux questions et enfin, de ramener un questionnaire correctement rempli. S'il s'agit d'un questionnaire transmis par voie postale, il est important que la présentation du document ne soit pas dissuasive et qu'il soit accompagné d'une lettre d'introduction claire, concise et motivante.

Avant d'aborder, dans les pages qui suivent, le panorama des principales catégories de méthodes de collecte de données, il est bon d'insister sur l'anticipation. Celle-ci n'est pas une opération de l'observation proprement dite mais doit être un souci constant du chercheur, lors de l'élaboration de son instrument d'observation. Dans la phase suivante d'analyse des informations, les données observées seront soumises à diverses opérations statistiques visant à leur donner la forme requise par les hypothèses de la recherche. C'est pourquoi il est nécessaire de souligner combien le choix de l'instrument d'observation et la collecte des données doivent s'inscrire dans l'ensemble des objectifs et du dispositif méthodologique de la recherche.

Le choix d'une méthode d'enquête par questionnaire auprès d'un échantillon de plusieurs centaines de personnes interdit que les réponses individuelles puissent être interprétées isolément en dehors du cadre prévu par les chercheurs. Il est donc préférable de savoir au départ que les données récoltées dans ces conditions n'ont de sens que dans leur traitement strictement quantitatif qui consiste à comparer les catégories de réponses et à étudier leurs corrélations. À l'inverse, d'autres procédures de recueil de données écarteront toute possibilité de traitement quantitatif et exigeront d'autres techniques d'analyse des informations rassemblées.

Les méthodes de recueil et les méthodes d'analyse des données sont le plus souvent complémentaires et doivent donc être choisies ensemble en fonction des objectifs et des hypothèses de travail. Si les enquêtes par questionnaire s'accompagnent de méthodes d'analyse quantitative, les méthodes d'entretien appellent habituellement des méthodes d'analyse de contenu qui sont souvent, mais pas obligatoirement, qualitatives. Bref, il importe que le chercheur ait une vision globale de son travail et ne prévoie les modalités d'aucune de ces étapes sans s'interroger constamment sur ses implications ultérieures.

Précisons en outre que les questions qui constituent l'instrument d'observation déterminent le type d'information que l'on obtiendra et l'usage que l'on pourra en faire lors de l'analyse des données. Si l'on s'intéresse par exemple à la réussite scolaire d'élèves, trois niveaux de précision dans l'information peuvent être envisagés : échec ou réussite, le rang (premier, deuxième, troisième…, dernier) et le pourcentage des points obtenus par rapport au total. L'information récoltée dépendra de la question figurant dans l'instrument d'observation. Lors de l'analyse, les données qualitatives (l'échec-réussite) ne se traitent pas de la même façon que les données ordinales (le rang) ou quantitatives (le pourcentage).

Dans cet exemple, on observe une fois encore l'interdépendance entre l'observation et l'analyse des données. Il faut donc anticiper et se demander régulièrement pour chaque réponse prévue : « Est-ce que la question que je pose va me donner l'information et le degré de précision dont j'ai besoin dans la phase ultérieure ? » ou encore : « À quoi doit servir cette information et comment vais-je pouvoir la mesurer et la mettre en relation avec les autres ? »

4. PANORAMA DES PRINCIPALES MÉTHODES DE RECUEIL DES INFORMATIONS

Pour expliquer les principes généraux de l'observation, nous avons choisi l'exemple de l'enquête par questionnaire, qui se prête bien à une utilisation pédagogique en raison du caractère très précis et formel de sa construction et de sa mise en œuvre. Cette méthode n'est cependant pas la seule, loin s'en faut. De plus, en elle-même, elle n'est ni meilleure, ni moins bonne qu'une autre ; tout dépend en fait des objectifs de la recherche, du modèle d'analyse et des caractéristiques du champ d'analyse. Si le chercheur étudie le contenu d'articles de presse, l'usage d'un questionnaire n'a aucun sens. Si ses hypothèses lui imposent de mener un travail d'analyse intensive portant sur un champ restreint, par exemple une seule entreprise, l'usage du questionnaire peut être tout à fait insatisfaisant et, le plus souvent, absolument inutile et injustifié. Un exemple bien connu de ce dernier type de recherche est présenté dans l'ouvrage de M. Pagès, M. Bonetti, V. de Gaulejac et D. Descendre, *L'Emprise de l'organisation* (Paris, PUF, 1979), qui ont étudié le fonctionnement interne d'une multinationale.

Nous terminerons donc cette étape relative à l'observation en présentant de manière critique quelques-unes des principales méthodes de recueil des informations. L'objectif poursuivi est double : primo, montrer qu'elles existent et que les méthodes de recherche sociale ne se limitent pas à administrer des questionnaires ; secundo, aider celui qui entreprend concrètement un travail à choisir le plus judicieusement possible les méthodes dont il a besoin. Dans la prochaine étape, un panorama comparable sera présenté, mais qui portera quant à lui sur les méthodes d'analyse des informations.

On ne connaît correctement une méthode de recherche qu'après l'avoir expérimentée par soi-même. Avant d'en retenir une, il est donc indispensable de s'assurer, auprès de chercheurs qui la maîtrisent bien, de son opportunité par rapport aux objectifs spécifiques de chaque travail, à ses hypothèses et aux ressources dont on dispose. Ce panorama ne saurait remplacer cette démarche mais nous pensons qu'il peut la préparer utilement.

Le terme « méthode » n'est plus compris ici dans le sens large de dispositif global d'élucidation du réel mais bien dans un sens plus restreint, celui de dispositif spécifique de recueil ou d'analyse des informations, destiné à tester des hypothèses de recherche. En ce sens strict, l'entretien de groupe, l'enquête par questionnaire ou l'analyse de contenu sont des exemples de méthodes de recherche en sciences sociales.

Dans le cadre de la mise en œuvre d'une méthode, des techniques particulières peuvent être utilisées, comme par exemple les techniques d'échantillonnage. Il s'agit alors de procédures spécialisées qui n'ont pas de finalité en elles-mêmes. De la même manière, les dispositifs méthodologiques font nécessairement appel à des disciplines auxiliaires comme les mathématiques, la statistique ou la psychologie sociale notamment.

Seules les grandes catégories de méthodes seront considérées ici de sorte qu'on ne se perde pas dans des détails qui, pour être traités superficiellement, seraient de toute manière inutiles. Pour faciliter les comparaisons qui seules importent vraiment ici et au risque de paraître incomplets et trop sommaires, nous avons limité le panorama à des méthodes courantes et nous nous sommes efforcés de les exposer toutes de la même manière et très brièvement. Chaque fiche technique comportera en effet :

– une présentation générale de la méthode ;

– une présentation de ses principales variantes ;

– un exposé des objectifs pour lesquels elle convient particulièrement ;

– un exposé de ses principaux avantages ;

– un exposé de ses limites et des problèmes qu'elle pose ;

– une indication des autres méthodes avec lesquelles elle va souvent de pair ;

– quelques mots sur la formation requise pour la mettre en œuvre, mis à part, bien entendu, tout ce qui relève de la formation méthodologique générale ;

– quelques références bibliographiques destinées à ceux qui souhaitent faire plus ample connaissance avec la méthode présentée. Les ouvrages qui ne sont pas consacrés à une méthode particulière sont repris dans la bibliographie générale en fin de volume. D'autre part, quelques exemples de recherches dont les résultats ont été publiés en français seront également repris à la fin de l'étape suivante car chaque recherche particulière fait généralement appel à plusieurs méthodes différentes.

4.1. L'enquête par questionnaire

a.   Présentation

Elle consiste à poser à un ensemble de répondants, le plus souvent représentatif d'une population, une série de questions relatives à leur situation sociale, professionnelle ou familiale, à leurs opinions, à leur attitude à l'égard d'options ou d'enjeux humains et sociaux, à leurs attentes, à leur niveau de connaissance ou de conscience d'un événement ou d'un problème, ou encore sur tout autre point qui intéresse les chercheurs. L'enquête par questionnaire à perspective sociologique se distingue du simple sondage d'opinion par le fait qu'elle vise la vérification d'hypothèses théoriques et l'examen de corrélations que ces hypothèses suggèrent. De ce fait, ces enquêtes sont généralement beaucoup plus élaborées et consistantes que ne le sont les sondages. Compte tenu du grand nombre de personnes généralement interrogées et du traitement quantitatif des informations qui devra suivre, les réponses à la plupart des questions sont normalement précodées de sorte que les répondants doivent obligatoirement choisir leurs réponses parmi celles qui leur sont formellement proposées.

b.   Variantes

Le questionnaire est dit d'« administration indirecte » lorsqu'un enquêteur le complète lui-même à partir des réponses qui lui sont fournies par le répondant. Il est dit d'« administration directe » lorsque le répondant le remplit lui-même. Le questionnaire lui est alors remis en main propre par un enquêteur chargé de donner toutes les explications utiles, ou adressé indirectement par la poste ou par tout autre moyen. Il va sans dire que cette dernière procédure est peu fiable et n'est utilisée qu'exceptionnellement dans la recherche sociale, car les questions sont souvent mal interprétées, et parce que le nombre de réponses est généralement trop faible. En revanche, on utilise de plus en plus souvent le téléphone pour ce type d'enquête.

c.   Objectifs pour lesquels la méthode convient particulièrement

- La connaissance d'une population en tant que telle : ses conditions et ses modes de vie, ses comportements et ses pratiques, ses valeurs ou ses opinions.
- L'analyse d'un phénomène social que l'on pense pouvoir mieux cerner à partir d'informations portant sur les individus de la population concernée. Exemples : l'impact d'une politique familiale ou l'introduction de la micro-informatique dans l'enseignement.
- D'une manière générale, les cas où il est nécessaire d'interroger un grand nombre de personnes et où se pose un problème de représentativité.

d.   Principaux avantages

- La possibilité de quantifier de multiples données et de procéder dès lors à de nombreuses analyses de corrélation.

- Le fait que, par cette méthode, l'exigence parfois essentielle de représentativité de l'ensemble des répondants peut être rencontrée. Il faut toutefois souligner que cette représentativité n'est jamais absolue, qu'elle est toujours limitée par une marge d'erreur et qu'elle n'a de sens que par rapport à un certain type de questions,... celles qui ont un sens pour la totalité de la population concernée.

e.   Limites et problèmes

- La lourdeur et le coût généralement élevé du dispositif.

- La superficialité des réponses qui ne permettent pas l'analyse de certains processus tels que l'évolution du travail au noir ou celle des conceptions idéologiques profondes. Dès lors, les résultats se présentent souvent comme de simples descriptions, dépourvues d'éléments de compréhension pénétrants. Le plus souvent cependant, cette lacune est moins liée à la méthode elle-même qu'aux faiblesses théoriques ou méthodologiques de ceux qui l'appliquent.

- L'individualisation des répondants qui sont considérés indépendamment de leurs réseaux de relations sociales.

- La relative fragilité de la fiabilité du dispositif. Pour que la méthode soit fiable, plusieurs conditions doivent être remplies : rigueur dans le choix de l'échantillon, formulation claire et univoque des questions, correspondance entre le monde de référence des questions et le monde de référence du répondant, atmosphère de confiance au moment de l'administration du questionnaire, honnêteté et conscience professionnelle des enquêteurs. Si l'une de ces conditions n'est pas correctement remplie, la fiabilité de l'ensemble du travail s'en ressent. Dans la pratique, les principales difficultés proviennent généralement du côté des enquêteurs qui ne sont pas toujours suffisamment formés et motivés pour effectuer ce travail exigeant et souvent décourageant.

f.   Méthode complémentaire

L'analyse statistique des données. Les données recueillies par une enquête par questionnaire, dont de nombreuses réponses sont précodées, n'ont pas de signification en elles-mêmes. Elles ne peuvent donc servir que dans le cadre d'un traitement quantitatif qui permet de comparer les réponses globales de catégories sociales différentes et d'analyser les corrélations entre variables.

Prises en tant que telles, les réponses de chaque individu particulier peuvent cependant être consultées pour constituer une sélection de répondants typiques en vue d'analyses ultérieures plus approfondies.

g. Formation requise

- Techniques d'échantillonnage.
- Techniques de rédaction, de codage et de dépouillement des questions, y compris les échelles d'attitude.
- Gestion de réseaux d'enquêteurs.
- Initiation aux programmes informatiques de gestion et d'analyse de données d'enquêtes (SPSS, SPAD, SAS…).
- Statistique descriptive et analyse statistique des données.
- Dans le cas le plus courant où le travail est effectué en équipe et où il est fait appel à des services spécialisés, il n'est pas indispensable que tous les chercheurs soient personnellement formés dans les domaines les plus techniques.

h. Quelques références bibliographiques

BERTHIER N. et BERTHIER F. (1978), *Le Sondage d'opinion*, Paris, Entreprise moderne d'édition, Librairies techniques et les éditions ESF, coll. « Formation permanente en sciences humaines ».

GHIGLIONE R. (1987), « Questionner » ? in A. Blanchet *et al.*, *Les Techniques d'enquête en sciences sociales*, Paris, Dunod, p. 127-182.

GHIGLIONE R. et MATALON B. (1978), *Les Enquêtes sociologiques. Théories et pratique*, Paris, Armand Colin.

JAVEAU Cl. (1992), *L'Enquête par questionnaire*, Bruxelles, Éditions de l'Université de Bruxelles, Paris, Les Éditions d'Organisation.

SINGLY F. (DE) (2005), *L'Enquête et ses méthodes : le questionnaire*, Paris, Armand Colin, coll. 128, 2e éd.

4.2. L'entretien

a. Présentation

Sous leurs différentes formes, les méthodes d'entretien se distinguent par la mise en œuvre des processus fondamentaux de communication et d'interaction humaine. Correctement mis en valeur, ces processus permettent au chercheur de retirer de ses entretiens des informations et des éléments de réflexion très riches et nuancés. À l'inverse de l'enquête par questionnaire, les méthodes d'entretien se caractérisent par un contact direct entre le cher-cheur et ses interlocuteurs et par une faible directivité de sa part.

Ainsi, s'instaure en principe un véritable échange au cours duquel l'inter-locuteur du chercheur exprime ses perceptions d'un événement ou d'une situation, ses interprétations ou ses expériences, tandis que, par ses questions ouvertes et ses réactions, le chercheur facilite cette expression, évite qu'elle s'éloigne des objectifs de la recherche et permet à son vis-à-vis d'accéder à un degré maximum d'authenticité et de profondeur.

Si l'entretien est d'abord une méthode de recueil des informations, au sens le plus riche, il reste que l'esprit théorique du chercheur doit rester continuel-lement en éveil de sorte que ses propres interventions amènent des éléments d'analyse aussi fécond que possible.

Par rapport à l'entretien exploratoire, le chercheur concentrera davantage l'échange autour de ses hypothèses de travail sans exclure pour autant les développements parallèles susceptibles de les nuancer ou de les corriger. En outre – et c'est la différence essentielle – le contenu de l'entretien fera l'objet d'une analyse de contenu systématique, destinée à tester les hypothèses de travail.

b.   *Variantes*

- L'entretien semi-directif, ou semi-dirigé, est certainement le plus utilisé en recherche sociale. Il est semi-directif en ce sens qu'il n'est ni entière-ment ouvert, ni canalisé par un grand nombre de questions précises. Généralement, le chercheur dispose d'une série de questions-guides, rela-tivement ouvertes, à propos desquelles il est impératif qu'il reçoive une information de la part de l'interviewé. Mais il ne posera pas forcément toutes les questions dans l'ordre où il les a notées et sous la formulation prévue. Autant que possible, il « laissera venir » l'interviewé afin que celui-ci puisse parler ouvertement, dans les mots qu'il souhaite et dans l'ordre qui lui convient. Le chercheur s'efforcera simplement de recentrer l'entretien sur les objectifs chaque fois qu'il s'en écarte et de poser les questions auxquelles l'interviewé ne vient pas par lui-même, au moment le plus approprié et de manière aussi naturelle que possible.

- L'entretien centré, mieux connu sous son appellation anglaise de *focused interview*, a pour objectif d'analyser l'impact d'un événement ou d'une expérience précise sur ceux qui y ont assisté ou participé ; d'où son nom. L'enquêteur ne dispose pas de questions préétablies, comme dans l'enquête par questionnaire, mais bien d'une liste de points précis relatifs au thème étudié. Au cours de l'entretien, il abordera impérativement ces points mais sous une forme qu'il est libre de choisir à chaud selon le déroulement de la conversation. Dans ce cadre relativement souple, il posera néanmoins de nombreuses questions à son interlocuteur.

- Dans certains cas, comme dans le cadre de récits de vies, les chercheurs mettent en œuvre une méthode d'entretien extrêmement approfondi et détaillé avec très peu d'interlocuteurs. Dans ce cas, les entretiens, beaucoup plus longs, sont divisés en plusieurs séances.

L'entretien compréhensif, tel qu'exposé par J.-Cl. Kaufmann (*op. cit.*), n'est pas à proprement parler une variante de la méthode de l'entretien tel que conçu ici, comme dispositif de recueil d'information visant à mettre à l'épreuve des hypothèses formulées préalablement. Il représente une méthode « globale » de type inductif dans laquelle le terrain – soit les propos des personnes avec qui l'entretien a eu lieu – constitue le point de départ de la problématisation et de la théorisation.

Celles-ci s'effectuent au fur et à mesure des entretiens, selon les principes de la *Grounded Theory* conçue par A. Strauss. Loin de n'accorder qu'un faible poids à la théorie, cette méthode suppose en fait une bonne culture théorique et une solide expérience de recherche. En effet, le chercheur doit être capable de puiser, avec opportunisme et souplesse, parmi les ressources théoriques qu'il a assimilées, celles qui lui seront utiles le moment venu. Il doit être en mesure de les refaçonner pour les soumettre au processus de découverte en cours.

c.   *Objectifs pour lesquels la méthode convient particulièrement*

- L'analyse du sens que les acteurs donnent à leurs pratiques et aux événements auxquels ils sont confrontés : leurs représentations sociales, leurs systèmes de valeurs, leurs repères normatifs, leurs interprétations de situations conflictuelles ou non, leurs lectures de leurs propres expériences, etc.

- L'analyse d'un problème précis : ses données, les points de vues en présence, ses enjeux, les systèmes de relations, le fonctionnement d'une organisation, etc.

- La reconstitution de processus d'action, d'expériences ou d'événements du passé.

- Tous les récits de vie, les trajectoires de vie dans leurs dimensions sociales et individuelles.

d.   *Principaux avantages*

- Le degré de profondeur des éléments d'analyse recueillis.
- La souplesse et la faible directivité du dispositif qui permet de récolter les témoignages et les interprétations des interlocuteurs en respectant leurs propres cadres de références : leur langage et leurs catégories mentales.

e.   Limites et problèmes

- La souplesse même de la méthode peut effrayer ceux qui ne peuvent travailler avec sérénité sans directives techniques précises. À l'inverse, d'autres peuvent penser que cette souplesse relative les autorise à converser n'importe comment avec leurs interlocuteurs. Parallèlement, le caractère peu technique de la formation requise n'aide pas le chercheur qui envisage de mettre cette méthode en œuvre à estimer correctement son niveau de compétence en la matière.

- Contrairement aux enquêtes par questionnaire par exemple, les éléments d'information et de réflexion recueillis par la méthode de l'entretien ne se présentent pas d'emblée sous une forme qui appelle un mode d'analyse particulier. Ici, plus qu'ailleurs peut-être, les méthodes de recueil et d'analyse des informations doivent être choisies et conçues conjointement.

- Plus fondamentalement enfin, la souplesse de la méthode peut laisser croire à une complète spontanéité de l'interviewé et à une totale neutralité du chercheur. Les propos de l'interviewé sont toujours liés à la relation spécifique qui le lie au chercheur et ce dernier ne peut donc les interpréter valablement que s'il les considère comme tels. L'analyse d'un entretien doit donc comprendre une élucidation de ce que les questions du chercheur, la relation d'échange et le cadre de l'entretien induisent dans les propos de son interlocuteur. Considérer ces derniers indépendamment d'un contexte aussi marquant serait faire preuve d'une grande naïveté épistémologique.

f.   Méthodes complémentaires

En recherche sociale, la méthode des entretiens est presque toujours associée à une méthode d'analyse de contenu. Au cours des entretiens, il s'agit en effet de faire surgir un maximum d'éléments d'information et de réflexion qui serviront de matériaux à une analyse de contenu systématique qui répond, quant à elle, aux exigences d'explicitation, de stabilité et d'intersubjectivité des procédures.

g.   Formation requise

- D'une manière générale, l'aptitude à retirer le maximum d'éléments intéressants de l'entretien est lié à la formation théorique du chercheur et à sa lucidité épistémologique.

- D'une manière plus spécifique :

- connaissance théorique et pratique élémentaire des processus de communication et d'interaction interindividuelle (psychologie sociale) ;

- formation pratique aux techniques d'entretien (voir ce qui est écrit dans l'étape 2 à propos des entretiens exploratoires).

h.   Quelques références bibliographiques

BLANCHET A. *et al.* (1985), *L'Entretien dans les sciences sociales. L'écoute, la parole et le sens*, Paris, Dunod.

BLANCHET A. (1987), « Interviewer », in A. Blanchet *et al.*, *Les Techniques d'enquête en sciences sociales*, Paris, Dunod, p. 81-126.

BOURDIEU P. (1993), « Comprendre », in P. Bourdieu (dir.), *La Misère du monde*, Paris, Le Seuil, p. 903-939.

FERRAROTTI F., *Histoire et histoires de vie. La méthode biographique dans les sciences sociales*, Paris, Méridiens Klincksieck.

KAUFMANN J.C. (1996), *L'Entretien compréhensif*, Paris, Armand Colin, coll. 128.

MERTON R.K., FISKE M. et KENDALL P.L. (1956), *The Focused Interview*, Illinois, The Free Press of Glencoe.

PAGÈS M. (1970), *L'Orientation non-directive en psychothérapie et en psychologie sociale*, Paris, Dunod.

PENEFF J. (1990), *La Méthode biographique. De l'école de Chicago à l'histoire orale*, Paris, Armand Colin.

ROGERS C. (rééd. 1980) (1942), *La Relation d'aide et la psychothérapie*, Paris, ESF.

4.3. L'observation directe

a.   Présentation

Il s'agit ici d'une méthode au sens strict, basée sur l'observation visuelle, non de « l'observation » en tant que cinquième étape de la démarche dans cet ouvrage.

Si nous écartons ici le cas très particulier (et parfois très flou) de la recherche-action, les méthodes d'observation directe constituent les seules méthodes de recherche sociale qui captent les comportements au moment où ils se produisent sans l'intermédiaire d'un document ou d'un témoignage. Dans les autres méthodes, au contraire, les événements, les situations ou les phénomènes étudiés sont reconstitués à partir des déclarations des acteurs (enquête par questionnaire et entretien) ou des traces laissées par ceux qui en furent les témoins directs ou indirects (analyse de documents).

Les observations sociologiques portent sur les comportements des acteurs en tant qu'ils manifestent des systèmes de relations sociales ainsi que sur les fondements culturels et idéologiques qui les sous-tendent. En ce sens, le chercheur peut être attentif à l'apparition ou à la transformation des comportements, aux effets qu'ils produisent et aux contextes dans lesquels ils sont observés, tels que l'ordonnance d'un espace ou la disposition des meubles d'un local qui cristallisent des systèmes de communication et de hiérarchie. Bref, le champ d'observation du chercheur est a priori infiniment large et ne dépend en définitive que des objectifs de son travail et de ses hypothèses de départ. À partir d'elles, l'acte d'observer sera structuré, dans la plupart des cas, par une grille d'observation préalablement constituée.

Les modalités concrètes de l'observation sont très différentes en recherche sociale selon que le chercheur adopte par exemple une méthode d'observation participante de type ethnologique ou, au contraire, une méthode d'observation non participante dont les procédures techniques sont très formalisées. Entre ces deux pôles, qui sont brièvement présentés dans le point suivant, se situent en effet la plupart des dispositifs d'observation sociologique.

b. Variantes

• L'observation participante de type ethnologique est assez logiquement celle qui répond globalement le mieux aux préoccupations habituelles des chercheurs en sciences sociales. Elle consiste à étudier une communauté durant une longue période, en participant à la vie collective. Le chercheur en étudie alors les modes de vie, de l'intérieur et dans le détail, en s'efforçant de les perturber aussi peu que possible. La validité de son travail repose notamment sur la précision et la rigueur des observations ainsi que sur la confrontation continuelle des observations et des hypothèses interprétatives. Le chercheur sera particulièrement attentif à la reproduction ou non des phénomènes observés ainsi qu'à la convergence entre les différentes informations obtenues qu'il s'agit de recouper systématiquement. C'est à partir de pareilles procédures que les logiques sociales et culturelles des groupes étudiés pourront apparaître le plus clairement et que les hypothèses pourront être testées et affinées (voir plus loin la *Field research*).

L'implication intime dans la vie d'un groupe ou d'une communauté peut affecter en profondeur le chercheur dans sa propre vision de l'existence et du monde ainsi que dans son lien aux autres. L'élucidation de cette expérience manquante est indispensable et peut être, en elle-même, la source d'enseignements précieux.

Les sociologues qui étudient habituellement leur propre société au cours de recherches de durée limitée n'appliquent généralement pas l'observation ethnologique avec la même précision et la même intensité que les anthropologues qui quittent leur propre pays pour de longs mois, voire des années, et recueillent dès lors un matériau empirique considérable. Cependant, ils mettent régulièrement en œuvre des méthodes d'observation comparables, le plus souvent de manière assez souple et en complément d'autres méthodes plus formalisées.

- Les méthodes d'observation non participante présentent, quant à elles, des profils très différents, leur seul point commun étant que le chercheur ne participe pas à la vie du groupe, qu'il observe donc « de l'extérieur ». L'observation peut être de longue ou de courte dure, faite à l'insu ou avec l'accord des personnes concernées, ou encore être réalisée sans ou avec l'aide de grilles d'observation détaillées.

Ces grilles reprennent de manière très sélective les différentes catégories de comportements à observer. Les fréquences et les distributions des différentes classes de comportement peuvent alors être éventuellement calculées afin d'étudier les corrélations entre ces comportements et d'autres variables mises en évidence par les hypothèses. Cette procédure s'inspire en fait de ce qui se fait depuis de nombreuses années en psychologie, en pédagogie et, depuis plus longtemps encore, en éthologie animale. Mais, contrairement à ce qui se passe souvent dans ces disciplines, les chercheurs en sciences sociales ne font guère appel à des méthodes d'observation expérimentale, sinon dans des disciplines limitrophes comme la psychologie sociale.

c.   Objectifs pour lesquels la méthode convient particulièrement

- Ces objectifs diffèrent en partie avec les différentes formes que peut prendre l'observation. D'une manière générale toutefois, et par définition pourrait-on dire, la méthode convient particulièrement à l'analyse du non-verbal et de ce qu'il révèle : les conduites instituées et les codes comportementaux, le rapport au corps, les modes de vie et les traits culturels, l'organisation spatiale des groupes et de la société, etc.
- Plus particulièrement, les méthodes d'observation dépourvues de caractère expérimental conviennent à l'étude des événements tels qu'ils se produisent et peuvent donc utilement compléter d'autres méthodes d'analyse des processus d'action et de transformation sociale.

d.   Principaux avantages

- La saisie des comportements et des événements sur le vif.
- Le recueil d'un matériau d'analyse non suscité par le chercheur et donc relativement spontané.
- La relative authenticité des comportements par rapport aux paroles et aux écrits. Il est plus facile de mentir avec la bouche qu'avec le corps.

e.   Limites et problèmes

- Les difficultés couramment rencontrées pour se faire accepter comme observateur par les groupes concernés.

- Le problème des traces. Le chercheur ne peut se fier à sa seule mémoire des événements saisis sur le vif car la mémoire est sélective et éliminerait une multitude de comportements dont l'importance n'est pas apparue immédiatement. Comme la prise de notes au moment même n'est pas toujours possible ni souhaitable, la seule solution consiste à transcrire les comportements observés immédiatement après l'observation. En pratique, il s'agit souvent d'une réelle corvée en raison de la fatigue et des conditions de travail parfois éprouvantes.

- Le problème de l'interprétation des observations. L'utilisation de grilles d'observation très formalisées facilite l'interprétation mais, en revanche, celle-ci risque d'être relativement superficielle et mécanique en regard de la richesse et de la complexité des processus étudiés. Par contre, la validité de l'observation de type ethnologique est fondée sur un travail de longue haleine et nécessite de surcroît une solide formation théorique de la part des chercheurs. En recherche sociale, la solution à ce dilemme est le plus souvent recherchée dans la mise en œuvre d'une méthode d'observation relativement souple qui est utilisée en complément d'autres méthodes dont les procédures techniques sont plus précises, ou encore, lorsque cela est possible, dans la collaboration de plusieurs chercheurs qui confère une certaine intersubjectivité aux observations et à leur interprétation.

f.   *Méthodes complémentaires*

- La méthode de l'entretien, suivie d'une analyse de contenu, est certainement la plus utilisée en parallèle avec les méthodes d'observation. Leur complémentarité permet en effet d'effectuer un travail d'investigation en profondeur qui, lorsqu'il est mené avec la lucidité et les précautions d'usage, présente un degré de validité satisfaisant.

- Des manières les plus diverses, les chercheurs font couramment appel à des observations de type ethnologique, mais de durée limitée, pour suppléer aux carences de méthodes de recherches très formalisées dont la rigueur technique a souvent pour corollaire un manque d'imagination et de sensibilité sur le plan des interprétations.

g.   *Formation requise*

La meilleure et finalement la seule véritable formation à l'observation est la pratique. L'œil de l'expert ne s'aiguise pas en quelques semaines de travail. C'est une longue et systématique confrontation entre la réflexion théorique, inspirée de la lecture des bons auteurs, et les comportements observables dans la vie collective qui a produit les observateurs les plus pénétrants ; ceux dont les sciences sociales se souviennent et que l'on prend aujourd'hui pour modèles. Il faut donc apprendre à observer… en observant et, si on en a l'occasion, comparer ses propres observations et interprétations à celles des collègues avec lesquels on travaille.

h.   *Quelques références bibliographiques*

ARBORIO A.-M., FOURNIER P. (2005), *L'Enquête et ses méthodes : l'observation directe*, Paris, Armand Colin, coll. 128.

DE KETELE J.-M. (1983), *Méthodologie de l'observation*, Louvain-la-Neuve, Laboratoire de pédagogie expérimentale, UCL.

JACCOUD M., MAYER R. (1997), « L'observation en situation et la recherche qualitative », *in* J. Poupart, *et al.*, *La Recherche qualitative*, p. 212-249.

MASSONAT J. (1987), « Observer », in A. Blanchet *et al., Les Techniques d'enquête en sciences sociales*, Paris, Dunod.

4.4. Le recueil des données existantes : données secondaires et données documentaires

a.   *Présentation*

Le chercheur en sciences sociales récolte des documents pour deux raisons complètement différentes. Soit il envisage de les étudier en tant que tels, comme dans l'examen de la manière dont un reportage télévisé rend compte d'un événement, ou encore dans l'analyse sociologique d'un roman. Soit il espère y trouver des informations utiles pour étudier un autre objet, comme par exemple dans la recherche de données statistiques sur le chômage ou de témoignages sur un conflit social dans les archives de la télévision. Dans le premier cas, les problèmes rencontrés relèvent du choix de l'objet d'étude ou de la délimitation du champ d'analyse et non des méthodes de recueil des informations proprement dites. Le second cas sera donc seul considéré ici.

Il est courant que le travail d'un chercheur nécessite des données macrosociales que seuls des organismes officiels puissants tels que les instituts nationaux de statistiques sont en mesure de récolter. Si ces organismes existent, c'est d'ailleurs principalement pour offrir aux responsables et aux chercheurs des données nombreuses et fiables qu'ils ne pourraient recueillir par eux-mêmes. D'autre part, les bibliothèques, les archives et les banques de données, sous toutes leurs formes, abondent de données qui n'attendent que l'attention des chercheurs. Il est dès lors inutile de consacrer d'importantes ressources à récolter ce qui existe déjà par ailleurs, quitte à ce que la présentation des données ne convienne pas directement et doive subir quelques adaptations.

Précisément, et en dépit de ses nombreux avantages, la récolte de données existantes peut poser de nombreux problèmes qui demandent à être résolus d'une manière correcte. Pour cette raison, le recueil de données existantes est considéré ici comme une véritable méthode de recherche.

b.   *Variantes*

Elles sont nombreuses et dépendent de la nature des sources et des informations considérées. Du point de vue de la source, il peut s'agir aussi bien de documents manuscrits, imprimés ou audiovisuels, officiels ou privés, personnels ou émanant d'un organisme, contenant des colonnes de chiffres ou des textes. Si nous écartons provisoirement le problème de l'analyse des données finalement retenues pour tester les hypothèses et ne nous préoccupons ici que de leur recueil proprement dit, on peut considérer que les deux variantes les plus couramment utilisées dans la recherche sociale sont : le recueil de données statistiques d'une part et le recueil de documents de forme littéraire émanant d'institutions et d'organismes publics et privés (lois, statuts et règlements, procès-verbaux, publications...) ou de particuliers (récits, mémoires, correspondance...) d'autre part. Dans un avenir plus ou moins rapproché, on peut toutefois s'attendre à ce que les documents audiovisuels soient de plus en plus utilisés eux aussi.

L'une et l'autre de ces deux variantes principales impliquent des procédures différentes de validation des données, mais la logique en est fondamentalement la même : il s'agit de contrôler la fiabilité des documents et des informations qu'ils contiennent, ainsi que leur adéquation aux objectifs et aux exigences du travail de recherche.

- Pour ce qui concerne les données statistiques, l'attention portera principalement sur la fiabilité globale de l'organisme émetteur, la définition des concepts et des modes de calcul (par exemple : le taux de chômage est défini et calculé de manière différente ans chacun des pays de l'Union européenne) et leur adéquation par rapport aux hypothèses de la recherche, la compatibilité de données relatives à des périodes différentes ou recueillies par des organismes différentes et enfin, la correspondance entre le champ couvert par les données disponibles et le champ d'analyse de la recherche.

- Pour ce qui concerne les documents de forme littéraire, l'attention portera principalement sur l'authenticité des documents, l'exactitude des informations qu'ils contiennent, ainsi que la correspondance entre le champ que couvrent les documents disponibles et le champ d'analyse de la recherche.

c.   *Objectifs pour lesquels la méthode convient particulièrement*

- L'analyse des phénomènes macrosociaux (*cf.* le suicide), démographiques, socio-économiques...

- L'analyse des changements sociaux et du développement historique des phénomènes sociaux à propos desquels il n'est pas possible de recueillir des témoignages directs ou pour l'étude desquels les témoignages directs sont insuffisants.

- L'analyse du changement dans les organisations.
- L'étude des idéologies, des systèmes de valeurs et de la culture dans son sens le plus large.

d. Principaux avantages

- L'économie de temps et d'argent qui permet au chercheur de consacrer l'essentiel de son énergie à l'analyse proprement dite.
- Dans de nombreux cas, cette méthode permet d'éviter le recours abusif aux sondages et enquêtes par questionnaire qui, de plus en plus nombreux, finissent par lasser les personnes trop fréquemment sollicitées. (À la décharge des chercheurs professionnels, il faut dire qu'ils ne sont responsables que d'une petite partie des sondages et des enquêtes par questionnaire.)
- La mise en valeur d'un important et précieux matériau documentaire qui ne cesse de s'enrichir en raison du développement rapide des techniques de recueil, d'organisation et de transmission des données.

e. Limites et problèmes

- L'accès aux documents n'est pas toujours possible. Dans certains cas, le chercheur a affectivement accès aux documents mais, pour une raison ou une autre (caractère confidentiel, respect du souhait d'un interlocuteur…), il ne peut en faire état.
- Les nombreux problèmes de fiabilité et d'adéquation des données aux exigences de la recherche obligent parfois le chercheur à renoncer à cette méthode en cours de route. Dès lors, il ne faut s'y engager qu'après une courte enquête sur le caractère réaliste ou non de la démarche.
- Les données n'étant pas recueillies par le chercheur lui-même selon les critères qui lui conviennent le mieux, elles devront normalement faire l'objet de manipulations destinées à les présenter sous les formes requises pour la vérification des hypothèses. Ces manipulations sont toujours délicates car elles ne peuvent altérer les caractères de fiabilité qui ont précisément justifié l'utilisation de ces données.

f. Méthodes complémentaires

- Les données statistiques recueillies font normalement l'objet d'une analyse statistique des données.

- Les données recueillies dans les documents de forme littéraire sont utilisées dans divers types d'analyse et en particulier dans l'analyse historique proprement dite et l'analyse de contenu. De plus, il est courant que les méthodes d'entretien et d'observation soient accompagnées de l'examen de documents relatifs aux groupes ou aux phénomènes étudiés.

- D'une manière générale enfin, les méthodes de recueil de données existantes sont utilisées dans la phase exploratoire de la plupart des recherches en sciences sociales.

g.   Formation requise

- Pour le recueil de données statistiques : une formation en statistique descriptive et, de préférence, en épistémologie. En effet, il ne faut pas se laisser abuser par les données chiffrées qui, comme toutes les autres, ne sont pas des faits réels mais des « faits construits », c'est-à-dire des abstractions censées représenter des faits réels. Si ces données permettent donc de se faire une image plus ou moins correcte de la réalité, elles n'ont en revanche de valeur et de sens que si l'on sait comment et pourquoi elles ont été construites.

- Pour le recueil de documents de forme littéraire : une formation en critique historique.

- Dans les deux cas, une formation en recherche documentaire (qui fait rarement l'objet d'un enseignement spécifique dans les universités et les écoles supérieures).

h.   Quelques références bibliographiques

LÉVY M.-L. (1979), *Comprendre la statistique*, Paris, Seuil.

LÉVY M.-L., EWENCZYK S. et JAMMES R. (1981), *Comprendre l'information économique et sociale : guide méthodologique*, Paris, Hatier.

REZSOHAZY R. (1979), *Théorie et critique des faits sociaux*, Bruxelles, La Renaissance du livre.

SAINT-GEORGES P. DE (1995), « Recherche et critique des sources de documentation en politique économique et sociale », in Albarello *et al.*, *Pratiques et méthodes de recherche en sciences sociales*, Paris, Armand Colin.

SALMON P. (1987), *Histoire et critique*, Bruxelles, Éditions de l'Université de Bruxelles.

SALMON P., « Analyse secondaire », in *Sociétés contemporaines*, n° 14, 15, juin/sept. 1993, Paris, L'Harmattan.

RÉSUMÉ DE LA 5ᵉ ÉTAPE

L'observation

L'observation comprend l'ensemble des opérations par lesquelles le modèle d'analyse est confronté à des données observables. Au cours de cette étape, de nombreuses informations sont donc rassemblées. Elles seront systématiquement analysées dans l'étape ultérieure. Concevoir cette étape d'observation revient à répondre aux trois questions suivantes : Observer quoi ? Sur qui ? Comment ?

Observer quoi ? Les données à rassembler sont celles qui sont utiles à la vérification des hypothèses. Elles sont déterminées par les indicateurs des variables. On les appelle les données pertinentes.

Observer sur qui ? Il s'agit ensuite de circonscrire le champ des analyses empiriques dans l'espace géographique et social ainsi que dans le temps. Selon le cas, le chercheur pourra étudier soit l'ensemble de la population considérée, soit seulement un échantillon représentatif ou significatif de cette population.

Observer comment ? Cette troisième question porte sur les instruments de l'observation et la collecte des données proprement dite. L'observation comporte en effet trois opérations :

1. Concevoir l'instrument capable de fournir les informations adéquates et nécessaires pour tester les hypothèses, par exemple un questionnaire d'enquête, un guide d'interview ou une grille d'observation directe.

2. Tester l'instrument d'observation avant de l'utiliser systématiquement, de manière à s'assurer que son degré d'adéquation et de précision est suffisant.

3. Le mettre systématiquement en œuvre et procéder ainsi à la collecte des données pertinentes.

Dans l'observation, l'important n'est pas seulement de recueillir des informations qui rendent compte du concept (via les indicateurs), mais aussi d'obtenir ces informations sous une forme qui permet de leur appliquer ultérieurement le traitement nécessaire à la vérification des hypothèses. Il est donc nécessaire d'anticiper, c'est-à-dire de s'inquiéter, dès la conception de l'instrument d'observation, du type d'information qu'il fournira et du type d'analyse qui devra et pourra être envisagé.

Le choix entre les différentes méthodes de recueil des données dépend des hypothèses de travail et de la définition des données pertinentes qui en découle. En outre, il est également nécessaire de tenir compte des exigences de formation nécessaires à une mise en œuvre correcte de chaque méthode.

TRAVAIL D'APPLICATION N° 11

Conception de l'observation

Cet exercice consiste une fois encore à appliquer les notions étudiées dans cette étape à votre propre travail. Cette application s'effectue en trois phases :

• *Observer quoi ?* : La définition des données pertinentes.

Quelles informations sont nécessaires pour tester les hypothèses ? Pour répondre à cette question, rappelez-vous d'abord vos hypothèses, vos concepts et leurs indicateurs.

• *Observer sur qui ?* : La délimitation du champ d'analyse et la sélection des unités d'observation.

1. Compte tenu des informations nécessaires, quelle est l'unité d'observation qui s'impose (individu, entreprise, association, commune, pays...) ?

2. Quelles délimitations donner au champ d'analyse ?

– Combien d'individus, d'entreprises, etc. ?

– Quelle est la zone géographique à considérer ?

– Quelle est la période de temps à prendre en compte ?

En fonction de ces délimitations, est-il plus judicieux de faire porter l'observation sur la totalité de la population, sur un échantillon représentatif ou seulement sur des unités caractéristiques de cette population ?

Pour délimiter le champ d'analyse, tenez compte également de vos délais, de vos ressources et de la méthode de collecte des données que vous envisagez d'utiliser (anticipation !).

• *Observer comment ?* : Le choix de la méthode d'observation la plus adéquate.

Quelle méthode d'observation est la plus appropriée ?

Pour répondre à cette question, tenez compte des hypothèses de travail et de la définition des données pertinentes, du type d'analyse qui en découlera (il s'agit ici aussi d'anticiper sur l'étape suivante) et de votre propre formation méthodologique.

Sixième étape

L'ANALYSE
DES INFORMATIONS

LES ÉTAPES DE LA DÉMARCHE

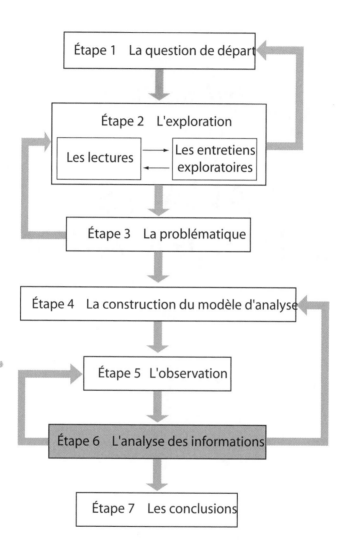

Étape 1   La question de départ

Étape 2   L'exploration

Les lectures   →   Les entretiens
    ←   exploratoires

Étape 3   La problématique

Étape 4   La construction du modèle d'analyse

Étape 5   L'observation

Étape 6   L'analyse des informations

Étape 7   Les conclusions

OBJECTIFS

Le but de la recherche est de répondre à la question de départ. À cet effet, le chercheur formule des hypothèses et procède aux observations qu'elles requièrent. Il s'agit ensuite de constater si les informations recueillies correspondent bien aux hypothèses ou, en d'autres termes, si les résultats observés correspondent aux résultats attendus par hypothèse. Le premier objectif de cette phase d'analyse des informations est donc la vérification empirique.

Mais la réalité est plus riche et plus nuancée que les hypothèses qu'on élabore à son sujet. Une observation sérieuse met souvent en évidence d'autres faits que ceux auxquels on s'attendait et d'autres relations que l'on ne peut tenir pour négligeables. Dès lors, l'analyse des informations a une deuxième fonction : interpréter ces faits inattendus, revoir ou affiner les hypothèses afin que, dans les conclusions, le chercheur soit en mesure de suggérer des améliorations de son modèle d'analyse ou de proposer des pistes de réflexion et de recherche pour l'avenir. C'est le deuxième objectif de cette nouvelle étape.

Une fois encore nous partirons ici d'un exemple concret, de sorte que les principes de la mise en œuvre de cette étape apparaissent clairement. À partir de cet exemple, les trois opérations de l'analyse des informations pourront être précisées. Enfin, un panorama des principales méthodes d'analyse des informations sera présenté. Ainsi, au fil de cette étape, des enseignements généralisables seront progressivement dégagés, qui pourront être appliqués dans le cadre de recherches très différentes.

1. UN EXEMPLE :
LE PHÉNOMÈNE RELIGIEUX

Reprenons l'exemple de l'étude du phénomène religieux. Nous avons fait l'hypothèse que les jeunes sont moins religieux que les vieux. Après la phase d'observation, nous disposons des réponses aux questions relatives aux indicateurs et dimensions des concepts. Comment faut-il traiter ces réponses-informations pour pouvoir dire avec certitude si les jeunes sont différents des vieux sur ce plan ?

Comparer les jeunes aux vieux à propos de chaque question ne suffit pas. Le principe à suivre est de travailler par composante ou dimension et d'entreprendre, pour chacune d'elles, une synthèse des informations, en regroupant si possible les réponses qui s'y rapportent. Il s'agit, en quelque sorte, de reconstituer en sens inverse le chemin parcouru lors de la construction du modèle et de l'observation. Dans ces étapes, on allait du concept aux questions ; maintenant, on remonte des questions au concept. Ainsi, dans l'étude du phénomène religieux, voyons par exemple comment procéder pour la dimension idéologique, qui avait dix indicateurs :

Indicateurs de la dimension idéologique :	Jeunes		Vieux	
	Oui	Non	Oui	Non
1. Croyance en Dieu	72 %	28 %	79 %	21 %
2. Croyance au Diable	14 %	86 %	25 %	75 %
3. Croyance en l'âme	45 %	55 %	59 %	41 %
...				
10. Croyance à la réincarnation	13 %	87 %	14 %	86 %

On peut certes construire un tableau comme celui-ci comparant, pour chacun de ces indicateurs, les réponses des jeunes et des vieux et, ensuite, décrire les convergences et les divergences que révèlent les résultats. Cependant, notre objectif n'est pas de savoir si les jeunes croient plus ou moins que les vieux au Diable par exemple, mais bien de comparer globalement leur degré de croyance. Dès lors, il est préférable de construire un indice qui synthétise les informations fournies par les dix indicateurs. Dans le cas de la dimension idéologique, construire cet indice revient à fabriquer une variable « croyance globale », par exemple en additionnant les réponses « oui » à chacun des dix indicateurs. On obtient ainsi un indice de croyance pour chaque individu. Il suffit alors de calculer la moyenne des indices des jeunes d'une part, et des vieux d'autre part, et de les comparer ensuite pour vérifier si, globalement, les jeunes sont moins croyants que les vieux.

En faisant ce calcul sur l'ensemble des données fournies par les auteurs de cette recherche, on obtient un indice de 3,16 pour les jeunes et de 5,25 pour les vieux. Il signifie que sur dix éléments du dogme, les jeunes en acceptent en moyenne trois et les vieux cinq. À condition de ne pas se leurrer sur sa signification, cette expression synthétique des informations présente beaucoup d'intérêt. Même si la mesure est simpliste, elle illustre jusqu'où peut aller la procédure de description et d'agrégation des données, quand celles-ci le permettent. L'objectif est, en fait, de regrouper au mieux les données concernant une dimension (ou composante) et l'idéal est de les décrire par un indice pertinent.

Après avoir traité les données relatives aux indicateurs de la première dimension (ou composante), on passe aux suivantes en procédant de la même manière. Toutefois il n'est pas toujours possible de calculer un indice global pour chacune des dimensions. C'est le cas pour d'autres dimensions du phénomène religieux. Il faut alors se contenter de travailler avec les pourcentages et de tirer les conclusions en se référant à chaque élément séparément.

Finalement, c'est par ces synthèses partielles que l'on compose les conclusions. Mais pour y arriver il faut encore résoudre d'autres problèmes.

■ *Premier problème :* L'écart entre les deux indices (3,16 et 5,25) est-il suffisant pour conclure que les jeunes sont moins croyants que leurs aînés ? De même, lorsque l'on compare deux pourcentages, à partir de quand peut-on dire que la différence entre les deux proportions est significative ? Les ouvrages spécialisés vous apprendront qu'il existe des tests statistiques appropriés. Pour nos deux indices, par exemple, il existe un test de comparaison de moyennes, tandis que pour comparer des pourcentages, on fera appel au test des proportions ou au test du Chi-carré notamment, ce dernier se calculant à partir des valeurs brutes (N).

Ces tests sont importants si l'on veut éviter les conclusions fausses. Nous ne les expliquerons pas ici. Cependant, un exemple concernant deux échantillons différents peut aider à en comprendre l'utilité.

Croyance en Dieu	Échantillon 1				Échantillon 2			
	Jeunes		Vieux		Jeunes		Vieux	
	N	%	N	%	N	%	N	%
Oui	288	(72)	274	(78,3)	108	(72)	59	(78,7)
Non	112	(28)	76	(21,7)	42	(28)	16	(21,3)
TOTAL (N = 100 %)	400		350		150		75	
	Chi 2 = 3,92		P <.05		Chi 2 = 1.16		P <.30	

Bien que les pourcentages soient pratiquement les mêmes dans les deux échantillons, on ne peut pas conclure, pour l'échantillon 2, que les jeunes soient moins croyants que les vieux, car la différence n'est pas statistiquement significative (Chi-carré = 1.16 ; P <.30).

Par contre, pour l'échantillon 1, le test de signification du Chi-carré nous dit que nous n'avons que cinq chances sur cent de nous tromper en affirmant que les jeunes sont réellement moins croyants que leurs aînés (Chi-carré = 3.92 ; P <.05).

Il existe de nombreux ouvrages spécialisés qui expliquent très clairement et simplement le pourquoi et le comment des tests de signification. Nous y renvoyons donc le lecteur intéressé.

■ *Deuxième problème :* Est-ce vraiment au fait d'être jeune ou vieux qu'il faut attribuer cette différence de croyance ? Ces chiffres ne cachent-ils pas d'autres faits et d'autres relations plus pertinents ? Raymond Boudon a donné quelques exemples de situations où une différence établie entre jeunes et vieux disparaissait dès qu'on faisait intervenir une troisième variable. C'est ce qu'il appelle la variable-test (*Les méthodes en sciences sociales*, Paris, PUF, coll. « Que sais-je ? »). C'est ici que se pose le problème de l'analyse des relations entre les variables et de leur signification. Les variables-tests qu'il faut faire intervenir sont notamment celles qui ont été introduites par les hypothèses complémentaires dans la phase de construction.

Voici un exemple se rapportant à une différence constatée entre les hommes et les femmes à propos des croyances. Dans le tableau ci-dessous, le test de Chi-carré confirme que la croyance en Dieu est significativement plus forte chez les femmes que chez les hommes. Mais l'introduction d'une troisième variable (variable-test) va modifier l'interprétation des données.

Croyance en Dieu	Hommes				Femmes			
	Non actives		Actives		Non actives		Actives	
	N	%	N	%	N	%	N	%
Oui	397	(72)	488	(72)	348	(86)	140	(75)
Non	154	(28)	104	(18)	57	(14)	47	(25)
TOTAL (N = 100 %)	551		592		405		187	

Ce tableau a été reconstitué à partir des données présentées dans l'article de K. Dobbelaere « La Religion en Belgique », publié dans *l'univers des Belges* (*op. cit.*). Ces chiffres montrent bien que si l'on se contente de comparer le total des hommes à celui des femmes on doit conclure que les femmes sont plus croyantes que les hommes. Par contre, si on introduit la variable-test « activité professionnelle », qui décompose le groupe féminin en femmes actives et non actives, on constate que les femmes actives présentent des taux semblables à ceux des hommes et significativement différents de ceux des femmes au foyer. L'introduction de la variable-test révèle donc que la croyance n'est pas liée au sexe, mais au fait d'avoir ou non une activité professionnelle. Les tests de Chi-carré sont significatifs.

Ce n'est qu'après avoir procédé à ces contrôles que l'on pourra se prononcer sur les hypothèses.

2. LES TROIS OPÉRATIONS DE L'ANALYSE DES INFORMATIONS

L'analyse des informations comprend de multiples opérations, mais trois d'entre elles constituent ensemble une sorte de passage obligé : d'abord, la description et la préparation (agrégée ou non) des données nécessaires pour tester les hypothèses : ensuite, l'analyse des relations entre les variables ; enfin, la comparaison des résultats observés avec les résultats attendus par hypothèse. Pour exposer ces points, on se placera ici dans le scénario d'une analyse de données quantitatives, mais les principes qui seront dégagés peuvent, en grande partie, être transposés à d'autres types de données.

2.1. La préparation des données : décrire et agréger

Pour tester une hypothèse, il faut d'abord exprimer chacun de ses deux termes par une mesure précise, afin de pouvoir examiner leur relation. Dans la préparation des données, la description et l'agrégation des données visent précisément à cela. Décrire les données d'une variable revient à en présenter la distribution à l'aide de tableaux ou graphiques, mais aussi à exprimer cette distribution par une mesure synthétique. Dans cette description, l'essentiel consiste donc à bien mettre en évidence les caractéristiques de la distribution de la variable.

Agréger des données ou des variables consiste à les regrouper en sous-catégories ou à les exprimer par une nouvelle donnée pertinente. Par exemple, la moyenne et l'écart-type expriment les caractéristiques d'une distribution normale. C'est ce que nous avons fait en calculant les pourcentages de croyants chez les vieux et chez les jeunes et en construisant l'indice de croyance globale. Mais décrire une variable par une expression synthétique (la croyance moyenne chez les jeunes, par exemple), suit des procédures différentes selon le type d'information dont on dispose. Voici quelques précisions à ce sujet.

Informations, données, variables et mesures

Les réponses-informations obtenues pour chaque indicateur lors de l'obser-vation sont les données qui vont faire l'objet de l'analyse. Ces données mani-festent les différents états d'une variable. La nationalité est une variable ; belge et français sont des états de cette variable. De même 30 ans est un état ou une modalité de la variable âge.

On appelle variable tout attribut, dimension ou concept susceptible de prendre plusieurs modalités. Quand un concept n'a qu'un seul attribut ou indicateur, la variable s'identifie à l'attribut (par exemple l'âge). Quand un concept est composé de plusieurs dimensions ou attributs, la variable est le résultat de l'agrégation des dimensions et attributs (comme la croyance globale construite dans l'exemple précédent).

Une variable est dite nominale si ses modalités ne peuvent être ordonnées (par exemple : la nationalité). Elle est dite ordinale si ses modalités peuvent être ordonnées mais sans prendre la forme d'une série continue. C'est le cas de variables telles que la satisfaction ou l'accord à l'égard d'une opinion et dont les modalités seraient par exemple : pas du tout d'accord, plutôt pas d'accord, hésitant, plutôt d'accord, tout à fait d'accord. Enfin, il existe des variables dont les modalités peuvent prendre la forme d'une série continue. Ainsi, pour une variable quantitative telle que l'âge, la mesure est la position occupée sur une série numérique continue (par exemple : avoir 30 ans). Pour une variable ordinale, la mesure est la position occupée sur une série discon-tinue mais ordonnée ; elle exprime le rang (1er, 2e...). Enfin, pour une varia-ble nominale, la mesure est la valeur 1 ou 0 correspondant au fait de posséder ou non une qualité ou une propriété définie.

Ces précisions un peu techniques ne sont pas inutiles, car lors de la description et de l'agrégation des données ou des variables, il faut adopter les procédures de calcul adéquates. On ne traite pas les variables qualitatives de la même manière que les variables quantitatives. Pour décrire une variable par une expression synthétique, on utilisera par exemple les pourcentages si elle est nominale, la médiane si elle est ordinale et la moyenne si elle est continue. Il faut y penser au moment de l'élaboration des instruments d'observation car il n'est pas indifférent que les réponses obtenues donnent à la variable un caractère nominal, ordinal ou continu. C'est à cela notamment que nous faisons allusion lorsque nous avons parlé d'anticipation des répon-ses lors de la formulation des questions.

La description d'une variable et l'usage que l'on peut en faire varient selon qu'elle est nominale, ordinale ou continue. Ainsi, pour l'agrégation des variables, on ne peut regrouper des mesures de types différents sans passer par un dénominateur commun, ce qui conduit à une sérieuse perte d'informa-tion. Ceci est particulièrement important lorsqu'il faut agréger des variables pour reconstituer un concept et l'exprimer par une mesure synthétique. Analyser les relations entre les deux concepts d'une hypothèse devient difficile à partir du moment où l'on ne peut les exprimer par une mesure adéquate. Or c'est bien le but d'un travail scientifique.

Lorsqu'il s'agit de variables qualitatives, la description et l'agrégation des données peut prendre la forme d'une typologie (voir plus loin).

2.2. L'analyse des relations entre les variables

L'analyse des relations entre les variables constitue le deuxième passage obligé.

Les variables à mettre en relation sont donc celles qui correspondent aux termes de l'hypothèse, c'est-à-dire soit les concepts impliqués dans les hypothèses, soit les dimensions, soit les indicateurs ou attributs qui les définissent. L'exemple ci-dessus illustre l'état de la relation entre l'âge et les croyances d'une part, entre celles-ci et le sexe d'autre part.

Dans la pratique, on procède d'abord à l'examen des liens entre les variables des hypothèses principales et ensuite on passe aux hypothèses complémentaires. Celles-ci auront été élaborées dans la phase de construction, mais elles peuvent aussi naître en cours d'analyse à la suite d'informations inattendues.

Rappelons que c'est ici qu'interviennent les variables-tests. Celles-ci sont introduites par les hypothèses complémentaires pour s'assurer que la relation supposée par l'hypothèse principale n'est pas fallacieuse, comme c'était le cas, dans l'exemple précédent, pour la relation entre le sexe et les croyances. En effet, grâce à l'hypothèse complémentaire introduisant l'activité professionnelle comme variable-test, on a pu découvrir que la relation entre le sexe et les croyances n'était pas fondée. En fait, elle n'est que le reflet de la relation entre l'activité professionnelle et les croyances.

Ceci n'est qu'un cas particulier d'un problème général, celui de la pertinence de variables prises en considération. Si deux variables A et B, sans lien entre elles, sont étroitement dépendantes d'une autre variable C, toute variation de celle-ci entraînera des variations parallèles des deux premières. Si on ne connaît pas l'existence de C, la co-occurrence de A et B sera interprétée comme l'expression d'une relation directe entre elles, alors qu'elle n'est que le reflet de leur dépendance à l'égard de C. L'ouvrage de R. Boudon, *Les Méthodes en sociologie* (Paris, PUF, coll. « Que sais-je ? », 1969), comporte plusieurs illustrations des relations possibles entre variables.

Les procédures d'analyse ou d'agrégation des variables sont très différentes selon les problèmes posés et les variables mises en jeu. De plus, chaque méthode d'analyse des informations implique des procédures techniques spécifiques et nous ne pouvons être plus précis ici sans nous engager dans des techniques trop particulières par rapport à nos objectifs. Dans tous les cas, il s'agit cependant de mettre en évidence l'indépendance, l'association (corrélation) ou le lien logique pouvant exister entre des variables ou combinaisons de variables. La présentation détaillée des méthodes quantitatives et qualitatives d'analyse des informations dépasse le cadre de ce livre et nous vous renvoyons aux ouvrages spécialisés sur ces questions. On trouvera plus loin un panorama des principales méthodes d'analyse ainsi qu'un exemple complet d'application de la démarche présentée ici, qui fourniront des informations complémentaires à ce sujet.

2.3. La comparaison des résultats observés avec les résultats attendus et l'interprétation des écarts

Chaque hypothèse élaborée lors de la phase de construction exprime les relations que l'on pense correctes et que devraient donc confirmer l'observation et l'analyse. Ainsi, dans l'étude du phénomène religieux, nous avions émis une hypothèse concernant la relation entre l'âge et la croyance : les jeunes seraient moins croyants que les vieux. Les résultats attendus par hypothèse devaient donc être qu'aux âges les plus jeunes soient associés les taux de croyance les plus faibles et que dans les catégories les plus âgées on trouve les taux les plus élevés.

Les résultats observés sont ceux qui résultent des opérations précédentes. C'est en comparant ceux-ci aux résultats attendus par hypothèse que l'on pourra tirer les conclusions.

S'il y a divergence entre les résultats observés et les résultats attendus, ce qui n'est pas rare, il faudra soit examiner d'où viennent les écarts et chercher en quoi la réalité est différente de ce qui était présumé au départ, soit élaborer de nouvelles hypothèses et, à partir d'une nouvelle analyse des données disponibles, examiner dans quelle mesure elles sont confirmées. Dans certains cas, il sera même nécessaire de compléter l'observation.

L'interaction que nous venons d'évoquer entre l'analyse, les hypothèses et l'observation est représentée par deux boucles de rétroaction :

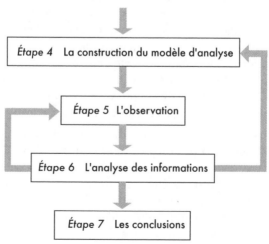

La démarche d'analyse des informations qui vient d'être présentée demande à être adaptée en fonction du modèle d'analyse retenu. Un grand nombre d'approches impliquent une analyse des corrélations entre variables, mais ce n'est pas toujours le cas. D'autres procédures peuvent être utilisées à la place, en complément ou à la suite de celles qui viennent d'être exposées en vue de préparer l'interprétation des résultats. L'une des procédures les plus courantes consiste à construire une typologie à partir du modèle d'analyse ou des informations recueillies par l'observation.

Une typologie consiste en un système de classification construit à partir de plusieurs critères qui forment ensemble un schéma de pensée grâce auquel les phénomènes peuvent être comparés et mieux compris. Le concept d'acteur social peut servir de base à la construction d'une typologie des diverses manières d'être acteur. En combinant les modalités extrêmes de chaque dimension (coopération forte ou faible, conflit fort ou faible), on définit quatre types d'acteurs, déjà présentés dans l'étape 4 (associé contestataire : *B*, associé asservi : *A*, marginal contestataire : *D*, marginal asservi : *C*).

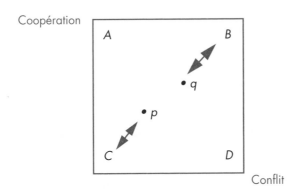

Les types ainsi constitués à partir d'une combinaison des différentes dimensions ne constituent pas forcément des catégories dans lesquelles les individus, les groupes ou les phénomènes étudiés doivent ou non entrer. Ils constituent en quelque sorte des types idéaux pour reprendre, dans une acception élargie, le concept méthodologique de Max Weber. Ils servent le plus souvent de repères à partir desquels les phénomènes ou acteurs observés (*p*, *q*…) peuvent être situés par un jeu de proximité-distance par rapport à chacun des quatre types extrêmes.

Dans le cas présent, la typologie est construite en amont de l'observation, déduite du modèle d'analyse. Elle sert à classer les observations et à les interpréter. Dans d'autres cas, les types sont induits à partir des observations. Leur structure se définit alors par la combinaison de critères que les observations ont révélés comme les plus pertinents. On trouvera une illustration d'une telle typologie induite dans la deuxième application présentée en fin d'ouvrage.

3. PANORAMA DES PRINCIPALES MÉTHODES D'ANALYSE DES INFORMATIONS

La plus grande partie des méthodes d'analyse des informations relève de deux grandes catégories : l'analyse statistique des données et l'analyse de contenu. Ce sont donc elles qui seront présentées ici, avec quelques-unes de leurs variantes. Certaines méthodes présentées dans l'étape précédente comme méthodes de recueil des informations associent toutefois étroitement le recueil et l'analyse. C'est notamment le cas de certaines méthodes d'observation ethnologique et de l'entretien compréhensif. C'est également le cas de la méthode d'analyse en groupe (L. Van Campenhoudt *et al.*, *op. cit.*) qui associe directement les acteurs concernés à l'analyse elle-même. Les distinctions entre le recueil et l'analyse des informations ne sont donc pas forcément aussi nettes que la présente organisation des étapes peut le laisser supposer.

3.1. L'analyse statistique des données

a.   Présentation

L'usage des ordinateurs a profondément transformé l'analyse des données. La possibilité de manipuler rapidement des masses de données considérables a encouragé la mise au point de nouvelles procédures statistiques telles que l'analyse factorielle des correspondances qui permet de visualiser et d'étudier les liaisons entre plusieurs dizaines de variables en même temps. Parallèlement, la facilité avec laquelle les données peuvent être façonnées et présentées a incité de nombreux chercheurs à les étudier pour elles-mêmes, sans référence explicite à un cadre d'interprétation.

Présenter les mêmes données sous diverses formes favorise incontestablement la qualité des interprétations. En ce sens, la statistique descriptive et l'expression graphique des données constituent bien plus que de simples méthodes d'exposition des résultats. Mais cette présentation diversifiée des données ne peut remplacer la réflexion théorique préalable qui seule procure des critères explicites et stables pour le recueil, l'organisation et surtout l'interprétation des données et assure ainsi sa cohérence et son sens à l'ensemble du travail.

D'autre part, les chercheurs ne renoncent pas pour autant à l'usage de certaines techniques plus anciennes comme celle des tableaux croisés. Ces derniers sont souvent mal interprétés ou peu exploités en dépit ou, peut-être bien, à cause de leur apparente simplicité. Bref, les techniques les plus récentes voisinent normalement avec d'autres plus simples et plus anciennes qu'elles enrichissent mais ne remplacent pas forcément. Ces techniques graphiques, mathématiques et statistiques concernent principalement l'analyse des fréquences des phénomènes et de leur distribution ainsi que celle des liaisons entre variables ou entre modalités de variables.

b. Variantes

- Lorsque les données à analyser préexistent à la recherche et sont rassemblées par recueil de données documentaires, on parlera couramment d'analyse secondaire. Dans ce cas, le chercheur est plus ou moins limité dans ses analyses par le problème de la compatibilité des données entre elles et avec le champ de phénomènes qu'il souhaite étudier.

- Lorsque les données à analyser ont été spécialement récoltées pour les besoins de la recherche à l'aide d'une enquête par questionnaire, on parlera couramment de « traitement d'enquête ». Dans ce cas, les analyses sont généralement plus approfondies car les données sont en principe plus complètes et parfaitement standardisées au départ.

- Les méthodes d'analyse statistique des données sont également utilisées pour l'examen de documents de forme littéraire. Il s'agit alors d'une méthode d'analyse de contenu qui est reprise plus loin sous ce titre.

c. Objectifs pour lesquels la méthode convient particulièrement

- Par définition, elle convient pour toutes les recherches axées sur l'étude des corrélations entre des phénomènes susceptibles d'être exprimés en variables quantitatives. Dès lors, elle s'applique généralement très bien aux recherches menées dans une perspective d'analyse causale. Mais ce n'est guère exclusif. Par exemple, dans le cadre d'un schème d'intelligibilité systémique, une corrélation entre deux variables sera interprétée, non comme une relation de causalité, mais comme une covariation entre composantes d'un même système qui évoluent conjointement (M. Loriaux, « Des causes aux systèmes : la causalité en question », in R. Franck (dir.), *Faut-il chercher aux causes une raison ? L'explication causale dans les sciences humaines*, Paris, Vrin, Lyon, Institut interdisciplinaire d'études épistémologiques, 1994, p. 41-86).

- L'analyse statistique des données s'impose dans tous les cas où ces dernières sont recueillies à l'aide d'enquêtes par questionnaire. Il faut donc se référer aux objectifs pour lesquels cette méthode de recueil des données convient elle-même.

d. Principaux avantages

- La précision et la rigueur du dispositif méthodologique qui permet de rencontrer le critère d'intersubjectivité.

- La puissance des moyens informatiques qui permettent de manipuler très rapidement un grand nombre de variables.

- La clarté des résultats et des rapports de recherche, notamment lorsque le chercheur met à profit les ressources de la présentation graphique des informations.

e. Limites et problèmes

- Les faits qui intéressent le sociologue ne sont pas tous mesurables quantitativement.

- L'outil statistique a un pouvoir d'élucidation limité aux postulats et hypothèses méthodologiques sur lesquels il repose, mais il ne dispose pas, en lui-même, d'un pouvoir explicatif. Il peut décrire des relations, des structures latentes, mais la signification de ces relations et de ces structures ne vient pas de lui. C'est le chercheur qui donne un sens à ces relations par le modèle théorique qu'il a construit au préalable et en fonction duquel il a choisi une méthode d'analyse statistique.

f. Méthodes complémentaires

En amont : l'enquête par questionnaire et le recueil de données statistiques existantes.

g. Formation requise

- Bonnes notions de base en statistique descriptive.

- Bonnes notions de base en analyse factorielle et en analyse multivariée.

- Initiation aux programmes informatiques de gestion et d'analyse de données d'enquêtes (SPSS, SPAD, SAS…).

h. Quelques références bibliographiques

BERTIN J. (1977), *Le Graphique et le traitement graphique de l'information*, Paris, Flammarion, Nouvelle Bibliotthèque scientifique.

BOUDON R. (1967), *L'Analyse mathématique des faits sociaux*, Paris, Plon.

BOUDON R.K (1993), *Les Méthodes en sociologie*, Paris, PUF, coll. « Que sais-je ? ».

CIBOIS Ph. (1991), *L'Analyse factorielle*, Paris, PUF, coll. « Que sais-je ? ».

CIBOIS Ph. (1984), *L'Analyse des données en sociologie*, Paris, PUF, coll. « Le Sociologue ».

LAGARDE J. de (1983), *Initiation à l'analyse des données*, Paris, Dunod, Bordas.

LEBARON F. (2006), *L'Enquête quantiative en sciences sociales : recueil et analyse de données*, Paris, Dunod.

MARTIN O. (2005), *L'Enquête et ses méthodes : l'analyse de données quantitatives*, Paris, Armand Colin, coll. 128.

ROUANET H., LE ROUX B. et BERT M.-C. (1987), *Statistique en sciences humaines. Procédures naturelles*, Paris, Dunod.

ROUANET H. et LE ROUX B. (1993), *Statistique en sciences humaines. Analyse des données multidimensionnelles*, Paris, Dunod.

3.2. L'analyse de contenu

a.   *Présentation*

L'analyse de contenu porte sur des messages aussi variés que des œuvres littéraires, des articles de journaux, des documents officiels, des programmes audiovisuels, des déclarations politiques, des rapports de réunion ou des comptes rendus d'entretiens semi-directifs. Le choix des termes utilisés par le locuteur, leur fréquence et leur mode d'agencement, la construction du « discours » et son développement constituent des sources d'information à partir desquelles le chercheur tente de construire une connaissance. Celle-ci peut porter sur le locuteur lui-même (par exemple l'idéologie d'un journal, les représentations d'une personne ou les logiques de fonctionnement d'une association dont on étudierait les documents internes) ou sur les conditions sociales dans lesquelles ce discours est produit (par exemple un mode de socialisation ou une expérience conflictuelle).

Les méthodes d'analyse de contenu impliquent la mise en œuvre de procédures techniques relativement précises (comme le calcul des fréquences relatives ou des co-occurrences des termes utilisés, par exemple). Seule l'utilisation de méthodes construites et stables permet en effet au chercheur d'élaborer une interprétation qui ne prend pas pour repères ses propres valeurs et représentations.

Contrairement à la linguistique, l'analyse de contenu en sciences sociales n'a pas pour objectif de comprendre le fonctionnement du langage en tant que tel. Si les aspects formels les plus divers du discours peuvent être pris en compte et examinés parfois avec une minutie et une patience de moine, ce n'est jamais que pour en retirer un enseignement qui porte sur un objet extérieur à eux-mêmes. Les aspects formels de la communication sont alors considérés comme des indicateurs de l'activité cognitive du locuteur, des significations sociales ou politiques de son discours ou de l'usage social qu'il fait de la communication.

La place de l'analyse de contenu est de plus en plus grande dans la recherche sociale, notamment parce qu'elle offre la possibilité de traiter de manière méthodique des informations et des témoignages qui présentent un certain degré de profondeur et de complexité, comme par exemple les rapports d'entretiens semi-directifs. Mieux que toute autre méthode de travail, l'analyse de contenu (ou du moins certaines de ses variantes) permet, lorsqu'elle porte sur un matériau riche et pénétrant, de satisfaire harmonieusement aux exigences de la rigueur méthodologique et de la profondeur inventive qui ne sont pas toujours facilement conciliables.

Les progrès récents des méthodes d'analyse de contenu ont certainement été encouragés par ce souci conjoint et largement partagé de rigueur et de profondeur. Ils ont été favorisés par les progrès de la linguistique, des sciences de la communication et de l'informatique. Pour ce qui concerne plus particulièrement la recherche sociale proprement dite, ils doivent beaucoup à Roland Barthes, Claude Lévi-Strauss et Algirdas Julien Greimas notamment.

b.   *Principales variantes*

Il est courant de regrouper les différentes méthodes d'analyse de contenu en deux catégories : les méthodes quantitatives et les méthodes qualitatives. Les premières seraient extensives (analyse d'un grand nombre d'informations sommaires) et auraient comme information de base la fréquence d'apparition de certaines caractéristiques de contenu ou les corrélations entre elles. Les secondes seraient intensives (analyse d'un petit nombre d'informations complexes et détaillées) et auraient comme information de base la présence ou l'absence d'une caractéristique ou la manière dont les éléments du « discours » sont articulés les uns aux autres. Ces distinctions ne sont valables que très globalement : les caractéristiques propres des deux types de démarche ne sont pas aussi nette et plusieurs méthodes font aussi bien appel à l'un qu'à l'autre.

Sans prétendre régler toutes les questions de démarcation entre les différentes méthodes d'analyse de contenu, nous proposons ici de distinguer trois grandes catégories de méthodes selon que l'examen porte principalement sur certains éléments du discours, sur sa forme ou sur les relations entre ses éléments constitutifs. À l'intérieur de chaque catégorie, nous nous limiterons à l'évocation de quelques-unes des principales variantes. (Les variantes énumérées sont celles que distingue Laurence Bardin dans *L'analyse de contenu*, Paris, PUF, 1983, coll. « Le psychologue ».)

■ *Les analyses thématiques*

Ce sont celles qui tentent principalement de mettre en évidence les représentations sociales ou les jugements des locuteurs à partir d'un examen de certains éléments constitutifs du discours. Parmi ces méthodes, on peut distinguer notamment :

– *l'analyse catégorielle* : la plus ancienne et la plus courante. Elle consiste à calculer et à comparer les fréquences de certaines caractéristiques (le plus souvent les thèmes évoqués) préalablement regroupées en catégories significatives. Elle se fonde sur l'hypothèse qu'une caractéristique est d'autant plus fréquemment citée qu'elle est importante pour le locuteur. La démarche est essentiellement quantitative ;

– *l'analyse de l'évaluation* : qui porte sur les jugements formulés par le locuteur. La fréquence des différents jugements (ou évaluations) est calculée mais aussi leur direction (jugement positif ou négatif) et leur intensité.

■ *Les analyses formelles*

Ce sont celles qui portent principalement sur les formes et l'enchaînement du discours. Parmi ces méthodes, on peut distinguer notamment :

– *l'analyse de l'expression* : qui porte sur la forme de la communication dont les caractéristiques (vocabulaire, longueur des phrases, ordre des mots, hésitations…) apportent une information sur l'état d'esprit du locuteur et ses dispositions idéologiques ;

– *l'analyse de l'énonciation* : qui porte sur le discours conçu comme un processus dont la dynamique propre est en elle-même révélatrice. Le chercheur est alors attentif à des données telles que le développement général du discours, l'ordre de ses séquences, les répétitions, les ruptures du rythme, etc.

■ *Les analyses structurales*

Ce sont celles qui mettent l'accent sur la manière dont les éléments du message sont agencés. Elles tentent de mettre au jour des aspects sous-jacents et implicites du message. On peut distinguer notamment :

– *l'analyse des co-occurrences* : qui examine les associations de thèmes dans les séquences de la communication. Les co-occurrences entre thèmes sont censées informer le chercheur sur des structures mentales et idéologiques ou sur des préoccupations latentes ;

– *l'analyse structurale proprement dite* dont le but consiste à mettre en évidence les principes qui organisent les éléments du discours de manière indépendante du contenu même de ces éléments. Les différentes variantes de l'analyse structurale tentent soit de déceler un ordre caché du fonctionnement du discours, soit d'élaborer un modèle opératoire abstrait construit par le chercheur afin de structurer le discours et de le rendre intelligible.

c.   Objectifs pour lesquels la méthode convient particulièrement

Sous ses différentes modalités, l'analyse de contenu a un très vaste champ d'application. Elle peut porter sur des communications de formes très diverses (textes littéraires, émissions télévisées ou radiophoniques, films, rapports d'entretiens, messages non verbaux, ensembles décoratifs, etc.). Sur le plan des objectifs de recherche, elle peut être notamment utilisée pour :

– l'analyse des idéologies, des systèmes de valeurs, des représentations et des aspirations ainsi que de leur transformation ;
– l'examen des logiques de fonctionnement d'organisations grâce aux documents qu'elles produisent ;
– l'étude des productions culturelles et artistiques ;
– l'analyse des processus de diffusion et de socialisation (manuels scolaires, journaux, publicités…) ;
– l'analyse de stratégies, des enjeux d'un conflit, des composantes d'une situation problématique, des interprétations d'un événement, des réactions latentes à une décision, de l'impact d'une mesure… ;
– la reconstitution de réalités passées non matérielles : mentalités, sensibilités…

d.   Principaux avantages

• Toutes les méthodes d'analyse de contenu conviennent à l'étude du non-dit, de l'implicite.

• Elles obligent le chercheur à prendre beaucoup de recul à l'égard des interprétations spontanées et, en particulier, des siennes propres. En effet, il ne s'agit pas d'utiliser ses propres repères idéologiques ou normatifs pour juger ceux des autres, mais bien de les analyser à partir de critères qui portent davantage sur l'organisation interne du discours que sur son contenu explicite.

• Portant sur une communication reproduite sur un support matériel (habituellement un document écrit), elles permettent un contrôle ultérieur du travail de recherche.

• Plusieurs d'entre elles sont construites de manière très méthodique et systématique sans que cela ne nuise à la profondeur du travail et à la créativité du chercheur.

e.   Limites et problèmes

Il est difficile de généraliser ici car les limites et les problèmes posés par ces méthodes varient fortement de l'une à l'autre. Les différentes variantes ne sont guère équivalentes et ne sont donc pas interchangeables. Dans le choix de l'une d'entre elles, on sera particulièrement attentif aux points suivants.

• Certaines méthodes d'analyse de contenu reposent sur des présupposés pour le moins simplistes. Le record à cet égard appartient sans aucun doute à l'analyse catégorielle (voir plus haut). Il faut donc se demander si la recherche peut s'accommoder de ces limites. Si non, il faudra retenir une autre méthode ou en utiliser plusieurs conjointement. L'analyse catégorielle est d'ailleurs souvent mise utilement en œuvre en complément d'autres méthodes plus futées.

• Certaines méthodes, comme l'analyse évaluative, sont très lourdes et laborieuses. Avant de s'y engager, il faut être certain qu'elles conviennent parfaitement aux objectifs de la recherche et que l'on dispose du temps et des moyens nécessaires pour les mener à bien.

• Si l'analyse de contenu, prise globalement, offre un champ d'application extrêmement vaste, il n'en va pas de même pour chacune des méthodes particulières dont certaines ont, au contraire, un champ d'application très réduit. En réalité, il n'y a pas une mais des méthodes d'analyse de contenu.

f.   *Méthodes complémentaires*

Les méthodes complémentaires sont des méthodes de recueil de données qualitatives et se situent donc normalement en amont de l'analyse de contenu qui portera sur les informations rassemblées.

Les plus couramment associées à l'analyse de contenu sont :

– surtout : les entretiens semi-directifs dont les éléments d'information conviennent particulièrement bien à un traitement par l'analyse de l'énonciation (qui en démontera la dynamique) et l'analyse structurale ;

– le recueil de documents sur lesquels l'analyse de contenu portera ;

– plus rarement : les enquêtes par questionnaire pour le traitement des questions ouvertes.

g.   *Formation requise*

• Pour les méthodes à caractère quantitatif plus ou moins prononcé : formation de base en statistique descriptive, en analyse factorielle et, éventuellement, en linguistique lorsqu'il est nécessaire de fournir à l'ordinateur des directives de classement et de découpage très précises.

• Pour les méthodes à caractère qualitatif : une bonne formation théorique est indispensable.

h.   *Quelques références bibliographiques*

BARDIN L. (1993), *L'Analyse de contenu*, Paris, PUF, coll. « Le Psychologue ».

BARTHES R. *et al.* (1981), *L'Analyse structurale du récit*, Paris, Le Seuil.

HIERNAUX J.-P. (1995), « Analyse structurale de contenus et modèles culturels. Application à des matériels volumineux », *in* L. Albarello *et al., Pratiques et méthodes de recherche en sciences sociales*, Paris, Armand Colin, p. 111-144.

GHIGLIONE R., BEAUVOIS J.-L., CHABROL Cl. et TROGNON A. (1980), *Manuel d'analyse de contenu*, Paris, Armand Colin.

GHIGLIONE R., MATALON B. et BACRI N. (1985), *Les Dires analysés : l'analyse propositionnelle du discours*, Presses universitaires de Vincennes, Centre de recherche de l'Université de Paris VIII.

LÉGER J.-M. et FLORAND M.-F. (1985), « L'analyse de contenu : deux méthodes, deux résultats ? », in A. Blanchet *et al.*, *L'Entretien dans les sciences sociales*, Paris, Dunod, p. 237-273.

MAROY Ch. (1995), « L'analyse qualitative d'entretiens », *in* L. Albarello *et al., Pratiques et méthodes de recherche en sciences sociales*, Paris, Armand Colin, p. 83-110.

PIRET A., NIZET J., BOURGEOIS E. (1996), *L'Analyse structurale. Une méthode d'analyse de contenu pour les sciences humaines*, Bruxelles, De Boeck Université.

REMY J. et RUQUOY D. (dir.) (1990), *Méthodes d'analyse de contenu et sociologie*, Bruxelles, Facultés universitaires Saint-Louis.

3.3. Limites et complémentarité des méthodes particulières : l'exemple de la *Field research*

Nous conclurons cette présentation par quelques remarques importantes sur les limites et la complémentarité des méthodes particulières, qu'elles soient de recueil ou d'analyse des informations.

Rappelons tout d'abord qu'aucun dispositif méthodologique ne peut être appliqué de manière mécanique. La rigueur dans le contrôle épistémologique du travail ne peut être confondue avec la rigidité dans l'application des méthodes. Pour chaque recherche, les méthodes doivent être choisies et mises en œuvre avec souplesse, en fonction de ses objectifs propres, de son modèle d'analyse et de ses hypothèses. Dès lors, il n'existe pas de méthode idéale qui soit, en elle-même, supérieure à toutes les autres. Chacune peut rendre les services attendus à condition qu'elle ait été judicieusement choisie, qu'elle soit appliquée sans rigidité et que le chercheur soit capable d'en mesurer les limites et la validité. En revanche, le dispositif méthodologique le plus sophistiqué est impuissant si le chercheur le met en œuvre sans discernement critique ou sans savoir clairement ce qu'il cherche à mieux comprendre.

La problématique et le modèle d'analyse priment donc sur l'observation. Un travail empirique parfaitement mené sur le plan strictement technique peut parfaitement contribuer à renforcer le crédit de banalités admises s'il n'est inspiré par une réflexion théorique propre à mettre en lumière des éléments de compréhension qui sortent des évidences communes. Bien plus, les données sur lesquelles travaillent les chercheurs ne sont pas des réalités brutes. Elles n'ont d'existence que par l'effort théorique qui les construit comme des représentations idéalisées d'objets réels (un niveau de revenus, une catégorie d'âge ou un mode de direction par exemple). L'inverse n'est pas vrai : les données ne construisent pas les théories. Dès lors, le travail empirique ne peut avoir de valeur que si la réflexion théorique qui le fonde en possède elle-même.

D'autre part, comme nous l'avons rappelé plus haut, la distinction entre les méthodes de recueil et les méthodes d'analyse des informations n'est pas toujours nette. Mais, plus largement encore, nous voyons que la construction théorique et le travail empirique ne se suivent pas forcément dans l'ordre chronologique et séquentiel, en particulier, dans l'observation ethnologique. Il apparaît donc de plus en plus nettement que la démarche de recherche ne consiste pas à appliquer un ensemble de recettes précises dans un ordre prédéterminé mais bien à inventer, à mettre en œuvre et à contrôler un dispositif original qui bénéficie de l'expérience antérieure des chercheurs et répond à certaines exigences d'élaboration. Une telle démarche ne peut s'apprendre que par sa pratique.

Enfin, on observe que la véritable rigueur n'est pas synonyme de formalisme technique. La rigueur ne porte pas avant tout sur les détails de la mise en œuvre de chaque procédure utilisée mais bien sur la cohérence de l'ensemble de la démarche de recherche et sur la manière dont elle réalise des exigences épistémologiques bien comprises. Dès lors, il est faux de croire que les recherches les plus rigoureuses sont celles qui font appel à des méthodes très formalisées et il est tout aussi faux de penser qu'un chercheur ne peut faire preuve de rigueur qu'au détriment de son imagination.

Un bon exemple de recours fructueux à l'imagination du chercheur, de la nécessaire cohérence de l'ensemble de la démarche de recherche et de la complémentarité des méthodes est la *field research* (ou étude sur le terrain). Elle consiste à étudier les situations concrètes dans leur contexte réel.

Utilisée par les anthropologues et les sociologues, la *field research* met en œuvre une pluralité de méthodes. Elle combine le plus souvent l'observation participante, les entretiens semi-directifs et l'analyse secondaire. C'est au cours de la recherche elle-même que le chercheur décide de recourir à l'une ou l'autre de ces méthodes, aucun protocole définitif de recherche n'étant établi au début. La démarche n'a rien de linéaire. La *field research* relève d'un pragmatisme méthodologique dont le pivot central est l'initiative du chercheur lui-même et le maître mot, la flexibilité.

Initialement appliquée à l'étude des sociétés primitives lointaines, la *field research* est actuellement conciliable avec divers champs de recherche en sciences sociales, notamment la sociologie du travail, de la santé ou de l'éducation. Elle se penche sur des groupes particuliers dont elle tente de saisir les comportements et les interactions.

Les difficultés rencontrées au cours d'une telle démarche sont multiples et omniprésentes. Le chercheur doit constamment décider quand, où, quoi et qui observer ou interviewer. Il doit continuellement choisir les périodes, les endroits, les comportements et les personnes à étudier. Il est sans cesse confronté aux problèmes de l'échantillonnage. Comment fera-t-il par exemple pour sélectionner un échantillon de jeunes délinquants alors qu'il n'existe aucune liste regroupant cette population ? Sans arrêt aussi, il doit négocier et renégocier son entrée sur le terrain. Le chercheur devra non seulement se présenter lui-même mais il devra aussi exposer son étude et la faire accepter. Par conséquent, le plan de recherche peut être continuellement adapté. Une fois sur le terrain, pour observer ou pour interviewer, le chercheur doit perpétuellement recomposer son attitude (son âge, son sexe, son ethnie et sa psychologie influençant les rôles qu'il doit endosser à chaque étape de la démarche). Il doit aussi réfléchir aux types de données à observer, à noter et à retenir pour l'analyse. Il n'y a pas de règle en la matière. Tout dépend de l'expérience et de l'appréciation du chercheur. Le recueil d'informations via l'observation participante sera par exemple complété par des interviews de témoins privilégiés ou par l'analyse critique de documents comme les autobiographies, les récits de vie, les journaux intimes mais aussi les photographies ou les films. Le chercheur doit donc être initié à de nombreuses méthodes qu'il doit relativiser les uns par rapport aux autres.

Dans une telle perspective, le chercheur ne peut appliquer les méthodes de manière rigide. Son approche doit rester flexible et il doit considérer sans relâche le fait qu'il fait partie intégrante de la situation observée : il réagit d'une telle manière plutôt que d'une autre, il commet des erreurs, il est plus ou moins chanceux, etc. Inlassablement, le *field researcher* doit réfléchir à l'impact de son rôle sur le déroulement de sa recherche sans négliger pour autant sa question de départ et ses hypothèses. (R.G. Burgess, 1984, *In the Field. An Introduction to Field Research*, London & New York, Routledge).

3.4. Un scénario de recherche non linéaire

Comme pour la *field research*, certaines études ne suivent pas rigoureusement l'enchaînement des étapes tel qu'il a été présenté jusqu'ici. Les hypothèses et même les questions sont susceptibles d'évoluer constamment au fur et à mesure du travail sur le terrain. En retour, le travail empirique se verra régulièrement réorienté en fonction des approfondissements successifs du cadre théorique. On se trouve ici face à un processus de dialogue et de va-et-vient permanents entre théorie et empire mais aussi entre construction et intuition, qui sont davantage imbriquées. Même doté de boucles de rétroaction, le schéma linéaire des étapes de la recherche représente mal ce processus qui pourrait prendre une forme circulaire :

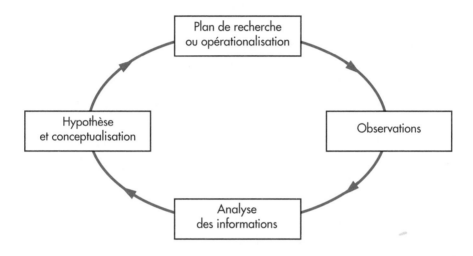

D'une certaine façon, tout se passe comme si l'ensemble du dispositif en sept étapes que nous avons distinguées était parcouru à plusieurs reprises, mais d'une manière moins élaborée et systématique que dans une recherche méthodologiquement plus conventionnelle. En tout état de cause, les trois actes de la démarche scientifique – rupture, construction, constatation – doivent être respectés et mis en œuvre avec un souci de rigueur d'autant plus aigu que le dispositif méthodologique est plus diversifié et plus flexible. Il s'agit, encore et toujours, de s'en tenir, dans ses analyses et ses conclusions, à ce que la démarche autorise, ni plus ni moins.

3.5. Exemples de recherches qui mettent en œuvre les méthodes présentées

BECKER H.S. (rééd. 1985) (1963), *Outsiders. Études de sociologie de la déviance*, Paris, Éditions A.-M. Métailié. (*Field research.*)

BERNSTEIN B. (1975), *Langage et classes sociales. Codes socio-linguistiques et contrôle social*, Paris, Éditions de Minuit. (Analyse quantitative de contenu.)

BOURDIEU P. (1979), *La Distinction. Critique sociale du jugement*, Paris, Éditions de Minuit. (Enquête par questionnaire – Analyse statistique de données.)

BOURDIEU P. (dir.) (1993), *La Misère du monde*, Paris, Seuil. (Entretien semi-directif.)

CASTELLS M. (1963), *La Question urbaine*, Paris, François Maspero. (Recueil de données existantes – Analyse statistique des données – Analyse secondaire.)

CROZIER M. (1963), *Le Phénomène bureaucratique*, Paris, Le Seuil. (Entretien semi-directif – Observation participante – Analyse statistique des données – Analyse secondaire.)

DURKHEIM E. (rééd. 1983) (1930), *Le Suicide*, Paris, PUF, coll. « Quadrige ». (Analyse statistique de données secondaires.)

GOFFMAN E. (rééd. 1968) (1961), *Asiles. Étude sur la condition sociale des malades mentaux*, Paris, Éditions de Minuit. (Observation participante.)

LÉVI-STRAUSS Cl. (1964), *Le Cru et le cuit*, Paris, Plon. (Analyse structurale de contenu.)

LIÉNARD G., SERVAIS E. (1978), *Capital culturel et inégalités sociales. Morales de classes et destinées sociales*, Bruxelles. (Vie ouvrière. Observation directe non-participante – Enquête par questionnaire.)

LIPSET S.M. (rééd. 1963) (1960), *L'Homme et la politique*, Paris, Seuil. Recueil de données existantes – (Analyse statistique des données – Analyse secondaire.)

MILLS C.W. (rééd. 1966) (1951), *Les Cols blancs. Essai sur les classes moyennes américaines*, Paris, François Maspero. (Entretien – Analyse de contenu.)

MODEN J. et SLOOVER J. (1980), *Le Patronat belge. Discours et idéologie 1973-1980*, Bruxelles, Éditions du Centre de recherche et d'information sociopolitiques. (Entretien – Analyse de contenu.)

MORIN E. (1969), *La Rumeur d'Orléans*, Paris, Seuil. (Observation – Entretien semi-directif.)

NIZET J., HIERNAUX J.-P. (1984), *Violence et ennui : malaise au quotidien dans les relations professeurs-élèves*, Paris, PUF, coll. « Le Sociologue ». (Entretien semi-directif – Analyse structurale de contenu.)

PIASER A. (1986), *Les Mouvements longs du capitalisme belge*, Bruxelles, Vie ouvrière. (Analyse de données secondaires.)

SAINSAULIEU R. (1977), *L'Identité au travail*, Paris, Presses de la Fondation nationale des sciences politiques. (Observation participante – Enquête par questionnaire.)

TOURAINE A. (1966), *La Conscience ouvrière*, Paris, Le Seuil. (Enquête par questionnaire – Analyse statistique des données.)

WALLRAFF G. (1986), *Tête de Turc*, Paris, La Découverte. (Observation participante.)

RÉSUMÉ DE LA 6ᵉ ÉTAPE

L'analyse des informations

L'analyse des informations est l'étape qui traite l'information obtenue par l'observation pour la présenter de manière à pouvoir comparer les résultats observés aux résultats attendus par hypothèse.

Dans le scénario d'une analyse de données quantitatives, cette étape comprend trois opérations. Toutefois, les principes de la démarche peuvent, en grande partie, être transposés à d'autres types de méthodes.

• La première opération consiste à décrire les données. Cela revient, d'une part, à les présenter (agrégées ou non) sous la forme requise par les variables impliquées dans les hypothèses et, d'autre part, à les présenter de manière à ce que les caractéristiques de ces variables soient bien mises en évidence par la description.

• La deuxième opération consiste à mesurer les relations entre les variables, conformément à la manière dont ces relations ont été prévues par les hypothèses.

• La troisième opération consiste à comparer les relations observées aux relations théoriquement attendues par hypothèse et à mesurer l'écart entre les deux. Si l'écart est nul ou très faible, on pourra conclure que l'hypothèse est confirmée ; sinon il faudra examiner d'où vient l'écart et tirer des conclusions appropriées.

Les principales méthodes d'analyse des informations sont l'analyse statistique des données et l'analyse de contenu. La *field research* constitue un exemple de mise en œuvre complémentaire de différentes méthodes d'observation et d'analyse des informations.

TRAVAIL D'APPLICATION N° 12

Analyse des informations

Dans cette étape, il est encore plus difficile qu'ailleurs de donner des repères précis pour un travail personnel, tant la diversité des problèmes et des techniques est grande. Les cinq questions suivantes peuvent cependant aider à progresser dans la plupart des travaux.

1. Quelles sont les variables impliquées par les hypothèses ?

2. Quelles sont les informations qui correspondent aux variables ou qui doivent être agrégées pour pouvoir décrire les variables ?

3. La distribution des variables est-elle normale, conforme aux hypothèses ?

4. Comment exprimer les données pour bien mettre en évidence leurs caractéristiques principales ?

5. Avec quel type de variable faut-il travailler (nominale, ordinale ou continue) et quelles sont les techniques d'analyse compatibles avec ces données ?

Septième étape

LES CONCLUSIONS

LES ÉTAPES DE LA DÉMARCHE

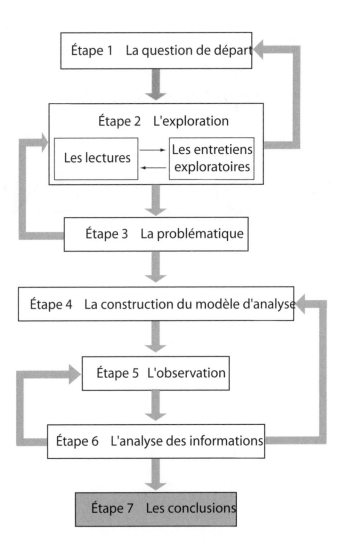

OBJECTIFS

La conclusion d'un travail est une des parties que les lecteurs lisent généralement en premier lieu. Grâce à cette lecture des quelques pages de conclusion, le lecteur pourra en effet se faire une idée de l'intérêt que la recherche présente pour lui, sans devoir lire l'ensemble du rapport. À partir de ce diagnostic rapide, il décidera de lire ou non le rapport tout entier ou, éventuellement, certaines de ses parties. Il convient donc de rédiger la conclusion avec beaucoup de soin et d'y faire apparaître les informations utiles aux lecteurs potentiels.

La conclusion d'un travail de recherche sociale comprendra souvent trois parties : tout d'abord, un rappel des grandes lignes de la démarche qui a été poursuivie ; ensuite, une présentation détaillée des apports de connaissances dont le travail est à l'origine et enfin, des perspectives d'ordre pratique.

1. RAPPEL DES GRANDES LIGNES DE LA DÉMARCHE

Pour remplir correctement sa fonction, ce rappel comprendra les points suivants :

– la présentation de la question de recherche, soit la question « de départ » dans sa dernière formulation qui en fait, en réalité, la question « de recherche » ;

– une présentation des caractéristiques principales du modèle d'analyse, en particulier des hypothèses de recherche ;

– une présentation du champ d'observation, des méthodes mises en œuvre et des observations effectuées ;

– une comparaison des résultats attendus par hypothèse et des résultats observés, ainsi qu'un rappel des principales interprétations des écarts.

C'est ce type de schéma qui est généralement en vigueur dans les réunions scientifiques (colloques, conférences, « *workshops* »…).

2. NOUVEAUX APPORTS DE CONNAISSANCES

Un travail de recherche sociale est susceptible d'apporter deux types de connaissances : de nouvelles connaissances relatives à l'objet d'analyse et de nouvelles connaissances théoriques.

2.1. Nouvelles connaissances relatives à l'objet d'analyse

Ces nouvelles connaissances portent sur le phénomène étudié en tant que tel, comme par exemple le suicide, l'échec scolaire, le fonctionnement d'une organisation ou l'idéologie d'un journal. Il s'agit ici de mettre en évidence en quoi la recherche a permis de mieux connaître cet objet. Ces apports nouveaux ont une double nature.

D'une part, ils s'ajoutent aux connaissances antérieures relatives à l'objet d'analyse. Une recherche sur le chômage apporte forcément de nouvelles informations sur ce phénomène. La monographie (étude détaillée d'un objet limité) d'une organisation contribue à accroître le champ des informations empiriques qui intéressent notamment la sociologie et la psychosociologie des organisations.

D'autre part, ils nuancent, corrigent et, parfois même, remettent fondamentalement en question, les connaissances antérieures. Tout apport de connaissance en sciences sociales est forcément correctif, dans la mesure où les objets de connaissance (sociétés globales, organisations, cultures, groupes, etc.) font partie d'un environnement dont nous avons toujours une certaine connaissance, fût-elle grossière et spontanée. Tel est très clairement le cas de l'apport de Durkheim sur le suicide. En effet, sa contribution ne se limite pas à fournir des connaissances supplémentaires (statistiques notamment) ; elle remet en question le suicide comme phénomène strictement individuel et corrige l'image antérieure de ce phénomène.

Les nouvelles connaissances relatives à l'objet sont donc celles que l'on peut mettre en évidence en répondant aux deux questions suivantes :

– « Qu'est-ce que je sais *de plus* sur l'objet d'analyse ? »

– « Qu'est-ce que je sais *d'autre* sur cet objet ? »

Plus le chercheur prend distance avec les préjugés de la connaissance courante et se préoccupe de la problématique, plus il y a de chances pour que son apport de nouvelles connaissances relatives à l'objet soit d'ordre correctif.

2.2. Nouvelles connaissances théoriques

Pour approfondir sa connaissance d'un domaine concret de la vie sociale, le chercheur a défini une problématique et a élaboré un modèle d'analyse composé de concepts et d'hypothèses. Au fil de son travail, non seulement ce domaine concret s'est progressivement dévoilé mais, en même temps, la pertinence de la problématique et du modèle d'analyse a été mise à l'épreuve. Dès lors, un travail de recherche doit normalement permettre également d'évaluer la problématique et le modèle d'analyse qui l'ont sous-tendu.

La possibilité qu'une recherche sociale conduise à de nouvelles connaissances théoriques est bien entendu liée à la formation théorique et à l'expérience du chercheur. Le chercheur débutant ne doit donc pas trop se faire d'illusions sur ce point. Cependant, nous ne nous plaçons pas ici sur le plan des découvertes théoriques inédites et de grand intérêt pour l'ensemble de la communauté scientifique mais, beaucoup plus simplement, sur celui de la découverte de perspectives théoriques nouvelles du point de vue du chercheur qui a effectué le travail, même si celles-ci sont largement connues par ailleurs. Notre optique reste une optique de formation.

Tout chercheur peut en effet progresser lui-même dans sa capacité d'analyser des phénomènes sociaux en évaluant, a posteriori, son propre travail théorique. Cette évaluation prend en général deux directions complémentaires.

La première, en amont du modèle d'analyse, porte sur la pertinence de la problématique. Celle-ci a-t-elle permis de mettre en évidence des facettes peu connues du phénomène étudié ? A-t-elle rendu possible l'apport de nouvelles connaissances empiriques d'ordre correctif ? N'a-t-elle pas engagé le travail sur la voie de propositions et d'analyses banales qui ne font que répéter ce qu'on savait déjà ?

La seconde direction, en aval du modèle d'analyse, porte sur son opérationalisation. Le modèle a-t-il été construit avec suffisamment de cohérence, de sorte que les analyses aient pu être menées de manière claire et ordonnée ?

Les hypothèses, les concepts et les indicateurs étaient-ils suffisamment précis pour qu'on ne puisse taxer les interprétations d'arbitraires ?

À partir de cet examen critique, des perspectives théoriques nouvelles peuvent être formulées dans le souci de leur intérêt pour des recherches ultérieures. Sur le plan de la problématique, on pourra notamment proposer d'autres points de vue, d'autres questionnements complémentaires dont on a des raisons de croire qu'ils seraient plus éclairants ou qu'ils pourraient convenir pour l'analyse d'une plus large sphère de phénomènes. Sur le plan de l'opérationalisation, on pourra suggérer de revoir la formulation d'une hypothèse, de définir un concept de manière plus précise ou d'affiner certains indicateurs.

Les progrès théoriques qui procèdent de cette double évaluation, présentent l'avantage d'être construits en référence directe à un travail empirique. Plus ce fondement empirique est important, plus il leur confère une justification solide. En tout cas, il est indispensable d'indiquer clairement sur quoi se fondent les idées nouvelles qui sont proposées en fin de travail. Il est particulièrement important de distinguer celles qui prennent directement appui sur les enseignements de la recherche de celles qui viennent à l'esprit du chercheur, sans pouvoir être immédiatement reliées à ce travail empirique.

3. PERSPECTIVES PRATIQUES

Tout chercheur souhaite que son travail serve à quelque chose. Souvent même, il l'a entamé soit à la demande de tiers, soit parce qu'il exerce lui-même des responsabilités et qu'il souhaite mieux cerner les tenants et les aboutissants de son travail social, économique, culturel ou politique.

Le problème est cependant que les conclusions d'une recherche conduisent rarement à des applications pratiques claires et indiscutables. Il est donc nécessaire que le chercheur modère ses ardeurs et précise bien les liens entre les perspectives pratiques et les éléments de l'analyse dont elles sont censées s'inspirer. S'agit-il de conséquences pratiques que certains éléments d'analyse impliquent clairement ? Si oui, quels éléments d'analyse et en quoi l'implication est-elle indiscutable ? S'agit-il plus simplement de pistes d'action que les analyses suggèrent, sans les induire de manière automatique et incontestable ? Bref, on ne peut aller au-delà de ce que la recherche suggère sans indiquer très clairement ce changement de registre.

Trop de chercheurs attendent de leurs travaux des résultats pratiques très clairs qui constitueraient des guides sûrs pour les décisions et les actions. Cela n'est possible que lorsque l'étude engagée est de caractère très technique, comme par exemple dans les études de marché. Mais, en règle générale, les liens entre recherche et action ne sont pas aussi immédiats.

Entre l'analyse et la décision pratique, on ne peut notamment contourner la question du jugement moral et de la responsabilité. L'analyse sociologique peut éclairer les processus de fonctionnement et de changement des ensembles sociaux (par exemple des organisations). Mais on ne peut en tirer pour autant des conséquences pratiques de manière aussi sûre et mécanique que ne le font les ingénieurs qui étudient des systèmes fermés dépourvus de libre arbitre. Tirer immédiatement des conséquences pratiques d'analyses en sciences sociales, sans passer explicitement par la médiation du jugement moral, comme si ces conséquences s'imposaient en raison d'une espèce de « nature des choses », constitue donc à la fois une erreur et une imposture. Dans son sens le plus négatif, l'idéologie peut précisément consister à arrêter indûment des conclusions normatives de prétention universelle au nom de prétendues vérités scientifiques.

Comme on l'a vu plus haut, les perspectives pratiques d'une recherche en sciences sociales dépendent principalement de sa capacité de définir les enjeux normatifs d'une situation ou d'un problème, ainsi que les marges de manœuvre des acteurs au regard des contraintes, et donc leur responsabilité.

Lorsque le travail d'un chercheur contribue à enrichir et à approfondir les problématiques et les modèles d'analyse, ce n'est pas simplement la connaissance d'un objet précis qui progresse ; c'est, plus profondément, le champ du concevable qui se modifie. En quelques décennies, les sociologues ont considérablement modifié la manière d'étudier de nombreuses questions comme le système scolaire et les causes des échecs. Sans doute très peu de recherches qui s'y rapportent ont-elles eu d'impact direct et visible sur ce qui se passait dans les écoles. Mais ce travail n'en a pas moins largement contribué à enrichir les débats actuels sur l'école et à modifier profondément la vision que les responsables et les enseignants avaient auparavant du problème et de leurs propres fonctions et, par voie de conséquence, à transformer, directement ou indirectement, les cadres institutionnels et leurs propres pratiques. Dès lors, il n'est pas de chercheur capable d'influencer durablement et profondément les pratiques sociales qui ne s'impose un incessant travail d'autoformation théorique.

DEUX APPLICATIONS
DE LA DÉMARCHE

OBJECTIFS

Les deux applications qui suivent concernent l'explication de comportements, d'une part l'absentéisme des étudiants de première année dans une institution universitaire, d'autre part les modes d'adaptation au risque de contamination par le risque du sida dans les relations hétérosexuelles.

Dans la première application, le modèle de la rationalité par finalités apparaît pertinent, ce qui n'est pas le cas dans la seconde. La problématique et le modèle d'analyse de la première application sont construits à partir d'une seule approche théorique tandis que ceux de la seconde combinent plusieurs approches. Les méthodes sont également différentes : dans le premier cas, un formulaire à remplir (qui s'assimile à la méthode du questionnaire) dont les réponses sont traitées quantitativement ; dans le deuxième cas, l'entretien semi-structuré et l'analyse de contenu. Ces différences rendent la juxtaposition des deux applications particulièrement intéressante.

Les deux applications illustrent combien, dans la réalité, chaque recherche applique des solutions méthodologiques spécifiques en tenant compte des conditions et des objectifs du travail. Ces solutions ne correspondent jamais exactement à la démarche telle qu'elle est exposée « théoriquement », sans pour autant en transgresser les principes généraux.

APPLICATION N° 1 : L'ABSENTÉISME DES ÉTUDIANTS

Ce premier exemple est une étude menée avec des étudiants du premier cycle universitaire dans le cadre des travaux dirigés d'un cours de méthodologie.

C'est une application imparfaite de la méthode mais elle illustre bien l'enchaînement des opérations de la démarche et l'interdépendance qui existe entre ces opérations. Par contre, elle présente quelques défauts qui nous permettront d'attirer l'attention du lecteur sur les conséquences de ces déficiences, très courantes chez les débutants.

1. LA QUESTION DE DÉPART

L'étude est née à la suite d'un débat entre enseignants sur les causes de l'absentéisme des étudiants en première année à l'université. Laisser-aller, insouciance et négligence des étudiants leur paraissaient être les causes de l'absentéisme. Les enseignants faisaient inconsciemment l'hypothèse que l'enseignement et les collègues étaient forcément au-dessus de tout soupçon.

Le sujet fut proposé aux étudiants de deuxième année, dans le cadre des travaux dirigés. Dans sa formulation provisoire, la question de départ fut « Quelles sont les causes de l'absentéisme des étudiants en première année à l'université ? ». Leur première approche du problème fut exactement l'inverse de celle des enseignants. À leurs yeux, l'absentéisme n'affectait que les cours sans intérêt. Préjugé pour préjugé ! Il fallait en sortir. L'exploration devait nous y aider

2. L'EXPLORATION

2.1. Les lectures

La recherche de littérature sur la question fut orientée par deux mots-clés : « étudiant » et « absentéisme ». Les ouvrages et articles découverts sur le mot-clé « étudiant » portaient essentiellement sur le problème des échecs et des performances scolaires ; rien sur l'absentéisme. Par contre, sous le mot-clé « absentéisme », toute la littérature portait sur l'absentéisme dans les entreprises. Toutefois, en raisonnant par analogie, ces textes permettaient de dégager d'intéressantes pistes de réflexion. En effet, le travailleur en entreprise et l'étudiant aux études sont tous les deux les artisans d'une activité soumise aux règles et aux contraintes d'une organisation. Or, dans les organisations industrielles ou commerciales, l'absentéisme est considéré comme une des réactions les plus classiques des travailleurs à un mode d'organisation, à des objectifs et des contraintes qui leur sont imposés « d'en haut » ou de l'extérieur. Toutes proportions gardées, la situation des étudiants à l'université n'est pas sans analogie avec celle de l'entreprise et la sociologie des organisations apparaissait dès lors comme une base pertinente et susceptible de fournir le cadre théorique de l'étude.

Les lectures faites ont révélé deux types d'approche. L'une, de caractère déterministe, met l'accent soit sur les facteurs individuels (traits psychologiques), soit sur les contraintes socioculturelles, comme si l'individu n'avait aucune autonomie et devait nécessairement subir passivement ces conditionnements internes ou externes. L'autre approche, d'inspiration actionnaliste, rejette l'idée d'assujettissement passif des comportements à des conditionnements internes ou externes, et conçoit l'individu comme un acteur capable de réagir et de jouer ou ruser avec les normes organisationnelles comme le montre l'omniprésence des processus informels dans toute organisation.

2.2. Les entretiens exploratoires

Parallèlement aux lectures, la recherche s'engageait dans des entretiens exploratoires auprès des étudiants de première année universitaire. Les interviews semi-dirigés reposaient sur deux questions : « À quels cours assistez-vous régulièrement ? Pour quelles raisons ? » et « De quels cours êtes-vous souvent absent ? Pour quelles raisons ? »

Concernant les raisons d'aller au cours, l'analyse des réponses révéla qu'elles reposaient toutes sur une des quatre idées suivantes :

– « le polycopié est incomplet, insuffisant ou pas clair » ;
– « par ses qualités pédagogiques, le professeur est intéressant et favorise la compréhension » ;
– « la matière est difficile » ;
– « la matière est intéressante ».

À ces raisons s'ajoutent la contrainte (contrôle des présences) et la conviction (« J'assiste aux cours par principe » ou « Parce que c'est mon devoir »).

Les raisons de s'absenter se présentaient comme la version négative des opinions décrites plus haut : « Le professeur n'est pas intéressant », « La matière est facile », « Le polycopié est complet », etc.

Parmi les raisons de l'absence, les étudiants ne mentionnent ni les soirées dansantes et autres festivités qui se prolongent tard dans la nuit et les retiennent au lit le lendemain matin, ni les tests ou « interros » dont la préparation peut les obliger à sacrifier les quelques cours qui précèdent l'épreuve. Mais ces événements sont occasionnels et ne constituent pas une cause d'absence permanente, disent-ils.

Plus globalement, les entretiens ont montré que la présence et l'absence s'inscrivaient dans une sorte de stratégie ou de calcul de l'utilité de la présence pour réussir. Si l'enseignant ne contrôle pas les présences, si le polycopié est complet et si la matière est facile, il n'y a, aux yeux des étudiants, aucune raison majeure d'assister au cours.

3. LA PROBLÉMATIQUE

3.1. Faire le point

Dans les entretiens exploratoires, on a découvert des signes d'assujettissement aux normes de l'institution (assister aux cours par principe ou par devoir...), mais aussi, et surtout, des signes révélant que de nombreux étudiants réfléchissent (bien ou mal) à l'intérêt de leur présence au cours. Ces secondes constatations incitent à considérer les étudiants comme des acteurs ayant un projet (la réussite) différent de celui de l'institution (la formation optimale) et disposant d'une autonomie suffisante pour décider de l'opportunité de la présence ou de l'absence aux cours.

Dans les lectures, on a trouvé des théories qui pouvaient rendre compte de ces comportements. Une des approches théoriques permettait d'expliquer la présence par devoir, une autre permettait de comprendre l'absence par calcul. Il fallait choisir.

3.2. Se donner une problématique

Notre recherche portant sur l'absentéisme, les théories qui n'expliquaient que la présence s'excluaient d'elles-mêmes. C'est une approche actancielle qui a été retenue comme point de départ de l'élaboration de la problématique. En l'occurrence, cette approche semblait plus susceptible que d'autres de rendre compte de ce qui fut perçu sur le terrain. Une proportion importante des étudiants paraissait, en effet, manifester une certaine autonomie en évaluant l'intérêt de leur présence.

Il fallait dès lors compléter le travail de lecture et explorer les études et théories qui traitent de l'interaction entre l'acteur et l'organisation. Les étudiants purent ainsi découvrir l'analyse stratégique de M. Crozier et E. Friedberg (*op. cit.*), qui s'est présentée comme un cadre d'analyse pertinent. C'est donc à partir de cette théorie que la problématique fut construite.

Pour ces auteurs, tout individu dispose d'une marge de liberté qui lui permet de choisir entre plusieurs solutions. Il est aussi un cerveau capable de calculer la solution la plus apte à servir ses projets. Par conséquent, son comportement doit être analysé comme s'inscrivant dans une stratégie rationnelle dont la rationalité « limitée » se définit par rapport aux enjeux, aux projets et aux principes qui sont les siens, mais aussi par rapport aux règles du jeu et surtout, par rapport aux atouts dont il dispose. Crozier et Friedberg conçoivent donc l'interaction entre l'acteur et l'organisation comme un jeu dans lequel chaque joueur tente de saisir l'enjeu ou de réaliser son projet tout en minimisant sa mise, ce qui est le propre du comportement rationnel. Ainsi, il est rationnel d'être présent au cours lorsque cette présence conditionne la réussite (enjeu de l'étudiant) et il est tout aussi rationnel d'être absent du cours si la présence n'améliore en rien les chances de réussir l'examen.

Par cette problématique, la question de départ se transforme en question de recherche : « À l'université, l'absentéisme est-il le résultat d'une stratégie rationnelle dans le chef des étudiants ? ». Les causes de l'absentéisme deviennent ici quelque chose de bien plus complexe que ce qu'on a l'habitude d'appeler « cause ». La cause se dissout en effet dans le jeu entre « l'acteur et le système ». Elle devient une question de rationalité dont les critères sont influencés tant par les caractéristiques individuelles que par les caractéristiques du système ou, plus précisément, par la perception que chacun en a. Mais cette problématique n'est encore qu'une présomption ou une spéculation hypothétique qu'il faudra soumettre à l'épreuve des faits, c'est-à-dire à la constatation. Pour y arriver, nous devrons d'abord procéder à la construction du modèle d'analyse.

4. LA CONSTRUCTION D'UN MODÈLE D'ANALYSE

L'objectif de cette étape consiste à rendre observable et falsifiable l'idée selon laquelle le comportement de l'étudiant serait rationnel, aussi bien quand il est présent au cours que lorsqu'il est absent.

4.1. Modèle et hypothèse : les critères de rationalité

Construire le modèle de rationalité revient d'abord à établir une relation (hypothèse) entre le comportement de l'étudiant (présence ou absence au cours) et les perceptions qu'il a de ce cours. Cette hypothèse peut être formulée de la manière suivante : « Plus le cours est perçu par l'étudiant comme ayant des caractéristiques qui rendent sa présence utile, plus le taux de présence est élevé et inversement ». Construire le modèle revient ensuite à formuler les critères de rationalité qui rendent le comportement (présent/absent) rationnel ; autrement dit, c'est préciser les caractéristiques que le cours doit posséder pour présenter une raison suffisante d'y assister.

Ceci nous amène à rappeler la distinction de Max Weber entre la rationalité par rapport aux valeurs et la rationalité par rapport aux finalités.

Le comportement rationnel par rapport aux valeurs est celui qui s'aligne sur l'ensemble des normes et des règles du système parce que l'acteur considère que les respecter constitue la meilleure stratégie à suivre pour réussir. Ici, ce sont les normes et les règles de l'institution qui constituent la raison suffisante d'aller au cours. C'est le cas des étudiants qui vont à tous les cours « par devoir » ou « par principe ». Mais cet aspect est sans intérêt pour nous, notre problème étant l'absentéisme.

Le comportement rationnel par rapport aux finalités est celui de l'individu qui calcule de manière sélective l'intérêt qu'il y a à se soumettre à la règle ou à s'en écarter. Dans ce cas, le comportement rationnel repose sur des critères de rationalité qu'il faut découvrir. Les entretiens exploratoires les ont fournis.

Hormis la contrainte constituée par le contrôle des présences, quatre critères semblaient pris en considération pour décider de l'utilité de la présence au cours. De nombreux étudiants disaient être présents lorsque la matière était intéressante, lorsqu'elle était complexe ou difficile à comprendre, lorsque les polycopiés étaient insuffisants pour réussir, et lorsque le professeur aidait à comprendre la matière, soit par des informations ou des exemples, soit par ses qualités pédagogiques. Lorsque plusieurs de ces conditions n'étaient pas réunies, il leur semblait inutile d'assister au cours.

Ces quatre perceptions qui caractérisent un cours constituent, en l'occurrence, les composantes du concept « comportement rationnel par finalité » car elles définissent les critères de rationalité du modèle, c'est-à-dire les conditions dans lesquelles le comportement sera considéré comme rationnel. Avec ces critères, le modèle et l'hypothèse se précisent. Le comportement rationnel devient celui des étudiants dont le taux de présence est maximum pour les cours perçus comme présentant les quatre raisons d'être présent (matière intéressante, matière difficile, polycopié incomplet, professeur bon pédagogue) et minimum pour les cours ne présentant aucune des quatre raisons précédentes, à savoir matière facile, sans intérêt, polycopié complet et enseignant dépourvu de toute qualité pédagogique.

4.2. Les indicateurs

Bien souvent, les concepts impliqués par l'hypothèse et le modèle ne sont pas directement observables. Il est alors nécessaire d'en préciser les indicateurs qui permettront d'enregistrer les données indispensables pour confronter le modèle à la réalité. Pour le premier terme de l'hypothèse, le taux de présence, l'indicateur est facile à trouver : la présence physique des étudiants est directement observable et quantifiable.

Pour le deuxième terme de l'hypothèse, c'est-à-dire les caractéristiques du cours et la perception que les étudiants en ont, les indicateurs n'ont pas la propriété d'être objectivement repérables et mesurables. Ils ne peuvent posséder cette qualité car ils concernent des perceptions qui ne peuvent se manifester que par l'opinion des étudiants et les paroles qui la traduisent.

4.3. Les liens entre construction et constatation

Construire le modèle de rationalité consiste donc à définir les critères de rationalité qui le structurent et à préciser l'hypothèse fondamentale qu'il implique et qui le constitue. En construisant le modèle, on désigne les résultats auxquels on s'attend par hypothèse, c'est-à-dire les résultats qu'il faudrait obtenir, dans la phase de constatation, pour que le modèle et son hypothèse soient confirmés. Concrètement cela signifie que les données concernant le taux de présence et les caractéristiques du cours, devraient se présenter comme ci-dessous.

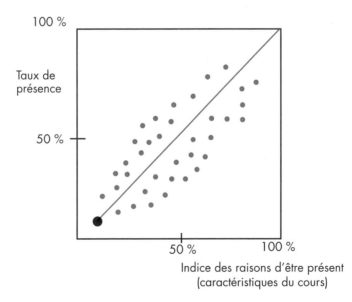

Distribution théoriquement attendue

Si la rationalité des étudiants correspond à celle conçue dans le modèle, cela devrait se manifester par un taux de présence élevé pour les cours cumulant les quatre raisons d'y assister (coin supérieur droit du graphique) et par un taux de présence faible pour les cours ne présentant aucune de ces raisons (coin inférieur gauche), l'ensemble des cours devant se situer autour d'une diagonale ascendante reliant ces deux coins.

Si les points ne se distribuent pas autour de cette diagonale, cela signifie que notre hypothèse n'est pas confirmée, soit parce que notre modèle est trop simple et devrait être enrichi de critères de rationalité et d'hypothèses supplémentaires, soit parce que l'étudiant n'est pas rationnel ou que son comportement répond à une logique trop complexe pour être schématisée par ce modèle. C'est ce qu'il faudra éclaircir par l'analyse des données dont on parlera plus loin.

Par ce commentaire, nous illustrons la connexion qui existe entre la construction (concepts et hypothèses) et la constatation (traitement et analyse des données). Les hypothèses guident l'analyse statistique des données en désignant les variables à mettre en relation et en précisant la signification que l'on peut valablement attribuer à cette relation. C'est parce que l'hypothèse leur donne une signification que les corrélations statistiques prennent du sens. Guider le traitement des données et lui donner un sens est une des fonctions de la construction des hypothèses et du modèle.

Le second lien qui unit la construction et la constatation se manifeste par les indicateurs. Ceux-ci assurent la continuité entre la construction des concepts et l'observation. Les indicateurs indiquent les informations à obtenir et, par conséquent, les questions à poser.

5. L'OBSERVATION

5.1. La sélection des unités d'observation

Elle consiste à choisir les unités sur lesquelles l'observation va porter. En général, ce choix pose le problème de la construction d'un échantillon. Nous n'avons pas été confrontés ici à ce problème car nous avons soumis le questionnaire à l'ensemble des étudiants de première année. Les redoublants ont été exclus de l'observation.

5.2. L'instrument d'observation

Comme nous avions la possibilité de rencontrer presque tous les étudiants, en même temps et dans un même local, lors d'une épreuve obligatoire, nous avons opté pour la mise au point d'un formulaire simple et rapide à remplir. Les précisions nécessaires pour obtenir des réponses adéquates ont été communiquées oralement.

PREMIÈRE ANNÉE

Code (six chiffres) COURS du semestre 1	Votre perception du cours (exercices exclus)					Votre présence en cours (exercices exclus)			
	Matière intéressante (I)	Matière difficile (I)	Polycopié Incomplet (I)	Professeur intéressant (I)	Existe-t-il une forme de contrôle des présences qui vous oblige à assister au cours ?	< 25 %	26 à 50 %	51 à 75 %	75 % <
A.									
B.									
C.									
D.									
E.									
F.									
G.									
H.									
I.									
J.									
K.									
Étudiant redoublant : OUI-NON									

(I) Tenir compte des indications précisant le sens de ces intitulés

Répondre par le signe (+) si votre opinion est positive et (+ +) si elle est très positive, et par le signe (–) ou (– –) si votre avis est négatif ou très négatif

5.3. La collecte des données

Les données ont été obtenues à l'occasion d'une épreuve écrite obligatoire pour tous. Lorsque l'étudiant déposait sa copie, il recevait le formulaire, y répondait (ou non) et le déposait (ou non) dans une caisse au fond de la salle. Quelques étudiants seulement ont remis une feuille blanche. La simplification de l'instrument d'observation et les conditions de la collecte des données présentent donc quelques défauts qui pouvaient affecter la validité des réponses.

6. L'ANALYSE DES INFORMATIONS

6.1. La description des résultats

Pour l'ensemble des cours, les résultats sont les suivants.

COURS	Taux de présence (moyenne/cours = Y)	Indice des raisons d'être présent (moyenne/cours = X)
A	84.2	77.6
B	84.7	76.2
C	33.9	30.0
D	78.5	58.5
E	62.7	51.9
F	35.4	34.5
G	81.3	52.5
H	26.6	26.0
I	74.2	85.9
J	84.2	57.3
K	28.1	28.5
L	98.7	50.8
M	95.8	76.5
N	93.6	74.5
O	95.7	67.0
P	93.1	53.9
Q	81.0	50.3
R	79.6	71.5
S	75.0	57.4
T	45.0	45.5
U	33.6	34.6

Ce calcul ne porte que sur les étudiants rationnels « par finalité » ; il exclut tous les étudiants rationnels « par valeur », c'est-à-dire ceux qui assistent à tous les cours par principe ou par devoir. Ces derniers représentent 13 % de l'ensemble.

6.2. L'analyse des relations entre le taux de présence et les raisons d'aller au cours

Pour que le modèle de rationalité construit par hypothèse soit confirmé par les faits, il faut que, pour chaque cours, on puisse constater une relation logique entre le taux de présence et les raisons d'être présent. Plus l'indice exprimant les raisons d'aller au cours est élevé, plus le taux de présence doit l'être également. Comment constater cette relation ? Le tableau ci-dessus nous donne déjà un aperçu de cette relation, mais cette image reste encore imprécise. Disposés dans le diagramme ci-dessous, les résultats sont déjà plus clairs.

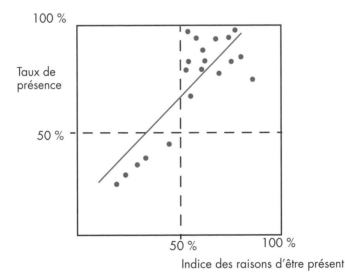

Résultats observés : graphique n° 1

Dans ce diagramme, chaque point représente un cours et sa position est définie par ses coordonnées. On constate que tous les cours y sont concentrés dans deux zones. La zone supérieure droite est la zone de correspondance des indices élevés. Les cours dont les caractéristiques sont perçues comme de bonnes raisons d'être présent ont effectivement un taux de présence élevé. Dans la case inférieure gauche, les cours qui présentent peu de raisons sont ceux qui sont peu suivis. En conséquence, il existe manifestement une relation entre le taux de présence aux cours et la perception que les étudiants en ont. Le coefficient de corrélation entre les deux variables le confirme *(r = 0,79)*.

6.3. La comparaison des résultats observés avec les résultats attendus par hypothèse et l'examen des écarts

Les résultats attendus par hypothèse devaient se présenter comme un nuage de points le long de la diagonale (voir graphique p. 229). Les résultats observés s'en éloignent quelque peu. La distribution des points se présente en deux groupes bien distincts, l'un dans la case inférieure gauche et l'autre, plus important, dans la zone supérieure droite. Lorsque la distribution des points se manifeste par deux nuages bien distincts, l'orthodoxie statistique nous recommande de calculer la droite de régression et le coefficient de corrélation pour chacun des deux sous-ensembles de points. C'est alors qu'apparaît la première grande faiblesse de notre modèle de rationalité, comme le montre le diagramme B. Dans le nuage inférieur, la relation entre les deux variables est très forte (r = 0,936), mais dans le nuage supérieur, elle est quasi nulle et non significative (r = 0, 116).

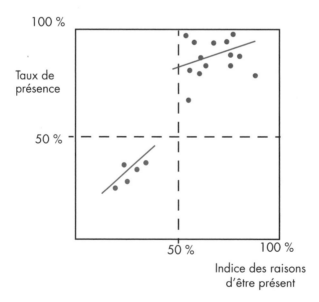

Résultats observés : graphique n° 2

En termes clairs, ce fait inattendu nous révèle que notre modèle n'a probablement pas la finesse suffisante pour rendre compte des différences de comportement dans les cours dont le taux de présence est élevé.

Par la régression multiple, nous découvrions que seulement deux des quatre critères interviennent réellement dans la décision d'aller (ou non) au cours. L'intérêt que l'étudiant porte à la matière et les qualités de l'enseignant déterminent largement le taux de présence ($R2 = 0{,}734$), tandis que la difficulté de la matière et l'état du polycopié n'ont qu'un effet marginal. Avec leur apport, le $R2$ devient $0{,}761$.

7. LES CONCLUSIONS

Notre modèle de rationalité de l'étudiant est partiellement déficient. Il explique bien les taux d'absence mais pas la diversité des taux de présence. En outre, seulement deux des quatre caractéristiques des cours interviennent dans la décision d'assister aux cours : l'intérêt pour la matière et les qualités de l'enseignant conditionnent largement la stratégie des étudiants. Ces variables du modèle expliquent 75 % des variations du taux de présence ; d'autres variables doivent intervenir pour expliquer les 25 % restants. Les découvrir pourrait être une des tâches d'une prochaine étude sur ce sujet.

Malgré cette altération du modèle construit, nous pouvons dire que l'hypothèse d'une stratégie rationnelle dans le chef des étudiants est soutenue par les faits mais, première réserve, le modèle de rationalité doit être affiné en ce qui concerne les critères de présence. Deuxième réserve, expliquer pourquoi certains cours ont un taux de présence élevé et d'autres un taux très bas est une chose ; contrôler si chaque étudiant individuellement est rationnel dans sa participation à chacun des cours est tout autre chose. L'exemple ne présente que le volet de la rationalité collective.

APPLICATION N° 2 : LES MODES D'ADAPTATION AU RISQUE DE CONTAMINATION PAR LE VIH DANS LES RELATIONS HÉTÉROSEXUELLES

Ce second exemple est une recherche qui a été réalisée par une équipe de sociologues comportant une chercheuse à temps plein durant une année ainsi que trois collègues enseignants qui ont pu y consacrer une partie limitée de leur temps, de manière régulière toutefois. Elle a été retenue pour son caractère pédagogique ainsi que pour sa complémentarité et ses différences avec l'application précédente. Elle vise à construire une forme de typologie, ce qui constitue l'aboutissement fréquent de recherches en sciences sociales. Cette recherche est exposée de manière détaillée dans l'ouvrage de D. Peto, J. Remy, L. Van Campenhoudt et M. Hubert, *Sida : L'amour face à la peur. Modes d'adaptation au risque du sida dans les relations hétérosexuelles* (Paris, L'Harmattan, 1992).

1. LA QUESTION DE DÉPART

Fin des années quatre-vingt, début des années quatre-vingt-dix, le sida apparaît à tous comme un risque majeur mais la médecine reste impuissante à l'endiguer. Il n'existe pas de vaccin et la trithérapie n'a pas encore été mise au point. La prévention reste considérée comme la meilleure manière de faire face au risque. Les sciences sociales sont alors appelées à la rescousse pour éclairer les campagnes de prévention. On leur demande de rendre compte de la connaissance que la population a des risques de contamination, de la manière dont le risque est pris ou non en compte dans les relations sexuelles notamment, en particulier dans les groupes dits « à risque » et de proposer des pistes pour une prévention efficace.

C'est dans ce contexte qu'il est demandé aux chercheurs d'étudier la manière dont des personnes adultes susceptibles d'être exposées au risque dans leurs relations hétérosexuelles prennent ou non en compte ce risque et de quelle manière. La recherche se limite à la partie francophone de Belgique.

La question de départ a dès lors été formulée comme suit : « Comment les adultes, en particulier ceux qui ont plusieurs partenaires sexuels ou changent de partenaires, réagissent-ils au risque du sida et pourquoi beaucoup d'entre eux persistent-ils à courir des risques ? »,

L'objectif de cette recherche est double : d'une part, elle constitue une étude exploratoire visant à préparer une prochaine enquête à grande échelle portant sur l'ensemble de la population belge ; d'autre part, vu l'urgence, elle doit aider déjà à dégager des perspectives pour des campagnes de prévention.

2. L'EXPLORATION

2.1. Les lectures

Au départ, les chercheurs partaient assez désarmés. D'abord parce que la demande était très large, ensuite parce qu'on disposait de très peu d'études préalables sur ce problème relativement nouveau. Néanmoins, les premières enquêtes avaient été réalisées dans les pays voisins et des articles qui en discutaient les approches théoriques ainsi que les résultats commençaient à être disponibles. Face au caractère inédit du problème, plusieurs chercheurs tentaient de transposer pour l'étude des comportements face au risque du sida des problématiques et des modèles d'analyse élaborés pour l'étude des comportements face à d'autres risques, notamment ceux du tabac et de l'alcool. L'idée qui dominait dans ces approches est que si les individus sont correctement informés des risques et des modes de contamination et s'ils se débarrassent de croyances infondées (comme croire que certaines conduites dangereuses sont inoffensives), il y aura de grandes chances pour qu'ils se protègent et protègent leurs partenaires notamment en utilisant un préservatif chaque fois qu'ils sont impliqués dans une relation qui présente un risque potentiel. L'image de la personne est celle d'un individu rationnel qui sait mesurer le pour et le contre et adopter les pratiques conformes à son intérêt, en l'occurrence ne pas être contaminé par le VIH, virus responsable du sida, et vivre aussi bien et aussi longtemps que possible. Dans un contexte de relative méconnaissance des modes de contamination par le VIH, il apparaissait naturellement indispensable de commencer à informer correctement la population et les sciences sociales devaient y contribuer. Dans un premier temps ont donc été menées, dans plusieurs pays, des enquêtes sur les connaissances, les croyances et les comportements sexuels des individus, et qui visaient à expliquer ceux-ci par celles-là.

De plus en plus régulièrement toutefois, la littérature sociologique et psychosociologique se montrait critique à l'égard de cette approche jugée trop naïve. Certes, être correctement informé est essentiel et il faut bien sûr commencer par là. Toutefois, plusieurs recherches effectuées à partir de la fin des années quatre-vingt ont mis au jour des enseignements qui ne collaient guère avec cette image assez simpliste de la personne humaine et des ressorts de ses comportements : des personnes parfaitement informées continuaient à courir des risques de manière délibérée et à en faire courir à leurs partenaires ; il s'est avéré courant que le comportement face au risque d'une même personne change du tout au tout (se protéger ou non) en fonction du ou de la partenaire auquel ou à laquelle elle a affaire, en fonction du stade et du déroulement de la relation ainsi que des circonstances dans lesquelles elle a lieu. Il en résultait une grande diversité des réactions face au risque et des manières de s'y adapter.

Bref, se multipliaient les observations et les résultats de recherches qui ne cadraient pas avec cette image de l'individu rationnel. Mais les alternatives au paradigme de l'individu rationnel restaient à mettre au point.

2.2. Les entretiens exploratoires

Dès le début de la recherche, les contacts, discussions et entretiens furent constants avec des personnes concernées, notamment responsables associatifs ou institutionnels et professionnels du secteur socio-sanitaire en contact quotidien avec une grande diversité de publics en demande de conseils, de soins ou d'aide. De plus, les entretiens avec des personnes correspondant au profil défini par la question de départ (*cf. infra*) ont commencé immédiatement, en vue de construire progressivement la problématique de la recherche. Même si la succession des étapes de la démarche a été suivie dans les grandes lignes, le scénario n'a pas été strictement linéaire, dans la mesure où il y a eu un va-et-vient constant entre les entretiens, la problématique et le modèle d'analyse. Ainsi, quelques entretiens, réalisés avant même la première ébauche de problématisation ont eu une fonction essentiellement exploratoire.

Il est vite apparu combien l'activité sexuelle met en jeu des dimensions complexes de la personne, des relations humaines et de la culture. Elle implique les partenaires dans ce qu'ils ont de plus essentiel : le sens qu'ils donnent à l'existence, leur rapport aux autres en particulier aux personnes de l'autre sexe, leur équilibre personnel, leur rapport à leur propre corps et à celui de l'autre, leurs émotions, leur mode d'intégration sociale… Dans ce jeu complexe, prendre ou ne pas prendre un risque peut obéir à des raisons ou à des logiques qui ne se réduisent pas à une question de connaissance, de calcul rationnel ou d'intérêt individuel.

On observait par exemple que des partenaires débutants ou peu sûrs d'eux qui craignent de ne pas faire bonne figure peuvent avoir tendance à ne pas vouloir s'encombrer d'un problème supplémentaire, celui de la protection. On constatait que dans une relation très romantique, courir ensemble et délibérément un risque pour ou avec l'autre pouvait être vécu comme une manifestation forte d'amour contribuant à renforcer la passion et l'attachement mutuel. On voyait que l'intimité caractéristique de la relation sexuelle peut donner vite un grand sentiment de connaissance et de confiance réciproques surtout si les partenaires appartiennent au même milieu social. Il apparaissait que pour faire face à l'incertitude dans une relation où chacun se dévoile intimement, la relation sexuelle se déroulait le plus souvent selon des scénarios plus ou moins fixés à l'avance et que les partenaires « jouent » de manière assez stable. Ces modèles de comportement interactif par rapport auxquels les partenaires se sentent à l'aise peuvent être perturbés par la nécessité de se protéger. Les exemples de « bonnes raisons » de ne pas se protéger abondaient.

Mais comment tenir compte de cette complexité et cette diversité sans s'y perdre ?

Les échanges et entretiens suivis avec des collègues et chercheurs attelés à une tâche comparable ont été ici fort précieux. En l'absence de théories éprouvées sur la question, beaucoup d'entre eux tentaient de transposer à l'étude de la relation sexuelle des problématiques et des cadres théoriques déjà expérimentés dans d'autres domaines. Dans ces approches, un poids particulier était donné à ce qui se joue dans la relation entre les partenaires pour expliquer les comportements. Ainsi, certaines composantes de théories psychosociologiques, de la théorie de l'échange social et de l'analyse des réseaux notamment étaient mobilisées par ces collègues. L'équipe de recherche procéda de la même manière : loin de se contenter des maigres publications sur le sujet, elle eut recours à des références théoriques à caractère plus général mais susceptibles d'être ici utiles.

Ainsi, lectures, échanges entre chercheurs et premiers entretiens alternèrent durant cette phase exploratoire.

Enfin, il apparaissait que, dans la plupart des cas, les partenaires n'optaient pas pour une solution extrême, comme si l'alternative était soit de se protéger toujours et systématiquement soit de ne pas se protéger du tout. Ils s'adaptaient au risque selon des modalités variées. Ceux qui avaient modifié leurs comportements en raison du risque du VIH n'avaient que très rarement supprimé purement et simplement tout risque de contamination, par exemple en se limitant à un seul partenaire sexuel absolument sûr ou en utilisant systématiquement le préservatif. Le plus souvent, la modification des comportements se faisait de manière hésitante et nuancée, différenciée selon les partenaires et les circonstances. Bref, chacun et chacune s'adaptait au risque avec lequel il ou elle faisait une sorte de compromis. Dès lors, la question de départ a été reformulée de la manière suivante : « Quels sont les modes d'adaptation au risque de contamination par le VIH dans les relations hétérosexuelles, dans le chef d'adultes qui ont plusieurs partenaires sexuels ou changent de partenaires ? »

3. LA PROBLÉMATIQUE

Élaborée de manière progressive, la problématique a connu de nombreux réajustements en cours de recherche. Elle partait d'une double idée et de quelques hypothèses générales. La double idée relevait quasiment de l'évidence : les réactions au risque du sida sont très diversifiées et dépendent de nombreux facteurs. Elle réclamait néanmoins une problématique capable de rendre compte de cette diversité sans être pour autant éclatée. Les facteurs ont été appelés dans la recherche « facteurs d'intelligibilité » en raison du fait que, d'une manière ou d'une autre, ils étaient supposés contribuer à rendre les comportements intelligibles, sans préjuger de la nature précise de la relation qui les relie aux comportements. Les hypothèses générales consistaient en un petit nombre d'idées à avoir à l'esprit pour élaborer l'approche théorique, par exemple le fait que l'interaction sexuelle constitue une réalité spécifique irréductible aux partenaires ou encore l'autonomie relative de la sphère sexuelle comme univers à part, qui se définit comme rupture avec l'univers de la vie ordinaire.

3.1. Les facteurs d'intelligibilité

Suite au travail exploratoire et à l'analyse des premiers entretiens, les facteurs d'intelligibilité ont été regroupés en trois grandes catégories correspondant à trois approches complémentaires des comportements :

1) la trajectoire individuelle et les caractéristiques individuelles : même si l'interaction représente une réalité en elle-même, des recherches antérieures montraient clairement l'importance de la trajectoire personnelle des partenaires pour comprendre leur manière d'entrer et de se situer dans la relation. À chaque étape de la vie correspondent en effet des niveaux de connaissance et d'expérience, des difficultés et des attentes différents. La trajectoire a été appréhendée à partir de la position dans le cycle de vie qui fait référence à la situation de l'individu dans son histoire affective, sexuelle et/ou conjugale personnelle ainsi qu'à son statut comme membre d'un ménage qui est associé à cette position (jeune adulte vivant encore chez ses parents, mari ou femme, compagnon ou compagne, célibataire, séparé, parent…). La position et le statut dans le cycle de vie sont liés à l'âge mais ne s'y juxtaposent pas, les trajectoires individuelles présentant des parcours spécifiques comportant d'ailleurs souvent plusieurs fois la même étape (comme le fait de s'installer avec une autre personne ou de se séparer). Enfin, à ce niveau individuel, il est clair que le sexe doit être pris en compte ;

2) l'interaction entre les partenaires : dès le moment où deux partenaires s'engagent dans une relation sexuelle, passagère ou répétée, ils se retrouvent dans un jeu à deux où chacun n'est plus seul maître de ce qui se passe. Certes, les caractéristiques individuelles interviennent mais la relation entre eux obéit aussi et surtout aux caractéristiques propres de la rela-

tion (notamment le stade où elle en est), à son contexte ainsi qu'à des processus spécifiquement relationnels ;

3) le réseau social des partenaires : le réseau est ici compris dans son sens large, comme système de relations personnelles (familiales, professionnelles, amicales…) dans lequel chaque partenaire est impliqué. Il offre des ressources mobilisables (le « capital social ») et détermine un espace de contraintes et d'opportunités (notamment en matière sexuelle).

Les trois dimensions vues plus haut de structure, de processus et de sens sont clairement engagées dans cette triple approche.

3.2. Une typologie des modes d'adaptation au risque

Pour rendre compte de manière ordonnée de la diversité des situations et des modes d'adaptation au risque, il a été décidé d'assigner à la recherche l'objectif de construire une typologie des modes d'adaptation au risque.

Une typologie ne consiste pas en un ensemble de catégories concrètes tel que chaque cas étudié entrerait entièrement dans une et une seule de ces catégories. Une typologie constitue un système de repères par rapport auxquels les différents cas peuvent être situés (par une certaine proximité ou une certaine distance) et comparés. Composés à partir des mêmes critères (les facteurs d'intelligibilité et les modes d'adaptation au risque), les différents types distingués composent ensemble un tableau de pensée cohérent à partir duquel il doit être possible de saisir en quoi chaque type est ou non problématique du point de vue de l'adaptation au risque. Formellement, un type se présente comme une combinaison spécifique d'une situation caractérisée par un ensemble de facteurs d'intelligibilité et par un mode particulier d'adaptation au risque.

Deux opérations doivent alors être menées. Sur le plan théorique, il s'agit de déterminer les critères de construction des types (soit les facteurs d'intelligibilité et leurs principales dimensions ainsi des différents modes d'adaptation au risque). Cette première opération faite (ce sera l'objet de l'étape suivante), sur le plan empirique, il s'agira ensuite de construire les différents types qui émergent des entretiens en tant que « typique » d'une facette du problème de l'adaptation au risque du VIH. On peut alors faire des hypothèses spécifiques pour chaque type et, par là, concevoir des scénarios et des messages de prévention adaptés. À partir de là, chaque cas concret doit pouvoir être situé soit, s'il s'en rapproche fort, par sa proximité avec un type particulier, soit par sa position intermédiaire entre deux ou plusieurs types distingués.

4. LA CONSTRUCTION DU MODÈLE D'ANALYSE

Le modèle d'analyse opérationnalise la problématique en définissant les principales catégories de l'observation. La première tâche va consister à déterminer les dimensions observables des différents facteurs d'intelligibilité. La deuxième à distinguer différents modes d'adaptation au risque. À partir de là, la structure de la typologie pourra être construite.

4.1. Dimensions des différents facteurs d'intelligibilité

Différentes phases sont distinguées concernant la position dans le cycle de vie : phase de découverte de la sexualité, sans expérience de la cohabitation et sans responsabilités conjugales et parentales ; phase de transition où l'individu cherche à bâtir un mode de vie plus stable dans le cadre d'un couple ou d'un ménage qui restent à construire ; phase de stabilisation correspondant aux premières années de vie en ménage, avec ou sans charge d'enfants ; phase de déconstruction correspondant soit à un maintien d'une vie commune qui se dégrade, soit à une séparation mais où l'un des deux au moins reste la personne de référence dans l'imaginaire de l'autre ; phase de célibat. Chaque phase est associée à des conditions de natures diverses (aussi bien matérielles que psychologiques notamment) susceptibles de favoriser certains comportements en matière affective et sexuelle et d'en défavoriser d'autres (par exemple les opportunités et le désir de nouvelles rencontres).

L'interaction entre les partenaires a été saisie à partir de plusieurs dimensions : le stade de la relation (stade de conquête et de séduction, stade de familiarité ou stade de dénouement) ; les attentes des partenaires à l'égard de la relation (attentes de procréation, attentes affectives, attentes de plaisir, souhait de se mettre en ménage, quête d'un statut social, espoir de promotion ou crainte de sanctions en cas de refus de relations) ; la primarité ou la secondarité de l'espace de la relation (selon sa visibilité sociale) et des partenaires (stables ou occasionnels) ; les normes (d'équité ou de réciprocité) et le rapport de pouvoir dans la relation, en particulier entre genres (les ressources des partenaires dans la relation et leurs structures de capitaux respectives, les coûts liés à la relation). À chaque situation définie par les dimensions de l'interaction correspondent des comportements face au risque plus ou moins plausible voire probable, par exemple le désir de transgresser les normes (y compris de prudence) dans des relations secondaires lorsque le couple se trouve dans une phase de dénouement difficilement acceptée par un des partenaires.

Plusieurs dimensions classiques du réseau social des partenaires, pertinentes par rapport à l'objet de recherche, ont été distinguées : l'étendue et l'homogénéité/hétérogénéité du réseau ; la densité du réseau (soit le fait que les connaissances d'une personne se connaissent entre elles ou non) ; l'unidimensionnalité/la multidimensionnalité du réseau (selon le nombre de niveaux auxquels les personnes qui en font partie sont liées) ; l'intensité des relations dans le réseau (selon la charge émotionnelle des relations). La configuration du réseau, modélisée à l'aide de ces dimensions, permet de saisir notamment le système de contraintes et d'opportunités de rencontre des partenaires.

4.2. Les modes d'adaptation au risque

L'adaptation au risque peut se faire en amont du rapport sexuel (en sélectionnant certains types de partenaires et en en évitant d'autres). Le travail empirique montrera que, du point de vue du risque, cette sélection se fait souvent selon des critères fort subjectifs : la « bonne mine » et l'aspect « clean » notamment.

À l'intérieur même de l'interaction sexuelle, plusieurs modes d'adaptation au risque seront distingués : la responsabilité (les partenaires en discutent, demandent un test de dépistage, ne perçoivent pas le préservatif comme une marque de méfiance…) ; la confiance dans le partenaire (même si celui-ci ou celle-là a eu d'autres relations auparavant) ; l'acceptation d'un risque limité ; la domination – soumission (lorsqu'un des partenaires impose sa loi à l'autre de sorte que la protection éventuelle ne dépend que de celui-là ; la relation exceptionnelle non maîtrisée (soit non programmée et qui se déroule dans un contexte particulier ou sous l'influence d'alcool ou de drogues) ; le défi (où le risque est recherché délibérément, éventuellement comme composante du plaisir ou pour s'affranchir de normes ou d'une éducation jugée trop longtemps contraignante ; la crise anomique (correspondant à une période de désorientation à la suite par exemple d'une séparation ou de difficultés graves à l'intérieur du couple).

En aval du rapport sexuel, c'est essentiellement le test de dépistage qui est en cause comme possibilité de se rassurer après un rapport estimé à risque. La répétition de résultats négatifs peut procurer à certains le sentiment que leur mode de vie est somme toute relativement sûr et qu'ils peuvent donc poursuivre dans la même voie.

Si les dimensions des facteurs d'intelligibilité ont été déterminées en grande partie à partir de la littérature sociologique jugée pertinente au regard des enseignements des premiers entretiens, pour ce qui concerne les modes d'adaptation au risque, c'est exclusivement au fil des entretiens qu'ils ont été discernés.

Chaque type devait donc se présenter comme une combinaison spécifique d'un ensemble de dimensions des facteurs d'intelligibilité et d'un mode d'adaptation au risque, selon le schéma repris sur la fiche qui suit.

Fiche récapitulative par type

Position et statut dans le cycle de vie	
Âge	
Sexe	
Stade de la (des) relation(s)	
Attentes à l'égard de la (des) relation(s)	
Primarité/secondarité de la (des) relation(s)	
Normes et pouvoir dans la (les) relation(s)	
Réseau social	
Mode d'adaptation au risque	

5. L'OBSERVATION

5.1. La sélection des unités d'observation

Un échantillon de 76 personnes a été constitué en tenant compte des critères suivants : diversité des profils, des situations et des expériences de vie, changements récents dans la vie sexuelle et affective, proximité subjective avec le risque du sida. Le recrutement des personnes a été possible grâce à diverses associations du secteur socio-sanitaire et préventif. L'âge des personnes interviewées était compris entre 19 et 60 ans, la plupart se situant dans la tranche d'âge des 20-40 ans. L'échantillon comportait pratiquement autant de femmes que d'hommes.

5.2. L'instrument d'observation et la collecte des données

La méthode utilisée est celle de l'entretien semi-directif. Le guide d'interview était composé d'un ensemble de points portant sur l'histoire personnelle, en particulier dans sa composante intime, sur l'environnement social et culturel de la personne, sur ses relations sexuelles récentes et en cours et sur la manière dont le risque a ou non été pris en compte notamment. Il se développait au fur et à mesure de l'élaboration de la problématique et du modèle d'analyse. La grande majorité des entretiens a duré plus d'une heure, parfois deux heures et plus. Parmi l'ensemble des entretiens réalisés, 49 ont été systématiquement retranscrits pour faire l'objet de l'analyse. Les 27 entretiens écartés l'ont été pour des raisons variables telles que l'absence d'informations pertinentes sur le sujet, le refus des interviewés de se laisser enregistrer ou le fait que l'entretien ait tourné court. Plusieurs d'entre eux n'en ont pas moins été utilisés dans le cadre de la phase exploratoire ou pour tester le guide d'interview.

6. L'ANALYSE DES INFORMATIONS

6.1. L'analyse des entretiens

Tous les entretiens ayant été réalisés directement par un des membres de l'équipe de chercheurs, l'interviewer avait une connaissance approfondie des questions de recherche et de la problématique. Cette proximité avec l'approche de l'objet est essentielle dans la mesure où l'interviewer peut, à chaque moment, avoir les meilleures questions à l'esprit et relancer l'interviewé sur les pistes les plus intéressantes. Avec un sujet aussi délicat, même dans ces conditions, il y a, comme on l'a vu, une proportion relativement importante d'entretiens peu utilisables.

L'analyse des entretiens s'est effectuée en deux temps. Dans un premier temps, une ou deux personnes, dont celle qui avait réalisé l'entretien, préparait l'analyse sur base d'un examen thématique. Cette analyse consistait à reprendre tous les éléments de l'entretien, de quelque nature qu'ils soient (propos explicites ou attitude de l'interviewé(e) durant l'entretien), susceptibles d'apporter une information en rapport avec la question de départ et, plus précisément, en rapport avec les composantes du modèle d'analyse (phase de la trajectoire personnelle, caractéristiques de la relation et du réseau, etc.). Présenté à une équipe composée chaque fois de trois chercheurs minimum, ce travail préparatoire était discuté collectivement sur base du texte de l'entretien, approfondi et poursuivi par ce petit groupe où étaient confrontées des analyses menées sans se concerter par des chercheurs différents. À quelques reprises, des collègues chercheurs non impliqués dans cette recherche précise ont été associés à ces séances d'analyse collective afin d'ouvrir l'analyse à des perspectives non envisagées au départ par l'équipe de recherche. Au fur et à mesure, les principales hypothèses et les principaux enseignements tirés de l'analyse des premiers entretiens étaient confrontés avec le contenu des derniers entretiens analysés, selon le principe de l'« induction analytique » chère à Howard Becker (*op. cit.*).

6.2. La construction de la typologie

Dans ce dispositif de recherche, le travail empirique ne servait pas principalement à tester des hypothèses empiriques préalablement formulées mais bien à construire une typologie à partir d'un cadre conceptuel composé de facteurs d'intelligibilité. Plusieurs types ont pu effectivement être distingués au fil des analyses par un jeu d'essais et erreurs jusqu'à pouvoir faire état d'un ensemble de types permettant de rendre compte des principales situations problématiques rencontrées et de ce que chacune a de caractéristique.

Neuf types ont été ainsi construits :

– type 1 : l'anxiété du « jeune mec » dans sa difficile exploration ;

– type 2 : le fragile apprentissage du dialogue dans les premières relations privilégiées ;

– type 3 : le risque réfléchi et accepté des jeunes adultes en quête d'un mode de vie ;

- type 4 : la sécurisation par séparation des mondes ;
- type 5 : la gestion rationnelle et contractuelle du risque ;
- type 6 : la confiance aveugle du partenaire fusionnel ;
- type 7 : les écarts secrets du « conjoint infidèle » ;
- type 8 : les réponses à la crise et à l'anomie ;
- type 9 : le risque subi de la femme dominée.

Chaque type était expliqué de manière détaillée, résumé sur une fiche et illustré par les cas des personnes interviewées s'en rapprochant le plus. Pour chaque type, des questions spécifiques pour la prévention étaient posées. À titre d'exemple, on ne reprendra ici que la fiche correspondant au type 4 qui est courant bien que se présentant sous des modalités diverses. Les personnes concernées partagent la caractéristique de scinder leur monde intime en deux : celui des partenaires sexuels considérés comme sûrs où le risque est pris en considération de manière variée et souvent aléatoire, et celui des partenaires jugés dangereux où une protection stricte est appliquée.

En outre, un ensemble d'enseignements transversaux était mis en évidence. Le mode d'adaptation au risque du sida apparaissait comme un aspect d'un processus plus large : le mode d'adaptation de l'individu à la problématique de sa propre existence, voire, pour certains, de la survie de leur Moi en situation critique. Se protéger du risque n'était alors qu'une préoccupation parmi d'autres, souvent bien plus importantes à leurs yeux, comme trouver enfin l'âme sœur avec qui vivre bien (pour plusieurs femmes du type 9) ou survivre à une épreuve durable ou passagère (pour le type 8). Bien plus, il apparaissait que la prise de risque pouvait, dans certains cas, faire partie de ce processus de restructuration personnelle et/ou de construction d'une relation satisfaisante. La quête de relations affectives et de reconnaissance par autrui se révélait au centre des exigences existentielles des uns et des autres. Loin de devoir être analysés seulement comme des effets de causes antérieures et extérieures à la relation, les comportements sont des éléments constitutifs de la relation et des manières implicites de communiquer qui participent de la construction, du maintien ou de la déconstruction de cette relation, aussi bien quand les partenaires visent principalement un plaisir partagé à deux durant quelque temps que le grand amour pour la vie.

Type 4 : La sécurisation par séparation des mondes

Primarité/secondarité
de la (des) relation(s)

> Partenaires primaires et
> secondaires dans son propre
> milieu social. Parallèlement,
> partenaires secondaires dans
> un espace secondaire.

Normes et pouvoir
dans la (les) relation(s)

> Modèle de la relation égalitaire
> basée sur l'écoute de l'autre, dans
> son milieu social. Méfiance et prise
> de pouvoir en vue d'une protection
> stricte dans le monde
> « dangereux ».

Réseau social

> Très développé. Grande
> importance et influence normative
> de son propre milieu social,
> considéré comme sûr et que l'on
> doit protéger du risque.

Mode d'adaptation
au risque

> Séparation entre deux mondes :
> le monde « dangereux » où une
> stricte protection est appliquée,
> et le monde « sûr » avec gestion
> différenciée du risque.

Position et statut
dans le cycle de vie

> Phases de quête d'un mode de vie
> ou phase de célibat.

Âge

> Jeunes adultes, la trentaine en
> moyenne.

Sexe

> Indifférencié.

Stades
de la (des) relation(s)

> Le plus souvent : stades de
> séduction ou de familiarité.

Attentes à l'égard
de la (des) (relation(s)

> Affectives et de plaisir dans son
> propre monde social. De plaisir
> uniquement dans le monde
> extérieur, jugé dangereux.

Un des principaux problèmes communs à quasiment tous les types est celui de parvenir à gérer rationnellement le risque sur fond d'une confiance minimale nécessaire à la relation. Entre ceux qui choisissent de faire une confiance aveugle à l'autre (type 6) et ceux qui parviennent ensemble à gérer le risque de manière contractuelle et explicite (type 5), il y a tous ceux qui alternent confiance et méfiance (type 4), acceptent une certaine dose de risque (type 3), tâtonnent par incapacité d'en parler ouvertement avec leur partenaire (type 2), errent quelque peu face à un problème inhabituel (type 7), auquel ils sont mal préparés (type 1) ou qu'ils ne maîtrisent pas (type 9), ceux enfin qui sont tout simplement à la dérive (type 8).

Au moment où la recherche a été réalisée, le préservatif était encore largement associé à la méfiance et perçu comme une difficulté. Il n'est pas certain que cela ait changé pour tout le monde aujourd'hui.

Bien d'autres enseignements qu'il serait trop long d'exposer ici ont pu être dégagés sur les rapports entre genres, la manière dont la communication est régulée par des normes sociales, l'influence normative du réseau des proches, les tensions normatives en matière de sexualité (que traduit bien, en partie, la dialectique primarité/secondarité) et la manière dont le sida est venu perturber un jeu social déjà complexe sur lequel règne le plus souvent le silence sous l'apparence d'un certain exhibitionnisme médiatique de surface.

Quelques observations surprenantes étaient faites, comme le fait que des partenaires qui utilisent le préservatif au cours des tout premiers rapports l'abandonnent le plus souvent après trois ou quatre rapports seulement bien qu'ils n'aient reçu aucune information supplémentaire concernant le statut sérologique de leur partenaire. Cette observation, vérifiée ensuite à l'aide d'une enquête quantitative portant sur la population générale, illustre toute l'importance de prendre en compte le processus de construction de la relation dans un contexte de confiance et où le sentiment de familiarité et de sécurité est d'autant plus vite ressenti qu'on est dans le domaine de l'intime.

7. LES CONCLUSIONS

Cette étude peut mettre en avant deux catégories de résultats : *primo*, les neufs types reprennent bien une grande part des situations problématiques liées à la protection contre le VIH dans le champ des relations hétérosexuelles. Mis à part certaines situations très particulières (mais pas forcément rares) qui nécessitent des recherches spécialisées (violence intra-conjugale, prostitution et traite des femmes, viol…), la plupart des situations concrètes peuvent sinon se retrouver dans un des types, au moins être situées à l'intersection de deux ou plusieurs types. Pour autant, le tableau n'est pas absolument exhaustif ; les types ne représentent que quelques cas induits par le travail empirique parmi tous les cas théoriquement possibles (selon une combinatoire des facteurs d'intelligibilité), ce qui, logiquement et *stricto sensu*, est censé caractériser une typologie. Le choix de multiplier (de manière raisonnable) ces facteurs a rendu l'opération impossible. Priorité a été donnée à la réalité empirique et à une explication ancrée dans un principe de réalité sur le formalisme théorique.

Secondo, le modèle d'analyse et la méthode ne permettaient pas de mesurer le poids respectif de chaque facteur dans l'ensemble du modèle de causalité. L'ambition n'était pas seulement hors de portée, elle semblait vaine au regard de la complexité des comportements mais surtout du fait qu'ils ne sont pas considérés ici comme de purs effets de facteurs antérieurs et extérieurs ; à travers eux les partenaires construisent leur relation. Les facteurs d'intelligibilité visent à saisir les données d'une situation et à comprendre ce qu'elle a de problématique au regard de la protection, non à expliquer les comportements de manière causale.

Les enseignements de ce travail ont permis de formuler un certain nombre d'hypothèses reprises par la suite dans d'autres recherches, dans un processus cumulatif.

Le fait que la typologie ait finalement porté sur des individus et non sur des relations peut sembler paradoxal pour une approche qui se veut, pour une large part, « relationnelle ». La prise en compte de la trajectoire personnelle et de la position dans le cycle de vie rendait difficile une typologie strictement relationnelle. Mais l'individu est, pour l'essentiel, caractérisé par le système relationnel (tant au niveau de l'interaction sexuelle que du réseau social) où il est impliqué.

En identifiant de manière compréhensive un nombre significatif de situations à risque, cette étude a pu servir de support à l'information et à la formation de nombreux intervenants dans le champ de la prévention. Une campagne de prévention a été entièrement conçue à partir d'elle. Ses différents messages visaient chaque fois, très spécifiquement, ce qu'il y a de problématique dans un certain nombre de situations courantes.

RÉCAPITULATION
DES OPÉRATIONS

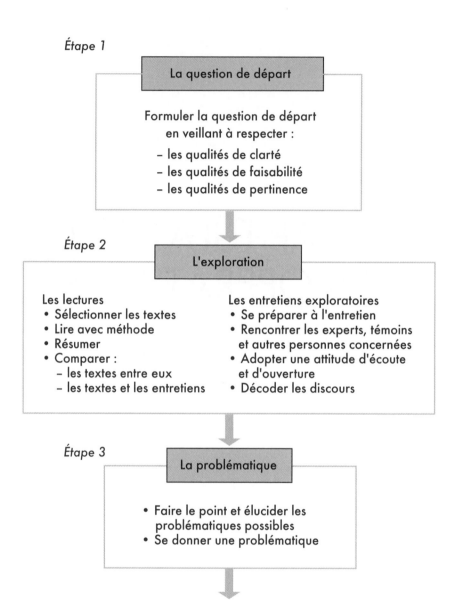

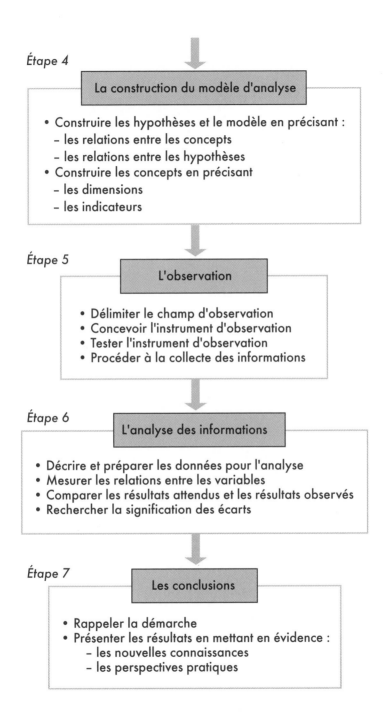

Étape 4

La construction du modèle d'analyse

- Construire les hypothèses et le modèle en précisant :
  - les relations entre les concepts
  - les relations entre les hypothèses
- Construire les concepts en précisant
  - les dimensions
  - les indicateurs

Étape 5

L'observation

- Délimiter le champ d'observation
- Concevoir l'instrument d'observation
- Tester l'instrument d'observation
- Procéder à la collecte des informations

Étape 6

L'analyse des informations

- Décrire et préparer les données pour l'analyse
- Mesurer les relations entre les variables
- Comparer les résultats attendus et les résultats observés
- Rechercher la signification des écarts

Étape 7

Les conclusions

- Rappeler la démarche
- Présenter les résultats en mettant en évidence :
  - les nouvelles connaissances
  - les perspectives pratiques

BIBLIOGRAPHIE

En plus des bibliographiques thématiques présentées dans les chapitres « L'observation » (p. 173, 177, 181, et 184) et « L'analyse des informations » (p. 201 et 206), nous proposons ci-dessous une sélection d'ouvrages fondamentaux de méthodologie générale.

Albarello L. *et al.* (1995), *Pratiques et méthodes de recherche en sciences sociales*, Paris, Armand Colin.

Bachelard G. (1976), *La Formation de l'esprit scientifique*, Paris, Librairie philosophique, J. Vrin.

Berthelot J.-M. (1990), *L'Intelligence du social*, Paris, PUF, coll. « Sociologie d'aujourd'hui ».

Boudon R., Lazarsfeld P.L. (1965), *Le Vocabulaire des sciences sociales. Concepts et indices*, Paris, Mouton, coll. « Méthodes de la sociologie ».

Boudon R., Lazarsfeld P. (dir.) (1969), *L'Analyse empirique de la causalité*, Paris, Mouton, coll. « Méthodes de la sociologie ».

Bourdieu P., Chamboredon J.-C. et Passeron J.-C. (1968), *Le Métier de sociologue*, Paris, Mouton, Bordas.

Champagne P., Lenoir R., *et al.* (1989), *Initiation à la pratique sociologique*, Paris, Dunod.

Chazel F., Boudon R. et Lazarsfeld P.L. (dir.) (1970), *L'Analyse des processus sociaux*, Paris, Mouton, coll. « Méthodes de la sociologie ».

De Bruyne P., Herman J. *et al.* (1974), *Dynamique de la recherche en sciences sociales*, Paris, PUF.

Durkheim E. (1901), *Les Règles de la méthode sociologique*, précédé de J.-M. Berthelot, *Les Règles de la méthode sociologique ou l'instauration du raisonnement expérimental en sociologie*, Paris, Flammarion, 1988.

Ferreol G. et Deubel Ph. (1993), *Méthodologie des sciences sociales*, Paris, Armand Colin.

Franck R. (dir.) (1994), *Faut-il chercher aux causes une raison ? L'explication causale dans les sciences humaines*, Paris, Librairie philosophique J. Vrin, Lyon, Institut interdisciplinaire d'études épistémologiques.

Giaccobi M., Roux J.-P. (1990), *Initiation à la sociologie. Les grands thèmes, la méthode, les grands sociologues*, Paris, Hatier.

Grawitz M. (1993), *Méthodes des sciences sociales*, Paris, Dalloz.

Herman J. (1988), *Les Langages de la sociologie*, Paris, PUF, coll. « Que sais-je ? ».

Piaget J. (1970), *Épistémologie des sciences de l'homme*, Paris, Gallimard.

Poupart J., Deslauriers J.P., Grouly L.H., Laperrière A., Mayer R., Pires A.P. (1997), *La Recherche qualitative. Enjeux épistémologiques et méthodologiques*, Montréal, Paris, Casablanca, Gaëtan Morin.

Weber M. (1922), *Essai sur la théorie de la science*, Paris, Plon, 1965.

050035 - (I) - (11,2) - OSB 80° - FAB - MPN

Achevé d'imprimer sur les presses de
SNEL Grafics sa
Z.I. des Hauts-Sarts - Zone 3
Rue Fond des Fourches 21 – B-4041 Vottem (Herstal)
Tél +32(0)4 344 65 60 - Fax +32(0)4 289 99 61
juillet 2006 — 37565

Dépôt légal: juillet 2006
Dépôt légal de la 1re édition: 3e trimestre 1988

Imprimé en Belgique